Digitales Bauen mit BIM

Jetzt diesen Titel zusätzlich als E-Book downloaden und 70 % sparen!

Als Käufer dieses Buchtitels haben Sie Anspruch auf ein besonderes Kombi-Angebot: Sie können den Titel zusätzlich zum Ihnen vorliegenden gedruckten Exemplar für nur 30 % des Normalpreises als E-Book beziehen.

Der BESONDERE VORTEIL: Im E-Book recherchieren Sie in Sekundenschnelle die gewünschten Themen und Textpassagen. Denn die E-Book-Variante ist mit einer komfortablen Volltextsuche ausgestattet!

Deshalb: Zögern Sie nicht. Laden Sie sich am besten gleich Ihre persönliche E-Book-Ausgabe dieses Titels herunter.

In 3 einfachen Schritten zum E-Book:

❶ Rufen Sie die Website **www.beuth.de/e-book** auf.

❷ Geben Sie hier Ihren persönlichen, nur einmal verwendbaren E-Book-Code ein:

30243765B1B9B83

❸ Klicken Sie das „Download-Feld“ an und gehen dann weiter zum Warenkorb. Führen Sie den normalen Bestellprozess aus.

Hinweis: Der E-Book-Code wurde individuell für Sie als Erwerber dieses Buches erzeugt und darf nicht an Dritte weitergegeben werden. Mit Zurückziehung dieses Buches wird auch der damit verbundene E-Book-Code für den Download ungültig.

Digitales Bauen mit BIM

Amir Abbaspour (Hrsg.)

Digitales Bauen mit BIM

Use Case Management im Hochbau

1. Auflage 2021

Herausgeber:
DIN Deutsches Institut für Normung e. V.

bSD Verlag

Beuth Verlag GmbH · Berlin · Wien · Zürich

Herausgeber: DIN Deutsches Institut für Normung e. V.

© 2021 Beuth Verlag GmbH
Berlin · Wien · Zürich
Am DIN-Platz
Burggrafenstraße 6
10787 Berlin
Telefon: +49 30 2601-0
Telefax: +49 30 2601-1260
Internet: www.beuth.de
E-Mail: kundenservice@beuth.de

© 2021 bSD Verlag
buildingSMART Deutschland e. V.
Haus der Bundespressekonferenz / 4103
Schiffbauerdamm 40
10117 Berlin
Telefon: +49 30 2363667-101
Internet: www.buildingsmart.de
E-Mail: verlag@buildingSMART.de

Titelbild: © JMCM, Benutzung unter Lizenz von shutterstock.com
Satz: Beuth Verlag GmbH, Berlin
Druck: Drukarnia Skleniarz, Kraków
Gedruckt auf säurefreiem, alterungsbeständigem Papier nach DIN EN ISO 9706

ISBN 978-3-410-30243-8 (Beuth Verlag)
ISBN (E-Book) 978-3-410-30244-5 (Beuth Verlag)
ISBN 978-3-948742-24-9 (bSD Verlag)
ISBN (E-Book) 978-3-948742-25-6 (bSD Verlag)
ISBN (Kombi) 978-3-948742-26-3 (bSD Verlag)

Inhaltsverzeichnis

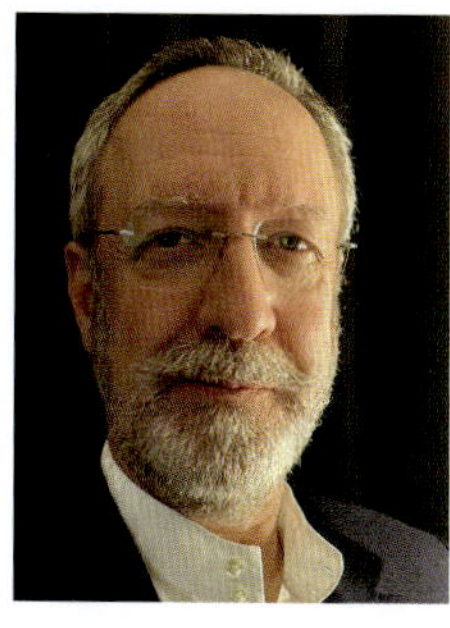

Grußwort

Liebe Leser,

gerne bin ich der Bitte von Amir Abbaspour nachgekommen, zu diesem Buch ein Grußwort zu schreiben.

Dass man sich erst jetzt so intensiv mit den BIM-Anwendungsfällen auseinandersetzt, ist eigentlich ein Anachronismus in der Entwicklungshistorie von BIM, denn eigentlich hätte man ganz zu Anfang erst einmal die „5 W-Fragen" stellen sollen, wer, wann, von wem, welche Informationen zu welchem Zweck benötigt und dann erst, mit welchen Datenformaten man diese Informationen am besten bereitstellen und übertragen kann.

Gekommen ist es anders: Mit noch relativ vagen und visionären Vorstellungen, was man mit semantischen Produktmodellen erreichen kann, hat man sich im letzten Jahrhundert besonders auf die technischen Herausforderungen konzentriert. Nachdem die Forschungsergebnisse und auch die Standards in der STEP-Initiative bei ISO industrielle Reife erreicht hatten, wurde 1995 buildingSMART (damals noch „IAI") gegründet. Aber auch in diesem industrie- und praxisnahen Verband investierte man die ersten Jahre intensiv in die Modellierung des IFC-Datenschemas. Nachdem immer offensichtlicher wurde, dass das schönste Datenmodell nichts hilft, wenn man sich nicht auch um die Prozesse kümmert, entstand aus dieser Erkenntnis das sogenannte IDM (Information Delivery Manual), eine harmonisierte Methode, mit der man BIM-Anwendungsfälle in Prozessen mit den verschiedenen Beteiligten und Informationsanforderungen zu bestimmten Zeitpunkten beschreiben und dokumentieren kann. Aber auch das hat nicht sofort dazu geführt, dass sich die Anwender damit ausreichend auseinandergesetzt hätten.

Vermutlich konnten sich nicht ausreichend viele Fachleute vorstellen, was man mit BIM erreichen kann. Zunächst waren wohl die ersten, noch einfachen BIM-Gehversuche notwendig, damit mehr Menschen die möglichen Potenziale erkennen konnten. Mit zunehmender BIM-Praxis wurde dann die Bedeutung der BIM-Anwendungsfälle als entscheidender Ausgangspunkt der Informationslieferkette erkannt, in der die „5 W-Fragen" beantwortet werden müssen.

Inzwischen wurden so viele BIM-Anwendungsfälle beschrieben und ausreichend intensiv analysiert, dass sich daraus ein harmonisiertes Verständnis entwickelte. Das zeigt sich z. B. im pränormativen BIM-Use-Case-Management von buildingSMART und in der Regelsetzung der VDI 2552-11-Unterreihe.

Es freut mich sehr, dass dieses Buch einen wertvollen Beitrag liefert, um zu einem gemeinsamen Verständnis von BIM-Anwendungsfällen zu finden, und wünsche ihm viele Leser, die daraus weitere Anregungen schöpfen können.

Mai 2021, Rasso Steinmann

Vorwort des Herausgebers

Amir Abbaspour

BIM-Manager

Mit Building Information Management, BIM, erhalten wir neue Möglichkeiten der methodischen Umsetzung von Bauprojekten. Mit BIM können wir unsere Planungs- und Handlungsweisen im Baugewerbe überdenken und die Prozessschritte optimieren – in der Vernetzung und Zusammenarbeit der verschiedenen Gewerke.

Mit diesem Buch soll ein übersichtlicher Einblick in die BIM-Welt gegeben werden; die aufgeführten Anwendungsfälle sollen helfen, die korrekte Umsetzung der Methodik einzusetzen. Damit die Implementierung von BIM in unseren Projekten strukturiert erfolgt, wird das Thema des Prozessmanagements und werden die Umsetzungsmöglichkeiten der sich aus dem Prozessen ergebenden Aufgaben erläutert.

Grundsätzlich sollte die Anwendung von BIM immer die Umsetzung der bestehenden Prozesse unterstützen. BIM wird erst dann den größtmöglichen Vorteil bei der Umsetzung erbringen, wenn die Methode korrekt und an den richtigen Schnittstellen angewendet wird. Grundvoraussetzung muss demzufolge ein konkreter Prozessablauf sein, welcher genauestens durchdacht und festgelegt ist.

In diesem Buch werden praxiserprobte BIM-Anwendungsfälle im gesamten Lebenszyklus eines Hochbauprojekts vorgestellt. Die Anwendungsfälle stehen exemplarisch für die BIM-Methodik und können für neue Projekte angepasst und weiterentwickelt werden.

Die Beiträge in diesem Buch sollen einen Einblick in die unterschiedlichen spezifischen Vorgehensweisen mit BIM vermitteln. BIM steht nicht nur für ein koordiniertes 3D-Modell, sondern befasst sich mit unseren alltäglichen Planungs- und Handlungsweisen im Baugewerbe, damit die Durchführung von Bauprojekten optimal gestaltet werden kann.

Die Bauplanung und Bauausführung funktioniert auch ohne die Digitalisierung. Das Neue, das die Methode BIM mit sich bringt, ist der gesamtheitliche Ansatz von Beginn an: „Welche Informationen werden wann, in welcher Qualität und für welchen Zweck benötigt?" Mit BIM ist die gewünschte Qualität für das Erreichen der von uns festgelegten Meilensteine sehr früh festgelegt.

BIM ist eine Methode zur Umsetzung der Planung, der Ausführung und des Betriebs. Mit BIM sind unsere Informationen und Projektdaten transparent abrufbar und dokumentiert, sodass sie jederzeit für unterschiedliche Zwecke nutzbar sind.

Die unterschiedlichen Anwendungsfälle in diesem Buch wurden auch aus juristischer Sicht von Dr. Till Kemper analysiert und kommentiert. Die Kommentierungen aus juristischer Perspektive sind mit dem Paragraphenzeichen „§" nach der Darstellung des Anwendungsfalles gekennzeichnet.

Mai 2021, Amir Abbaspour

Danksagung

Ich möchte mich bei all denjenigen bedanken, die mich während der Entstehung dieses Buches unterstützt und motiviert haben.

Ein großer Dank geht hierbei an Dr. Till Kemper und die Gastautoren, die einen Beitrag in diesem Buch geschrieben haben und uns Einblicke in ihre fortschrittliche Arbeitsweise durch BIM gewähren – vielen Dank für die anregende Zusammenarbeit.

Ich danke auch meiner Familie, die mich ermutigt und gefördert hat. Der besondere Dank gilt meiner Verlobten und meiner Schwiegermutter in spe, die sich intensiv mit dem Inhalt des Werks auseinandergesetzt haben.

Mai 2021, Amir Abbaspour

1 Einführung

1.1 Was ist BIM?

Trotz vieler Erläuterungen und Begriffsbestimmungen zu BIM stellt die Umsetzung der Methodik einige der Anwender der Praxis vor Probleme.

BIM ist eine digitale Unterstützung für die Bauindustrie und ersetzt nicht die Kerntätigkeiten der Planung, Bauausführung und betrieblichen Nutzung von Projekten. Sie unterstützt diese Tätigkeiten, indem sie Projektdaten computerlesbar und offen austauschbar macht. Die Projektdaten sind jederzeit abrufbar und können ausgewertet werden. Die Daten und Informationen können dadurch einfach ergänzt, angepasst und transformiert werden.

Zum leichteren Verständnis stellen wir uns ein Dokument im Format Word vor. Das weitergeleitete Word-Dokument kann jederzeit in Word geöffnet und bearbeitet werden. So können beispielsweise Texte überschrieben, umgeschrieben und ergänzt werden. Zusätzlich können die Texte kopiert und in ein anderes Dokument übertragen werden. Jede Änderung kann im Word-Dokument schnell und unkompliziert mit dem Word-Programm vorgenommen werden. Anders sähe es aus, wenn die Texte handschriftlich auf einem Blatt Papier notiert wären. Die Versendung des handschriftlichen Dokuments würde durch die Lieferung per Post sehr viel mehr Zeit beanspruchen als die Übermittlung des Dokuments per E-Mail; der Empfänger kann das digitale Dokument umgehend am PC oder auch auf seinem Handy betrachten und ggf. unterzeichnen oder kommentieren. Eine umgehende Rücksendung des Dokuments mit Anpassungen an den Absender ist daher möglich.

Digital erfasste Informationen können schnell und einfach bearbeitet werden. Zwei Excel-Tabellen können miteinander kommunizieren, Informationen aus der ersten Tabelle können automatisch durch Makros in der zweiten Tabelle in Echtzeit ergänzt werden etc. Das ist das Basisverständnis für eine Datenbank, und prinzipiell arbeitet die BIM-Methode genauso. Sie versucht Daten aus einer Quelle zu einer anderen zu bringen, an den richtigen Stellen einzusetzen und schließlich mithilfe einer Formel ein Ergebnis zu exportieren.

Nun kann sich jeder selbst vor Augen führen, wie viele Daten und Informationen in ein einzelnes Projekt fließen können. Wie können alle Daten eines Projekts digital aufgenommen und in die relevanten Prozesse übernommen werden und dabei Doppelt- oder Dreifacharbeiten vermieden werden?

Hierfür sind alle Prozesse eines Projekts exakt darzustellen, und die benötigten Daten für die einzelnen Prozessschritte müssen vorliegen. Auf diese Art lässt sich klar identifizieren, wo die Daten einer Ursprungsdatei nochmals verwendet werden. Automatisch erschließen sich viele Abhängigkeiten zwischen einzelnen Daten und Prozessen. Diese Handlungsweise wird als BIM-Prozess definiert. Die relevanten Stellen bzw. Meilensteine im gesamten Prozess werden als BIM-Anwendungsfälle bezeichnet.

Besonders wichtig bei dem Thema BIM ist, zu verstehen, dass jede Datei und Information seine eigene Mutterquelle besitzt und nur dort angepasst und verändert werden sollte. Die Daten und Informationen dürfen (soweit möglich) nicht kopiert werden. Nur so kann sichergestellt werden, dass, wenn sich die Informationen in der Mutterquelle ändern oder aktualisieren, diese sich automatisch auch an allen anderen Zugriffsquellen aktualisieren und ändern.

Wenn wir beispielsweise eine Datei auf acht PCs kopieren möchten, könnten wir die Original-Datei auf einen USB-Stick kopieren und anschließend auf alle acht PCs überspielen. In diesem Fall wäre die Information acht Mal kopiert worden. Sollte sich die Originaldatei ändern, müsste dieser Vorgang mit der neuen Version wiederholt werden. Wenn nun aber die Originaldatei (Mutterquelle) über eine Verknüpfung zu den acht PCs verfügt und sich die Informationen immer automatisch anpassen, ersparen wir uns viel Zeit und Aufwand verglichen mit dem manuellen Weg.

1.2 Informationsmanagement

Der Kern der Methode BIM ist das Informationsmanagement. Es geht um die Informationen, deren Quellen und die Verwendungsart. Welche Quellen sind für welche Nutzung zu verwalten? Es sind nicht nur die Informationen zu betrachten, die mit einem Objekt mitgeliefert werden, sondern auch die Zwischenergebnisse, die für alle weiteren Prozesse als Grundlage benötigt werden.

Stellen wir uns vor, dass nach Basismengen eines Bauteils gesucht wird. Diese Basismengen stellen die geometrischen Abmessungen, d. h. m^2-Flächen und Volumen des entsprechenden Objekts, dar. Wie genau verläuft der Prozess, bis wir die Flächen und das Volumen hierzu erhalten?

Jedes Bauteil wird durch den entsprechenden Fachplaner gezeichnet. Anschließend werden alle relevanten Informationen hinzugefügt. Hierdurch kann das Bauteil über seine eingepflegten Informationen im Gesamtmodell leicht gefiltert bzw. gesucht werden. Die vom Fachplaner einzutragenden Informationen müssen im Vorfeld klar vom Bauherrn bestimmt werden. Beim Export des Modells wird je nach Anwendungsfall bereits eine Filterung der gesamten eingetragenen Informationen angewendet, sodass nur die relevanten Informationen beim Export übertragen werden. Das Bauteil kann ohne zusätzliche Konvertierung direkt in die Datenbank eingelesen werden. Durch die bereits gefilterten Informationen ist eine einfache, schnelle und effektive Suche der Bauteile möglich und der Suchende wird nicht durch große Mengen von irrelevanten Informationen überfordert. Die Berechnung der Basismengen erfolgt automatisch. Einzelne Abmessungen von Bauteilen werden sofort erkannt bzw. errechnet. Wie genau die einzelnen Flächen erkannt werden, lassen wir vorerst außer Acht – hierauf gehen wir später näher ein.

Wie viele Informationen fließen bei diesem Prozess? Wie oft werden welche Informationen verwendet?

Die Antwort auf diese Fragen bezieht sich auf die Art und Weise unseres Vorgehens und Umgehens mit Informationen.

Stellen Sie sich vor, dass Sie sich in einem Raum mit für Sie nur unbekannten Menschen befinden. Ihre Aufgabe wäre es nun, eine ganz bestimmte Person X in dieser für Sie komplett fremden Gruppe zu finden. Wie würden Sie vorgehen?

Hätten Sie nur den Namen als einzige Information für Ihre Suche, müssten Sie vermutlich jede Person einzeln nach ihrem Namen fragen. Je nach der Größe der Gruppe könnte dies sehr viel Zeit in Anspruch nehmen. Würden mehrere Menschen der Gruppe denselben Namen haben, wüssten Sie immer noch nicht, welche die gesuchte Person X wäre.

Wenn Sie nun aber mehrere Informationen zu der gesuchten Person X hätten, wie beispielsweise, dass er einen blauen Anzug, ein weißes Hemd und eine braune Tasche trägt und kurze blonde Haare hat, würden Sie ihn relativ schnell identifizieren.

Wie die Suche mit relevanten Informationen nach einer Person kann auch die Suche nach einem bestimmten Bauteil im Modell erfolgen. Die oben aufgeführten Eigenschaften der Person entsprechen den relevanten angehängten Informationen des Bauteils: die Attribute. Sie können die Person mithilfe der Filterung von Informationen finden. Natürlich ist dabei auch wichtig, dass Ihnen nur Informationen gegeben werden, die eine Person konkret beschreibt. Hätten Sie eine ganze Liste mit teils auch unrelevanten Eigenschaften dieser Person, wie beispielsweise, dass die Person auch gerne Tennis spielt, würde Ihnen das bei der Suche nicht helfen. Gleiches gilt bei den einzutragenden Informationen für das Bauteil.

Wie können die Anforderungen des Bauherrn in ein CAD-System einfließen? Wie können genau die relevanten Informationen für diesen Anwendungsfall aus dem CAD-System exportiert werden? Muss ich das Modell selbst in eine Datenbank importieren, um die Flächen und das Volumen zu erhalten, oder kann die Datenbank direkt auf das aktuelle Modell zugreifen und die Mengen aktualisieren?

Für die Beantwortung dieser Fragen müssen wir uns als Anwender mit der Software auseinandersetzen, sie verstehen und optimal nutzen. Natürlich könnte man alles aufwendig manuell eingeben und übertragen. Aber genau die teils doppelte und dreifache Informationsübertragung kann identifiziert, definiert und behoben werden.

In diesem Buch werden die Möglichkeiten der Optimierung mit BIM wie die Fehlervermeidung in der Planung und die transparente Darstellung der Prozesse erörtert, um die Qualität des Bauens zu verbessern und Terminsicherheit zu gewährleisten.

1.3 BIM in 3D

Die Frage, warum BIM als Building Information Modeling bekannt ist und ob diese Methode nur in 3D funktioniert, soll im Folgenden beantwortet werden.

Grundsätzlich sollte BIM als Building Information Management verstanden werden. Es geht bei dieser Methode um den Umgang mit Daten und Informationen und darum, die unterschiedlichen Prozessschritte der Bauplanung und -ausführung miteinander zu verknüpfen.

Aber welchen Vorteil bietet es, wenn die Prozesse miteinander verknüpft sind?

Einzelne Prozesse sind jeweils von anderen Prozessen abhängig. Die Daten und Informationen, die in ein Projekt fließen, haben genau eine Mutterquelle, werden aber für verschiedene Zwecke benötigt. Viele dieser Daten und Informationen werden in den unterschiedlichen Phasen eines Projekts mehrmals benötigt. Wird eine Information nicht für die nächste Phase, obwohl diese benötigt wird, bereitgestellt, muss die Information erneut gesucht bzw. zugewiesen werden.

Diese doppelte Informationssuche kann vermieden werden. Da Daten und Informationen immer einer Mutterquelle zuzuordnen sind, können diese über die Mutterquelle direkt für alle relevanten Prozesse übernommen werden. Die Herkunft und die Weiterverwendung in x-beliebigen Prozessen und Anwendungen lässt sich in einer Historie automatisch dokumentieren.

Bei der Digitalisierung eines Prozesses müssen die einzelnen Schritte genau betrachtet und analysiert werden. In einem 3D-Modell gibt es Bauteile, die in der dreidimensionalen Welt zu sehen sind. Ein Bauteil im Raum hat eine Länge, eine Tiefe und eine Höhe. Dies sind die Basismengen, die direkt abgeleitet werden können und für jeden sichtbar sind.

In einem CAD-System arbeiten wir immer in einem lokalen Koordinatensystem. Der Vorzug eines 3D-Modells ist, dass die echte Position von jedem Bauteil im Raum abgebildet und die Abstände zueinander ermittelt werden.

Sobald ein Bauteil im CAD-System gezeichnet wird, bekommt dieses eine Identifikationsnummer. Alle Bauteile müssen solch eine eindeutige Identifikationsnummer besitzen. Das ist vergleichbar mit der Personalausweisnummer eines jeden Menschen, anhand derer dieser eindeutig identifiziert werden kann.

Mit dieser Identifikationsnummer kann man jedes Bauteil aufrufen und die dazugehörigen Basismengen überblicken.

Um die Anzahl und die Art der Informationen der Bauteile zu definieren, ist vorher festzustellen, zu welchem Zweck welche Information verwendet werden sollen.

Jede Information muss zu einem BIM-Anwendungsfall oder zu einem Meilenstein passen. Es können beliebige Informationen zu einem Bauteil eingepflegt werden, mithilfe derer das Bauteil für weitere Zwecke herausgefiltert werden kann. Die Informationen eines Bauteils können auf unterschiedlichen Wegen weitergeleitet oder in anderen Datenbanken verwendet werden. Wie genau welche Information über welchen Weg für den entsprechenden Anwendungsfall bereitgestellt werden kann, gilt es zu überlegen und zu entwickeln.

In einer 2D-Zeichnung eines Grundrisses beispielsweise sind Längen und Tiefen von Räumen erkennbar. Die Information der Höhe muss hierbei in Verbindung mit bestehenden 2D-Schnitten oder Ansichten identifiziert werden. Dass die Höhe aus den 2D-Schnitten oder Ansichten in die Maßketten eingetragen wurde, kann nicht garantiert werden. Vielleicht wurde der 2D-Schnitt auch noch nicht dem Grundriss angepasst oder allen Beteiligten zur Verfügung gestellt, sodass mit unterschiedlichen Planständen zu arbeiten ist.

Innerhalb des 3D-Modells werden Ansichten und Schnitte direkt abgeleitet und nicht separat dargestellt. Unterschiedliche Planstände sind hiermit also ausgeschlossen. Eine separate Darstellung bzw. Anpassung der einzelnen Schnitte, Ansichten und Grundrisse ist jederzeit möglich, da die Basiskoordinaten korrekt sind und sich nach jeder Änderung automatisch anpassen.

Die einzelnen Bauteile in einer 2D-Zeichnung sollten im besten Fall als Gruppen/Makros gezeichnet werden, sodass die Informationen durch Layer mit den Bauteilen verknüpft sind. Die Zuordnung von Informationen zu Linien und Punkten ist limitiert. Dagegen könnten die 2D-Objekte im Layer sogar eine Codierung erhalten, die bestimmte Informationen als „Geheimsprache“ für die Datenbank bereitstellt. Diese Zeichnungen müssen jedoch akkurat und ohne Informationsverlust exportierbar sein, sodass sie erkennbar und auffindbar sind.

2D-Basismengen können aus den 2D-Zeichnungen gelesen werden, wenn die Gruppierung und die Layerstruktur sauber definiert sind. Außenwände können so durch den entsprechenden Layer gefiltert dargestellt werden.

Der besondere Vorteil eines 3D-Modells ist natürlich die direkte Visualisierung und die damit verbundene Verständlichkeit aller Situationen des Projekts. Da alle Gewerke einzelne Fachmodelle erstellen, können diese im Modell übereinandergelegt werden. Komplexe Situationen werden schneller erkannt und können frühzeitig koordiniert werden. Die Koordination ausschließlich über 2D-Unterlagen ist meist sehr herausfordernd und schwierig – je größer ein Projekt, desto mehr Bauteile werden verbaut und umso mehr Angaben müssen geprüft und aufeinander abgestimmt werden. In einer 2D-Welt kann man nicht alle Zeichnungen aller Gewerke zusammenführen. Bereits in der Entwurfsphase ist es empfehlenswert, direkt in 3D zu zeichnen, um das Projekt gesamtheitlich betrachten zu können.

Der Austausch zwischen Daten und Informationen in der 2D-Welt muss sauber definiert sein und softwareunabhängig funktionieren.

Die Methode BIM ist, je nach Anwendungsfall, vorzugsweise komplett oder zumindest teilweise in einer 3D-Welt umzusetzen. In bestimmten Fällen kann BIM jedoch auch über die 2D-Welt angewendet werden. Der Grundgedanke von Building Information Modeling ist das 3D-Modell, verbunden mit der Informationsdatenbank, in der alle wichtigen Daten zum Projekt erfasst und verlinkt sind.

1.4 Planung und Ziel

Ein Ziel ist eine „Sollgröße, mit der ein Istzustand verglichen wird, der so lange zu bearbeiten ist, bis er dem Sollzustand entspricht.“[1]

Ein Ziel wird oft mit einem Wunsch verwechselt. Ein Ziel muss unbedingt **S**pezifisch, **M**essbar, **A**ttraktiv, **R**ealistisch sowie **T**erminiert sein, kurz gesagt SMART. Sobald einer dieser Aspekte fehlt, handelt es sich nicht mehr um ein Ziel, sondern um einen Wunsch.

„Ich möchte so schnell wie möglich so reich wie möglich werden.“

Ist diese Aussage als Ziel oder als Wunsch zu verstehen? In diesem Satz wird nicht der Weg zum Reichtum beschrieben; auch fehlt der Aspekt der Messbarkeit der Aussage. Was genau bedeutet „so reich wie möglich“? Ab wann ist die Person reich? Das Ziel muss attraktiv sein und einen Grund mit sich bringen. Was ist vorgefallen, dass dieses Ziel zustande gekommen ist? Ist das Ziel in entsprechender Art und Weise realistisch zu erreichen? Bis wann soll das Ziel erreicht werden?

BIM-Ziele müssen genau definiert werden – wir sprechen hierbei sowohl über die übergeordneten als auch untergeordneten BIM-Ziele. Erst wenn alle Ziele für die Anwendung unserer Methode klar definiert sind, können die BIM-Anwendungsfälle für das jeweilige Bauprojekt bestimmt werden. Die möglichen Anwendungsfälle müssen nicht bei jedem Projekt umgesetzt werden – die Umsetzung ist immer abhängig von den festgelegten Zielen.

Das Ziel der Prozessoptimierung bei der Planung ist zu allgemein gehalten. Ab wann ist eine Planung optimiert? In welchen Phasen soll die Planung optimiert werden? Wie können wir die Planung optimieren? Wie realistisch wäre das – zeitlich und technisch gesehen?

1 Quelle: https://wirtschaftslexikon.gabler.de/definition/ziel-49980 (Stand 04/2021)

Eine optimierte Planung als ein übergeordnetes Ziel kann zum Beispiel eine kollisionsfreie Planung bedeuten. Dieses BIM-Ziel kann durch BIM-Anwendungsfälle sowie modellbasierte Kollisionsprüfung, visuelle Modellprüfung oder auch teilautomatisierte Modellprüfung erreicht werden.

Ein anderes Beispiel wäre ein übergeordnetes Ziel: die Kostensicherheit. Dazu soll als BIM-Ziel eine verbesserte Mengenermittlung festgelegt werden. Um dieses Ziel zu erreichen, muss ein BIM-Anwendungsfall für die modellgestützte Mengenermittlung definiert werden.

Die BIM-Ziele können frei definiert werden. Grundsätzlich handelt es sich bei den genannten Beispielen um Ziele, um Prozesse zu optimieren. Über die KVPs (kontinuierlicher Verbesserungsprozess) und Lessons Learned-Erfahrungen Ihrer Firma können die Abläufe, die zu optimieren sind, festgestellt werden. Mit BIM sollten diese Ziele zu erreichen sein. Diese Ziele können im gesamten Prozess einer Immobilie, vom Entwurf bis zum Abriss, definiert werden.

Die Maßnahmen werden als Anwendungsfälle bzw. BIM-Anwendungsfälle oder Use Cases bezeichnet. Die Anwendungsfälle sind zu sammeln, zu erstellen, zu untersuchen, zu kommunizieren und schließlich zu realisieren.

Die Ziele sind ähnlich einer Baumstruktur aufgebaut. Übergeordnete Ziele fassen mehrere kleinere Ziele zusammen. Die übergeordneten Ziele können demnach relativ skizzenhaft definiert werden. Zur Zielerreichung werden Meilensteine festgelegt.

Nachfolgend ein Beispiel aus der VDI 2552 Blatt 10:2021-02, Tabelle A1.

Übergeordnete Projektziele	**BIM-Ziele**	**BIM-Anwendungsfälle**
Einbeziehung der Öffentlichkeit	verbessertes Verständnis der Planung in der Öffentlichkeit	• modellbasierte Visualisierung und Kommunikation • Virtual Reality/Augmented Reality
Optimierte Planung	kollisionsfreie Planung	• modellbasierte Kollisionsprüfung • visuelle Modellprüfung • teilautomatisierte Modellprüfung
Kostensicherheit	verbesserte Mengenermittlung	• modellgestützte Mengenermittlung
Qualitätssicherung der Bauausführung	verbesserter Soll-Ist-Abgleich	• modellbasiertes Mängelmanagement • modellgestützte Qualitätschecklisten
Konsistente Dokumentation	Optimierung der Dokumentations- und Revisionsunterlagen	• Nutzung eines CDE • Erstellen eines As-Built-Models • Attribuierung gemäß der AIA

Abbildung 1: Ziele und Anwendungsfälle VDI 2552 Blatt 10

1.5 Vision und Mission

Dieses Buch soll Klarheit über die Nutzung der BIM-Methode in der Praxis schaffen. Wichtig zu verstehen ist, dass BIM auch für einen einzigen Anwendungsfall sinnvoll sein kann. Nicht immer ist es richtig, alle Anwendungsfälle für das Projekt in BIM umzusetzen. Stattdessen sollten wir eher schrittweise vorgehen. Vorrangig sollte sicherlich dem kollisionsfreien BIM-Modell nachgegangen werden, alle weiteren Anwendungsfälle sollten nach den eigenen Prioritäten bestimmt und hiernach umgesetzt werden. Die in diesem Buch aufgeführten Anwendungsfälle decken sicherlich nicht alle Anwendungen ab, aber sie geben Ihnen eine Übersicht über einige uns bekannte Anwendungen. Letztendlich müssen Sie selbst entscheiden, was für Ihr Projekt sinnvoll ist und was nicht.

Nicht immer haben Sie die Möglichkeit, sich umfassend und in aller Ruhe auf ein kommendes Projekt, welches mit BIM abgewickelt werden soll, vorzubereiten. Auch Closed BIM ist im Unternehmen von Vorteil, da erste Erfahrungen bereits vorhanden sind und ein gewisses Grundverständnis und Vorgehen vorausgesetzt werden kann. Setzen Sie sich nicht erst mit dem Thema BIM auseinander, wenn die ersten Anforderungen zur BIM-Implementierung im Projekt an Sie herangetragen werden.

3D-Modellieren gibt es seit Jahren und hat sich in der Praxis bereits etabliert. Die Verwendung mit den Bauteilen inklusive der Attribute ist allerdings häufig noch nicht eingeführt und erprobt.

Dieses Buch soll Ihnen die unterschiedlichen Möglichkeiten für den Einsatz von BIM in der Praxis aufzeigen. Anhand einiger Beispiele von Anwendungsfällen aus der Praxis können Sie sich selbst davon überzeugen, dass BIM bei unterschiedlichen Anwendungsfällen bereits heute erfolgreich umgesetzt wird. Die Anwendungsfälle, die in diesem Buch auftauchen, entsprechen den best practices aus verschiedenen Unternehmen und aus unterschiedlichsten Projekten. Die aufgezeigten best practices können unabhängig voneinander betrachtet werden.

Mit den vorgestellten Beispielen erhalten Sie Anregungen zur Optimierung Ihrer Bauprozesse durch BIM, und mit den unterschiedlichen Anwendungsfällen können Sie sich einen Überblick verschaffen, der sie zur eigenen Umsetzung und Weiterentwicklung ermutigen soll.

2 Grundlagen

2.1 UCM – Use Case Management

BIM-Anwendungsfälle, auch genannt Use Cases, können im gesamten Lebenszyklus eines Gebäudes auftauchen. Diese verdeutlichen den Sinn der einzelnen Meilensteine eines Projektablaufs, die zu bestimmten Phasen erreicht werden müssen.

Die Use Cases werden aus den im Vorfeld aufgestellten BIM-Zielen eines Projekts abgeleitet. Sollte als übergeordnetes Ziel die „Optimierung der Planung" festgelegt worden sein, würde das untergeordnete BIM-Ziel hierbei beispielsweise als „Kollisionsfreie Planung" definiert werden. Der Use Case definiert den Weg, um das BIM-Ziel zu erreichen – in diesem Fall wäre der Use Case eine modellbasierte Kollisionsprüfung.

Da die Use Cases immer bestimmten Phasen zugeordnet werden, ist die Darstellung von Prozessen für die Abwicklung eines Use Case sehr wichtig. Diese Prozesse werden in den Gesamtprozessen des Projektablaufs über den Lebenszyklus hinweg ergänzt.

Die Use Cases sind nicht gemäß einem Handbuch vorgeschrieben und anzuwenden, sondern ergeben sich aus unterschiedlichen Zielen und Vorgehensweisen in der Umsetzung. Sie wurden aus den best practices und Erfahrungen entwickelt und zeigen auf, weshalb BIM in einem Projekt eingesetzt werden sollte.

2.2 Der Einstieg in BIM

Für die erfolgreiche Umsetzung der BIM-Methode in einem Projekt müssen als Basis vor allem Prozessdarstellungen der Projektstruktur und -abläufe vorliegen. Hierbei sind alle Prozesse von enormer Wichtigkeit, auch diejenigen, die bereits wie selbstverständlich ablaufen. Die Prozesse unterstützen den Wissenstransfer im Unternehmen und im Projekt. Dadurch kann der gesamte Ablauf transparent dargestellt werden. Auch kann so klar erörtert werden, welche Schritte in welcher Reihenfolge erledigt werden müssen und welche Abhängigkeiten zwischen den einzelnen Zwischenschritten bestehen, um schlussendlich das jeweilige Ziel oder den Meilenstein zu erreichen.

Ohne die Darstellung der Prozesse ist die erfolgreiche Umsetzung von BIM schwierig. Bedenken Sie bitte, dass es mittlerweile auf dem Markt sehr viele Tools gibt, die Sie im Projekt bei einzelnen Teilschritten unterstützen können. Die Software Tools sind nicht immer miteinander kompatibel und sollten daher im Vorfeld gewissenhaft ausgewählt werden.

Natürlich sollte immer beachtet werden, dass die Tools der Unterstützung dienen und die Arbeitsweise dadurch optimiert wird. Der Mensch steht weiterhin an erster Stelle und steuert alle Prozesse – er ist der wichtigste Faktor in den Prozessen. Ein Auto kann beispielsweise schnell oder langsam von einem zum anderen Ort fahren, der Mensch muss dafür aber das Steuern übernehmen und die Pedale betätigen, er „führt" die Maschine.

Zusammenfassend stellt BIM eine Methode zur Optimierung der Planung, der Ausführung und des Betreibens dar. Der Mensch muss entscheiden, welche Anwendungsfälle mit welchen Tools eingesetzt werden, um das beste Ergebnis zu erhalten. BIM ist keine Software, aber eine Software kann BIM-fähig sein.

3 Fünf BIM-Faktoren

Um BIM erfolgreich im Lebenszyklus eines Projekts und in den Planungsablauf zu implementieren, müssen zunächst einige Faktoren berücksichtigt werden, die auch als die fünf Einflussfaktoren von BIM bezeichnet werden.

Der wohl wichtigste Faktor und gleichwohl Initiator ist der Mensch. Der Faktor beschreibt die Rollen und Verantwortlichkeiten in einem BIM-Projekt, die die bisherige Rollenstruktur eines Projekts erweitern. Da der eigentliche Anwender der Methodik der Mensch ist, liegt es auch an ihm, BIM erfolgreich zu implementieren.

Damit allen Anwendern die Zuständigkeiten für die einzelnen Schritte bekannt sind, werden projektspezifische Prozesse benötigt. Der nächste Faktor betrifft demnach die Prozesse. Hierbei werden Festlegungen für alle Abläufe getroffen und diese gesteuert. Mit jedem Prozess werden BIM-Zielsetzungen und die Anwendungsfälle weiterverfolgt. Dabei wird der Informationsinput und auch -output sowie die Funktion der einzelnen Aktivitäten festgelegt. Die Inputs, die Anforderungen an ein Projekt sowie eine AIA und deren Funktion ist bei der Umsetzung der AIA in einem Projekt im Sinne eines BAPs wichtig, da nur hieraus die Use Cases als Output zu erreichen sind.

Der Faktor Daten ist der Kernpunkt der BIM-Methodik. Hierbei geht es um das sichere und transparente Verwalten aller Informationen in Form von Daten. Für die Daten müssen klare Vorgaben zum Input und Output bestehen, sodass eine Aktivität vollständig abgeschlossen werden kann. Die Themen Datenaustausch und Datensicherheit sind zusätzlich zu beachten.

Mithilfe des Faktors Technologien können genau diese Daten erzeugt und gespeichert werden. Hierbei können Software, Hardware oder cloudbasierte Lösungen sowie die gemeinsame Datenumgebung CDE angegeben werden, sodass jeder Nutzer in der Lage ist zu beurteilen, ob die jeweilig benötigten technischen Parameter seines Equipments für die Abwicklung ausreichend sind.

Der Faktor Rahmenbedingungen definiert alle Regelungen, die vor dem Projektstart für die BIM-Implementierung vertraglich festgelegt werden müssen. Die Richtlinien, Anforderungen und das Vorgehen werden klar über die AIA und der BAP zusammengefasst. Eigentumsrechte und Haftungsfragen etc. werden in diesem Zusammenhang ebenfalls erläutert.

Nur wenn alle fünf Einflussfaktoren und die damit verbundenen Voraussetzungen der BIM-basierten Planung gegeben sind, kann ein reibungsloser Ablauf gewährleistet werden.

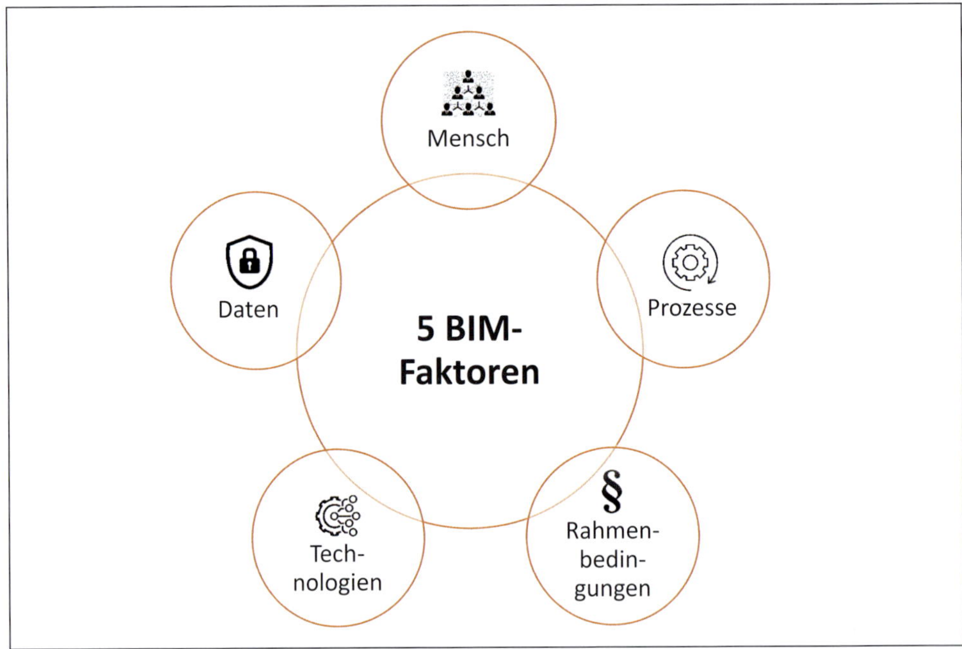

Abbildung 2: Fünf BIM-Faktoren

3.1 Rollen und Verantwortlichkeiten

Die Rollen und Verantwortlichkeiten, welche sich aus der BIM-Implementierung in Projekten ergeben, sind in Normen und Richtlinien aufgelistet und nach deren Leistungsbildern definiert. Folgende Hauptrollen in einem BIM-Projekt sind zu vergeben:

- BIM-Autor
- BIM-Koordinator
- BIM-Gesamtkoordinator
- BIM-Manager
- BIM-Nutzer

Die Rollen und Verantwortlichkeiten sind grundsätzlich separat zu betrachten. Jede Rolle hat ein eigenes Leistungsbild.

Ein BIM-Autor beschäftigt sich vorrangig mit der Erstellung von Bauteilen im Modell seines Gewerks gemäß der Planung. Hierzu gibt es Modellierungsanforderungen, die klar festgelegt und einzuhalten sind. Der BIM-Koordinator ist für die Überprüfung der vom BIM-Autor erstellten Bauteile nach definierten Vorgaben und Anforderungen zuständig. Das von ihm geprüfte Modell ist Grundlage sämtlicher Koordinationsbesprechungen und Diskussionen zum Projekt. Der Gesamtkoordinator ist vor allem für Großprojekte vorgesehen und führt alle Fachmodelle der einzelnen Gewerke zusammen. Diese werden dann auf deren Plausibilität hin von ihm gegengeprüft und dem BIM-Manager zur

Verfügung gestellt. Der BIM-Manager befindet sich, im Gegensatz zu den gerade aufgezählten Rollen, auf der Bauherrnseite und definiert u. a. die Anforderungen für eine BIM-Implementierung im Projekt. Der BIM-Nutzer arbeitet nur mit den Daten und Informationen aus dem Modell und verwendet diese für weitere Zwecke. BIM-Nutzer können die ausführenden Firmen oder Nutzer kann derjenige sein, der ein Leistungsverzeichnis aus dem Modell generiert.

Jede Rolle im Projekt trägt ihren eigenen Beitrag zur Umsetzung des Projekts bei, sowohl auf der Auftraggeber-Seite als auch auf der Auftragnehmer-Seite. Der erfolgreiche Ablauf des Gesamtprozesses ist immer abhängig von der Qualität der einzelnen Rollen und vom korrekten Einsatz im Unternehmen gemäß ihrer Stärken und Kompetenzen.

3.2 Prozessmanagement

3.2.1 Prozessdefinition

Ein Prozess spiegelt in erster Linie eine schrittweise Abfolge einzelner Ereignisse wider, die zur Erreichung eines bestimmten Ziels beitragen. Zur Markierung einzelner Zwischenziele können Meilensteine in den Prozessen eingetragen werden, um Teilerfolge schnell erkennen zu können.

Die Prozesse unterstützen den Wissenstransfer im Unternehmen und Projekt. Dabei werden die Ereignisse so detailliert wie nötig dargestellt, sodass die Zusammenhänge bzw. Inputs, Funktionen und Outputs im Prozess einsichtig und nachvollziehbar sind. Ein klarer Prozess sollte selbst von Laien ohne Fragen ausführbar und leicht zu verstehen sein.

Erst wenn der Prozess für das Erreichen des Ziels beschrieben ist, werden die Rollen und Verantwortlichkeiten aus den Aufgaben definiert. Die Leistungen bzw. Profile der Rollen und die Verantwortlichkeiten ergeben sich aus dem Prozess.

Es gibt unterschiedliche Möglichkeiten, Prozesse optisch darzustellen. Es empfiehlt sich die Prozesssprache BPMN – Business Process Model and Notation. In welchem Umfang und mit welchem Detaillierungsgrad der jeweilige Prozess aufgezeigt wird, kann individuell bestimmt werden. Dieser ist abhängig von der Zielstellung und deren Darstellung.

Eine grafische Übersicht der Prozesse gibt die Prozesslandkarte. Die wesentlichen Prozesse werden als oberste Ebene aufgeführt. Je tiefer und detaillierter ein Prozess dann betrachtet und separiert wird, desto mehr Ebenen ergeben sich hieraus.

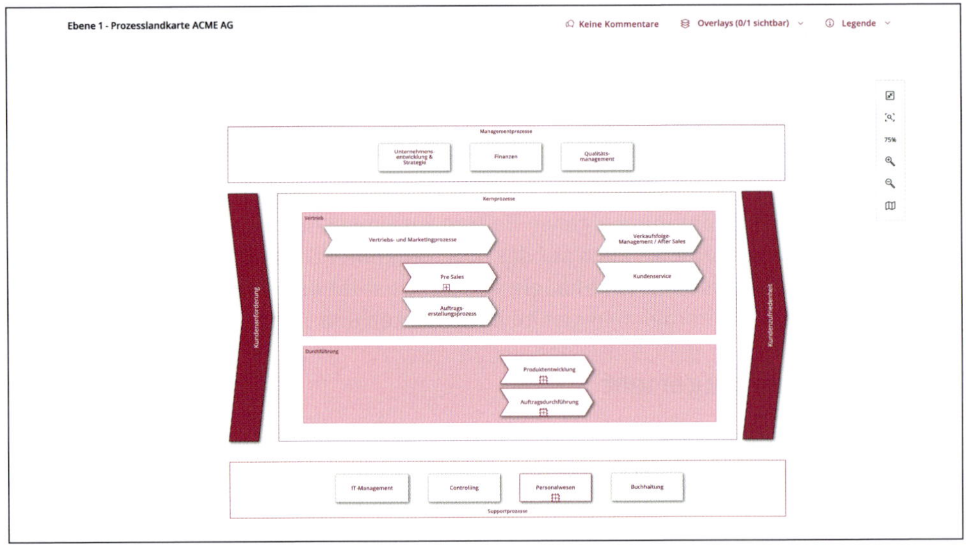

Abbildung 3: Prozesslandkarte – Übersicht

Die unterschiedlichen Prozesse können zudem auch Interaktionen mit weiteren Prozessen oder Unterprozessen aufzeigen.

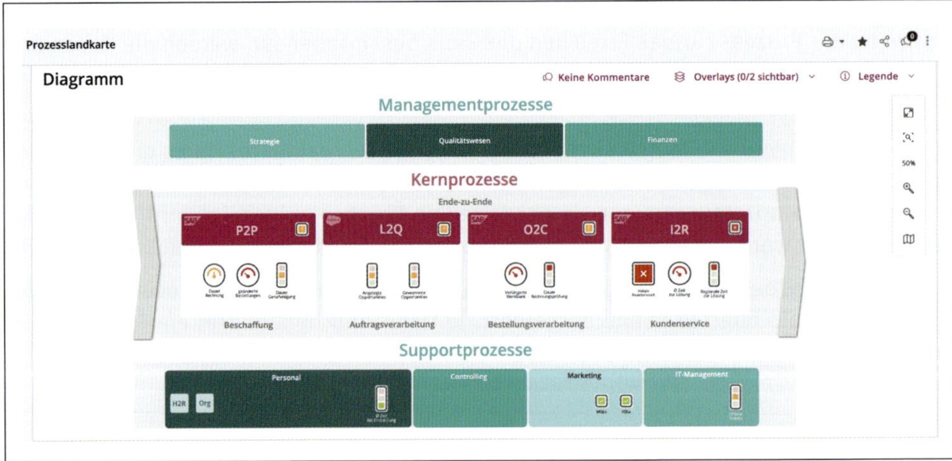

Abbildung 4: Prozesslandkarte Beispieldiagramm

3.2.2 BPMN – Business Process Model and Notation

Die Business Process Model and Notation (BPMN) ist als weltweit führende Sprache in ISO/IEC 19510:2013-07 (Information technology – Object Management Group Business Process Model and Notation) standardisiert. Sie ist eine einheitliche grafische Sprache der Prozessmodellierung. In DIN EN ISO 29481:2018-01 (Bauwerksinformationsmodelle

– Handbuch der Informationslieferungen) wurde BPMN als grafische Spezifikationssprache zum Thema BIM vorgeschlagen.

Für die richtige Darstellung bedarf es grundsätzlich einer Schulung und Übung, um die Detailtiefe der Prozesse festlegen zu können. Ohne Schulung kann die Sprache eventuell falsch verwendet werden. Die Sprache dient explizit der sauberen, deutlichen und klaren Darstellung der Prozesse, sodass jeder diese nachvollziehen kann.

Meist entdeckt man während der Prozessdarstellung einige Ungereimtheiten oder unschlüssige Handlungen. Es gilt, diese Schwachstellen zu finden, um den Prozess zu optimieren. Kommunikationswege und Festlegungen können auf diese Art frühzeitig von den einzelnen Prozessbeteiligten oder in gemeinsamer Arbeit durchdacht und abgebildet werden. Besonders bei komplexen Abläufen ist die grafische Darstellung hilfreich.

Bei der grafischen Darstellung über BPMN sind dem Prozessmodellierer vordefinierte Symbole zur Auswahl gegeben, um die Prozesse darstellen zu können. Das Startsymbol „beginnen“ und das Endsymbol „schließen“ stehen hierbei für die einzelnen Prozesse zur Verfügung. Der Ablauf selbst wird durch Aufgaben (Ereignisse), Meilensteine sowie durch die Rollen und Abhängigkeiten untereinander konkretisiert.

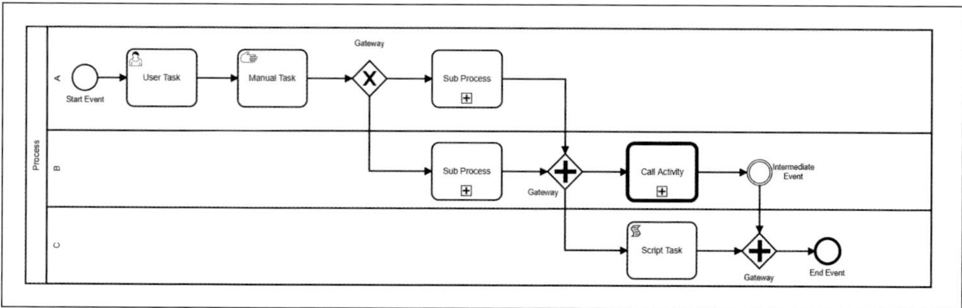

Abbildung 5: Beispiel BPMN-Prozess

3.2.3 Automatisierung

Je nach Prozesstool ist es möglich, Dokumente, Pläne oder Dateipfade am entsprechenden Prozessschritt zu hinterlegen und den Prozess dadurch zu automatisieren. So kann ein klarer und regelkonformer Ablauf dargestellt werden, der bei vollständiger Hinterlegung immer auf alle benötigten und aktuellen Dateien verweist.

Um die Prozesse zu automatisieren, müssen diese sich in einer detaillierten Darstellung befinden. Der Prozess selbst kann nur dann automatisiert erfolgen, wenn jedes notwendige Detail aufgeführt wurde und das System selbstständig jedes Ereignis fraglos und mit allen erforderlichen Bedingungen erklären kann. Wenn der Prozess nicht selbstständig abläuft, werden Fehler auftreten.

Die Prozesse können in zwei unterschiedlichen Arten modelliert werden: Zum einen betrifft es den theoretischen und zum anderen den technischen Ablauf. Eine theoretische Darstellung beschreibt die Abfolge des Prozesses durch Ereignisse – quasi nur die Vision ohne Mission. Ein theoretischer Prozess ist die Grundlage für eine technische

Umsetzung. Ein technischer Ablauf befasst sich mit den Datenformaten, Speichern, Servern und allen weiteren technischen Parametern.

3.3 Anforderungen und Vorgaben

Die Anforderungen und Vorgaben in einem BIM-Projekt lassen sich auf drei Ebenen beschreiben:

3.3.1 Geometrieanforderungen

Die Geometrieanforderungen zeigen den jeweiligen Grad der Detaillierung von Bauteilen auf. Je weiter ein Projekt voranschreitet, desto höher ist der Detaillierungsgrad. Dies wird auch als geometrischer Genauigkeitsgrad (Level of Geometry – LOG) bezeichnet.

Der geometrische Genauigkeitsgrad gibt vor, inwieweit das Modell geometrisch koordiniert werden soll. Nicht jedes Detail eines Modells muss bis zur letzten Detailtiefe dargestellt werden. Es geht immer um die Frage, welcher Nutzen mit dem jeweiligen Detaillierungsgrad erreicht wird. Wurden die Bauteile im Modell sehr genau modelliert, lag vermutlich ein entsprechendes Ziel für die Ausführung, die Ausschreibung oder Bemusterung vor. Eine sehr genaue Darstellung in der Frühphase des Projekts ist aufgrund möglicher folgender Änderungen nicht sinnvoll, und kostbare Arbeitszeit könnte verloren sein.

Abbildung 6: Detaillierungsgrad im Stahlbau

Je mehr Bauteile und umso detaillierter die Bauteile eingepflegt wurden, desto konkreter und sicherer werden die Ergebnisse des Modells. Sollte beispielsweise die Bewehrung im Modell vorhanden sein, könnte dies auch in der modellbasierten Mengen- und Kostenermittlung genutzt und für die Prüfung durch den Statiker relevant werden.

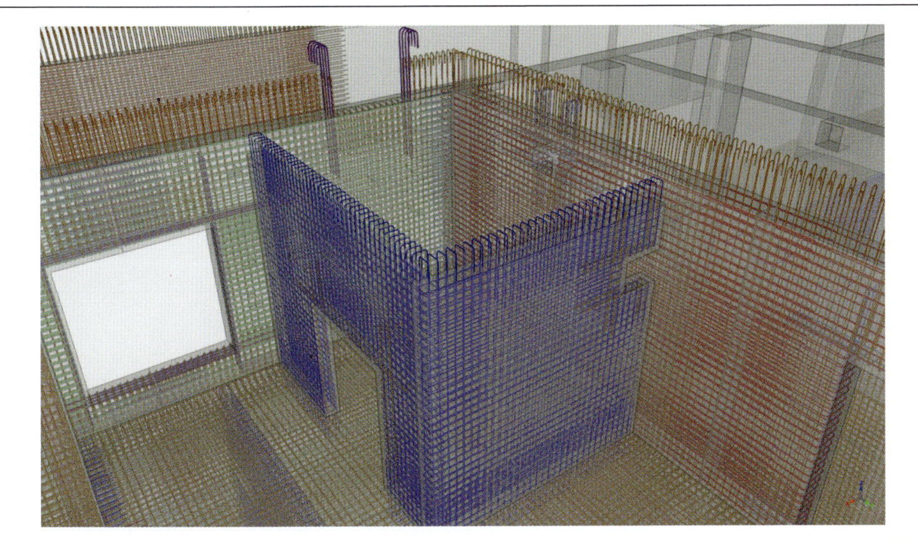

Abbildung 7: Detaillierungsgrad in der Bewehrung

Ein BIM-Modell kann sowohl loses als auch fest eingeplantes Mobiliar für das Mietermanagement beinhalten. In diesem Fall können die Bauteile für die optische Bemusterung und auch zur Kostenermittlung beitragen. Zudem kann der Abstand des Mobiliars zueinander gemäß entsprechenden Vorgaben im Modell geprüft und nachgewiesen werden.

Abbildung 8: Detaillierungsgrad für die Innenausstattung

Aber auch vorhandene Fachmodelle mit TGA-Bauteilen können von einer detaillierteren Darstellung profitieren und Kollisionen in der Werk- und Montageplanung verhindern. So kann beispielsweise die genaue Detaillierung einer Brandschutzklappe einschließlich seines Motors von Vorteil sein, um alle relevanten Abstände zu den einzelnen Bauelementen einhalten zu können und die Zugänglichkeiten zu gewährleisten.

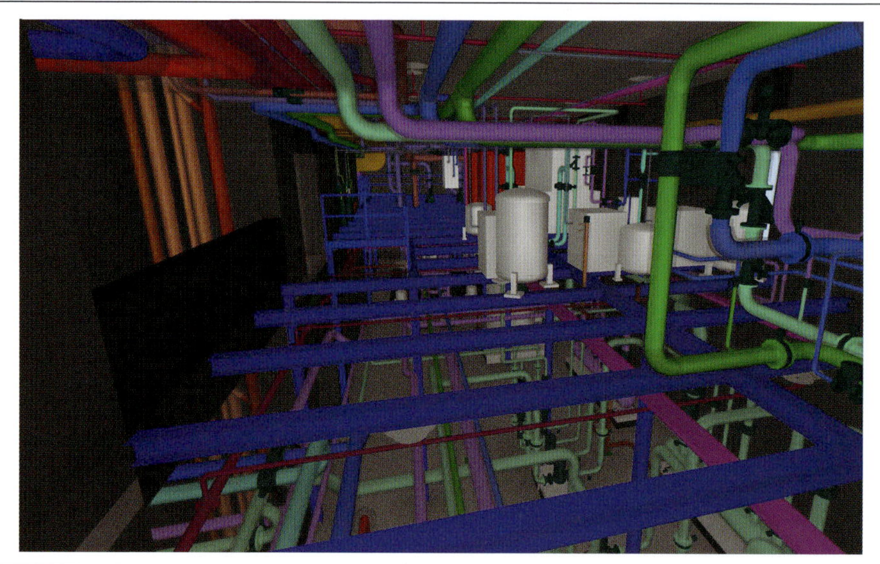

Abbildung 9: Detaillierungsgrad in der TGA

Welcher Detaillierungsgrad der Bauteile in welchen Phasen notwendig ist, ist nicht pauschal zu beantworten. Grundsätzlich sollte ein Modell immer präziser und detaillierter werden, je weiter ein Projekt voranschreitet. Es sollte dabei aber beachtet werden, dass dieser Aufwand auch einem bestimmten Zweck, in diesem Fall für einen bestimmten Anwendungsfall, dienen sollte. Hilfreich ist dabei, dass die entsprechenden Vorgaben zur Detaillierung jedes Bauteils pro Gewerk vom BIM-Manager durch eine umfassende Untersuchung und Analyse gestellt werden.

3.3.2 Informationsanforderungen

Alle Informationen, die an den Bauteilen eines Modells eingetragen werden, sollten für die von uns festgelegten Anwendungsfälle relevant sein. Dies bedeutet, dass nur Informationen in Form von Attributen einzutragen sind, die auch tatsächlich benötigt bzw. ausgewertet werden. Im Falle eines Modells, welches lediglich der Mengen- und Kostenschätzung dient, werden andere Informationsmengen für die Auswertung benötigt als beispielsweise für die Anwendungsfälle des Facility Managements.

Jede einzutragende Information bringt demnach eine wertvolle Angabe für das Bauteil mit. Je mehr Anwendungsfälle in einem Projekt umgesetzt werden sollen, desto mehr Informationen werden benötigt. Die Informationen können auf verschiedene Arten bzw. mittels unterschiedlicher Formate im Modell ergänzt werden.

Informationen, die als Attribut in einem Bauteil einzutragen sind, werden in unterschiedliche Bereiche, den Property Sets, eingeteilt.

„Property Set ist eine Gruppierung von Eigenschaften für ein Bauteil. Property Sets sind Bestandteile des IFC und können durch weitere Eigenschaften individuell ergänzt werden. Die Property Sets sind u. a. für die allgemeinen und die zusätzlichen Eigenschaften eines Bauteils vorgesehen. Angaben über den U-Wert und die Lage des Bauteils (innen oder außen) beispielsweise gehören zu dem allgemeinen Eigenschaftenset oder PropertySetCommon. Angaben wie die Expositionsklasse oder Betonfestigkeitsklasse gehören zu den zusätzlichen Eigenschaften oder in diesem Fall PsetConcreteElementGeneral."[2]

Die Property Sets sollen einheitlich angelegt werden. Alle Informationen bzw. Eigenschaften eines Bauteils sollen nur einmal im Bauteil eingetragen und Dopplungen vermieden werden. Mit den Property Sets kann man die Eigenschaften eines Bauteils sauber filtern. So gehört z. B. die Eigenschaft Feuerwiderstandsklasse zum Property Set „PSet_Wallcommon".

Die Klassifikationen können ebenfalls aus den Eigenschaften generiert werden. Dafür müssen die Eigenschaften die vorbestimmten Merkmale für eine Klassifizierung mitliefern. In der Abbildung 10 ist ein Beispiel hierzu dargestellt.

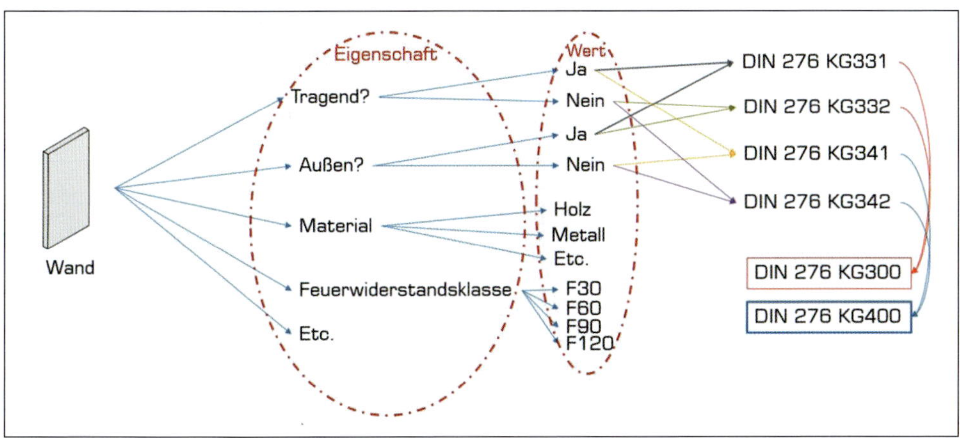

Abbildung 10: Von Attributen bis zur Klassifikation

3.3.3 Dokumentationsanforderungen

In ein BIM-Modell können nicht nur Bauteileigenschaften und Geometrien eingepflegt werden, sondern auch Dokumente zusätzlich mit Bauteilen verlinkt werden.

Anschließend können diese Dokumente einfach mit den Bauteilen verknüpft und workflowbasiert abgelegt oder geprüft werden. Dokumente können hierbei Pläne, Ansichten, Schnitte, technische Dokumente sowie Türlisten oder Schachtschemas, Schriftstücke, Verträge, Bautagebücher, Begehungsprotokolle usw. sein.

Eine Verlinkung zu einem Dokument kann über ein speziell angelegtes Attribut dem Bauteil angehängt werden. Durch Anklicken des Links in der Eigenschaft des Bauteils kann das Dokument geöffnet werden. Eine andere Variante wäre die Verknüpfung der Pläne mit dem Modell, ohne diese als Eigenschaft im Modell eintragen zu müssen. Die Abbildung 11 zeigt eine Verknüpfung eines BIM-Modells mit dem Grundriss.

2 Abbaspour et al.: BIM-Glossar. Erläuterungen der wichtigsten Fachbegriffe des Building Information Modeling, 1. Auflage, Berlin 2020

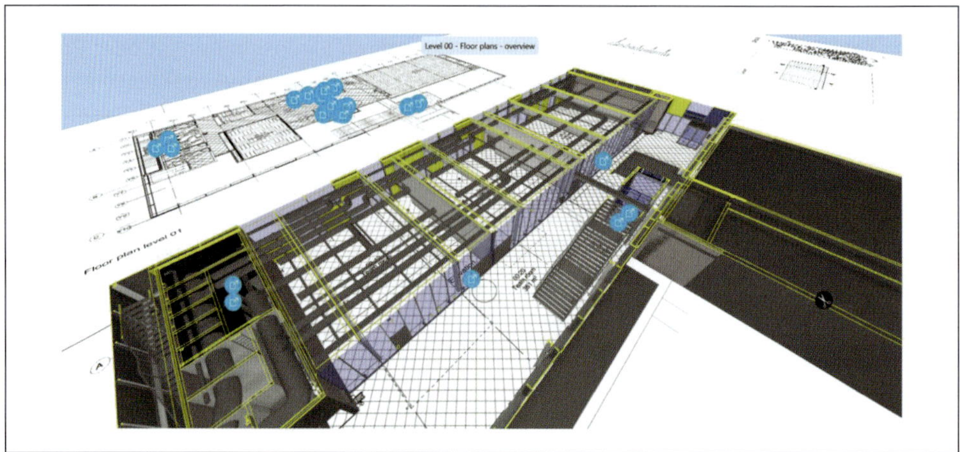

Abbildung 11: Verknüpfung des BIM-Modells mit dem Grundriss

Die Abbildung 12 zeigt eine Verknüpfung eines BIM-Modells mit einem Schnitt.

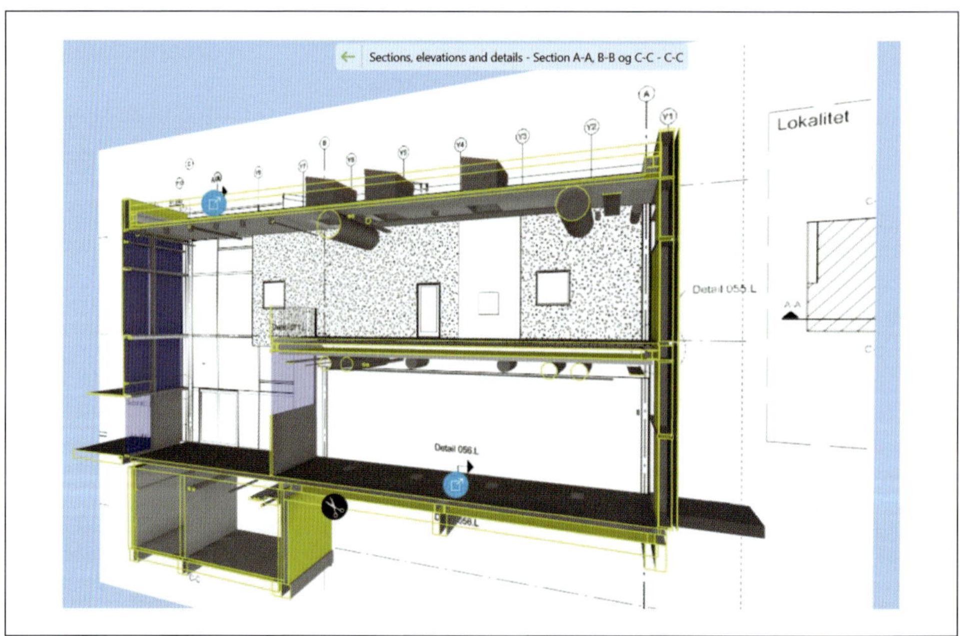

Abbildung 12: Verknüpfung des BIM-Modells mit dem Schnitt

Die Dokumente müssen, wie die Bauteile, nach einer eigenen Klassifizierung zugeordnet werden, damit eine korrekte Verknüpfung zu den entsprechenden Bauteilen umgesetzt werden kann. Hierfür können Sie als Beispiel die DIN 61355-1:2009-03 nehmen, die ebenfalls durch die VDI 2552 Blatt 9:2020-08 empfohlen wird.

3.4 AIA – Auftraggeber-Informations-Anforderungen und BAP – BIM-Abwicklungsplan

Die Anforderungen der jeweiligen Anwendungsfälle werden als vertraglicher Bestandteil der AIA und des BAP festgelegt.

In der AIA werden erste Strukturen, Inhalte und Ziele durch den Bauherrn, also den BIM-Manager, vorgegeben. Es werden alle technischen Anforderungen der Modelle inklusive ihrem Detaillierungsgrad und Informationsgehalt festgelegt. Des Weiteren wird die gemeinsame Zusammenarbeit bzw. Kollaboration im Projekt über Festlegungen zum Datenaustausch sowie die gewählten BIM-Ziele und BIM-Anwendungsfälle definiert. Die in der AIA definierten Anforderungen betreffen nur die Prozesse, die mit der Planungsmethode BIM im direkten Zusammenhang stehen.

Die Ziele der AIA werden gemeinsam im Rahmen von BIM-Workshops zusammen mit dem BIM-Gesamtkoordinator im BAP konkretisiert. Anschließend können Austauschformte zwischen allen Projektbeteiligten festgelegt werden, wodurch ein reibungsloser Daten- und Informationstransfer ermöglicht wird. Dies stärkt die kollaborative Zusammenarbeit innerhalb einer Baumaßnahme. In der AIA werden die relevanten Information vorgeschlagen, im BAP werden sie abgestimmt und ausformuliert.

Um eine korrekte Übersicht der AIA und BAP zu schaffen, wird eine Datenbank benötigt, in der nach den jeweiligen Anforderungen gefiltert werden kann. Die Festlegung der Attribute hängt von den individuell ausgewählten Use Cases ab. Idealerweise werden diese Anforderungen aus der Datenbank direkt ins Modell übertragen und automatisch auf Vollständigkeit geprüft.

Autorenbeitrag

Dr. Thomas Liebich

Informationsbedarfstiefe: das „I“ in BIM wird messbar

BIM ist mehr als 3D. Fachmodelle, die durch die Planer und Ausführenden während des Projekts erstellt werden, müssen neben der adäquaten Geometrie der Modellelemente auch die für die weitere Bearbeitung notwendigen Merkmale enthalten. Doch woher wissen die Planer und Ausführenden, wann sie den adäquaten Detaillierungsgrad der Geometrie erreicht und die richtige Anzahl von Merkmalen ausgefüllt und übergeben haben?

In vielen Projekten, in denen heute die BIM-Methode angewandt wird, gibt der Bauherr einen Detaillierungsgrad vor, z. B. „ich möchte in der LP3 ein BIM-Modell als LOD200“, oder aber die Planer und Ausführenden stimmen sich untereinander diesbezüglich ab. Nun beschreibt LOD200 ungefähr, wie genau und umfangreich die Geometrie, z. B. für eine Kollisionsprüfung oder für die Berechnung der Elementmengen, sein soll, aber es beantwortet noch nicht die Frage, wie genau die Detaillierung für bestimmte Elementtypen, wie z. B. eine Tür oder ein Brückenpfeiler sein soll, und noch weniger, welche konkreten Merkmale, wie Öffnungsrichtung oder Druckfestigkeitsklasse, bereitgestellt werden müssen. Da muss dann wieder eine Excel Tabelle schnell aufgesetzt werden.

Was hierbei fehlt, ist die rechtzeitige Übereinkunft, wann im Prozess (zu welchem Meilenstein oder welcher Leistungsphase) wer (welcher Objekt- oder Fachplaner) welche Informationen (die Modellelemente mit deren Geometrie und Merkmale) wofür (für welchen Anwendungsfall) bereitstellen müssen.

Früher als LOG, Level of Geometry, und LOI, Level of Information, bezeichnet, werden all diese Informationsanforderungen nun nach DIN EN ISO 19650-1:2019-08 als „Informationsbedarfstiefe" beschrieben:

> Informationsbedarfstiefe
> LOIN (en: Level of Information Need)
>
> Vorgabe, die den Umfang und die Anzahl der Untergliederung der Informationen definiert
>
> Anmerkung 1 zum Begriff: Eines der Ziele der Definition der Informationsbedarfstiefe ist, die Bereitstellung von zu vielen Informationen zu verhindern.

Interessant hier auch die Anmerkung, es geht nicht darum, beliebig viele Informationsanforderungen zu definieren, sondern eher wenige, aber die richtigen.

In der aktuell erschienenen Europäischen Norm DIN EN 17412-1:2021-06 wird die allgemeine Definition der „Informationsbedarfstiefe" konkreter gefasst. Die obere Zeile in der Abbildung stellt die Bedingungen dar, zu welchen die notwendige Informationstiefe vorliegen muss, die untere Reihe, in welche Teile sich die zu liefernde Information aufgliedert.

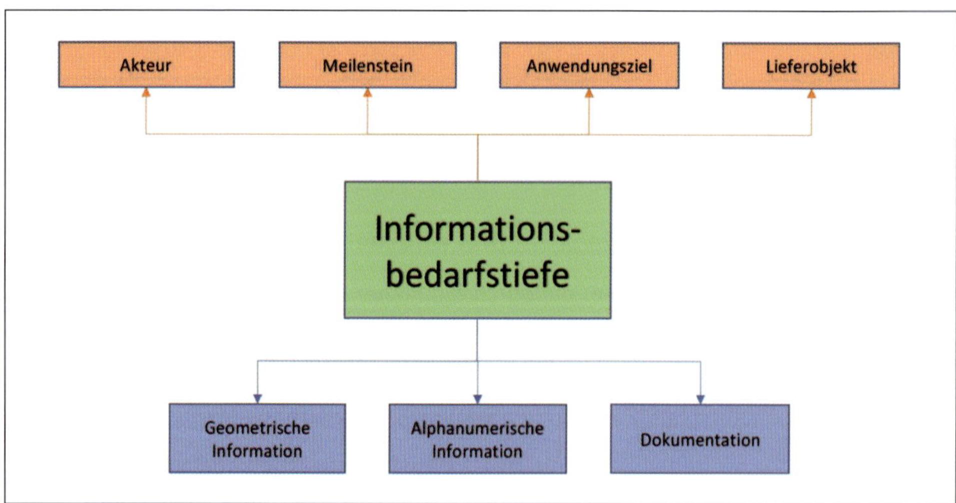

Abbildung 13: Definition der Informationsbedarfstiefe nach DIN EN 17412-1:2021-06

Damit steht nun eine normative Struktur zur Verfügung, die beschreibt, wie die Anforderungen an die richtige Informationstiefe zu formulieren sind. Nur, wie kann der Bauherr, die Planergemeinschaft oder beide partnerschaftlich diese Struktur praktisch erstellen und dann auch direkt in der Software zur Erstellung der Fachmodelle sowie zu deren Prüfung nutzen?

Hier bietet sich eine zentrale Online-Plattform für das Management der Informationsbedarfstiefe an. Dort werden die einheitlichen Informationsanforderungen definiert, die aus unterschiedlichen Anforderungskatalogen kommen können. Optimiert für die Nutzung in unterschiedlicher BIM-Autorensoftware, ist eine einheitliche Übertragung der Merkmale in IFC im Sinne von Open BIM und sind die Regeln zur Qualitätsprüfung festgelegt.

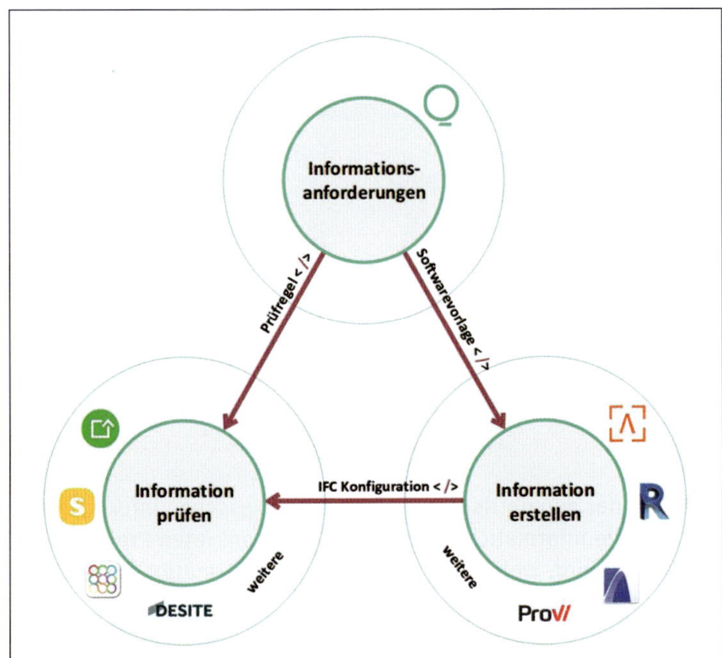

Abbildung 14: BIMQ, ein zentrales Managementtool für Informationsanforderungen

Bei der Festlegung der Informationsanforderungen werden analog zur normativen Vorgabe in DIN EN 17412-1:2021-06 zuerst die Rahmenbedingungen erfasst, hier zum Beispiel die Leistungsbilder und Meilensteine basierend auf der HOAI, oder die Anwendungsfälle basierend auf BIM4INFRA[3]. Die Informationsbedarfstiefe wird dann in Bezug dazu auf Basis von Katalogen der Fachmodelle, Modellelemente, Geometrieinformationen und Merkmalsdefinitionen erstellt und mit den jeweiligen Strukturen der Zielsysteme verbunden (Systemfamilien, Bibliothekselemente oder Makrodefinitionen) und auf die Standarddefinition in IFC abgebildet.

3 Siehe https://bim4infra.de/handreichungen/ (Abgerufen am 31.03.2021)

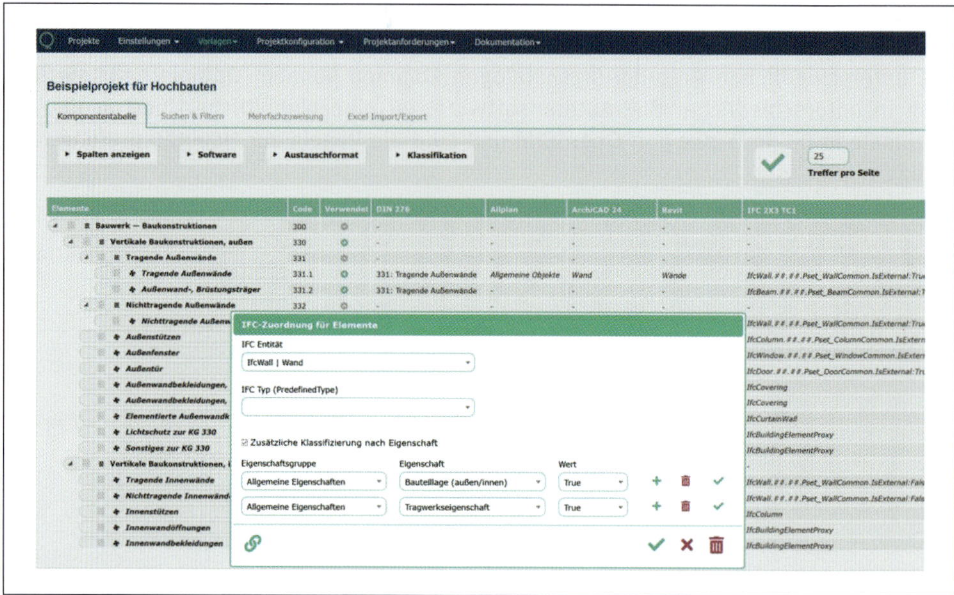

Abbildung 15: Beispiel eines Elementkatalogs basierend auf DIN 276-2018-12 mit IFC-Mapping

Auf Grundlage dieser Kataloge, der geometrischen und alphanumerischen Informationen kann dann im nächsten Schritt die Informationsbedarfstiefe des konkreten Projekts festgelegt werden, in dem bestimmt wird, welche Fachdisziplin die Informationen zu einem bestimmten Meilenstein bereitzustellen hat.

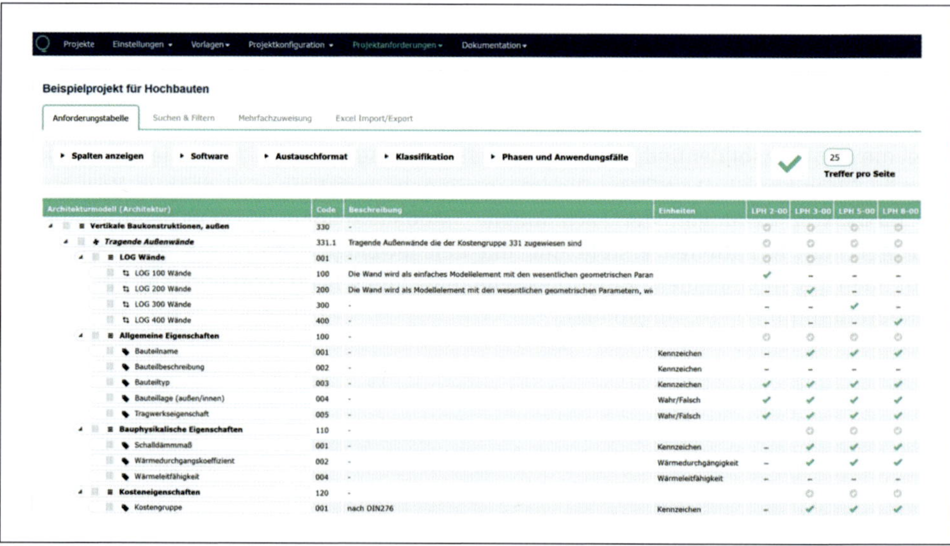

Abbildung 16: Beispiel der Informationsbedarfstiefe für Wände über die LPH2 bis 8

Diese Anforderungen liegen nun zentral für alle Projektbeteiligten bereit, können gemeinsam diskutiert, gegebenenfalls angepasst und dann in Software und Prüftools übernommen werden. Damit wird der gesamte Zyklus des Qualitätsmanagements unterstützt.

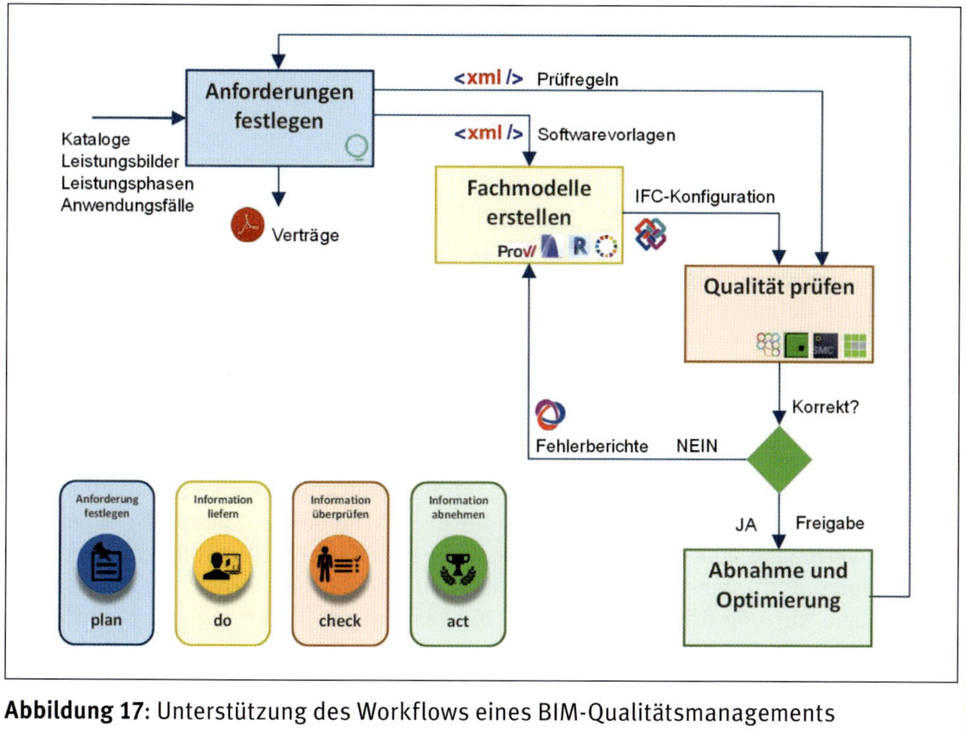

Abbildung 17: Unterstützung des Workflows eines BIM-Qualitätsmanagements

3.5 Datenbanken

Heutzutage sind die Datenbanken der Schlüssel unserer BIM-Lösungen. Diese müssen alle Datenmengen, die in einem Projekt benötigt werden, die Zusammenhänge von Funktionen, Prozessen mit den unterschiedlichen Tools aufnehmen können. Vor allem mit BIM werden viele unterschiedliche Datenformate mit einem sehr hohen Datenvolumen eingesetzt, welche zu speichern und sichern sind.

Vergleichbar zu dem Thema der Datenspeicherung können wir uns eine große Bibliothek mit vielen Büchern vorstellen. Jedes Buch trägt einen anderen Titel und ist zu unterschiedlichen Zeiten herausgegeben worden. Damit wir uns auch unter all den Büchern zurechtfinden und schnell das Buch finden, welches wir uns notiert haben, müssen die Bücher nach einem System angeordnet und sortiert sein, und zwar nach festgelegten Aufstellungskriterien. In einer Bibliothek kann beispielsweise nach Themenschwerpunkt und Alphabet sortiert werden. Nur wenn die Bücher in der für sie nach dem System bestimmten Reihenfolge einsortiert werden, bleibt die Struktur erhalten.

Dieses Prinzip findet auch in einer Datenbank Anwendung. Daten sollen geordnet abgelegt, zugänglich sein und aktuelle Stände übertragbar und ältere Versionen in einer Historie hinterlegt sein. Grundlage einer Datenbank ist eine durchdachte Struktur, die sich bei Datenmehrung immer weiter anpasst.

In der Praxis nutzen wir eine Vielzahl an Datenbanken, die für unterschiedliche Zwecke genutzt werden. Beinahe alle Tools, die wir täglich nutzen, sind Datenbanken, egal ob Outlook, CAD-Programme usw. Dabei greifen alle Tools immer nur auf ihre eigene Datenbank zurück, sodass wir letztendlich viele einzelne anstelle einer gemeinsamen Datenbank haben.

Eine der besonderen Datenbanken in einem Projekt ist die Projektplattform bzw. CDE. Eine CDE kann Datenhistorien abbilden, sehr viele Formate lesen und unterschiedliche Planungsstände visuell darstellen und zusammenführen. Auch können Workflows zur Freigabe definiert werden. Eine CDE ist für jedes Projekt zu empfehlen, um einen gemeinsamen Datenspeicherort für alle Projektbeteiligten zu schaffen und den schnellen Austausch von Daten zu erzielen.

3.6 CDE – Common Data Environment

Eine gemeinsame Datenumgebung ist eine zentrale Datenbank für alle Projektbeteiligten. Sie dient als sichere Ablage für Dokumente und Fachmodelle, sodass sie allen Nutzern zur Verfügung stehen. Der hieraus resultierende CDE-Prozess stellt die übersichtliche Abfolge der Daten entlang des Lebenszyklusses dar und sichert die fortlaufende gemeinsame Nutzung der Informationen. Die gemeinsame Datenumgebung wird in der DIN SPEC 91391-1:2019-04 vorgestellt und erklärt.

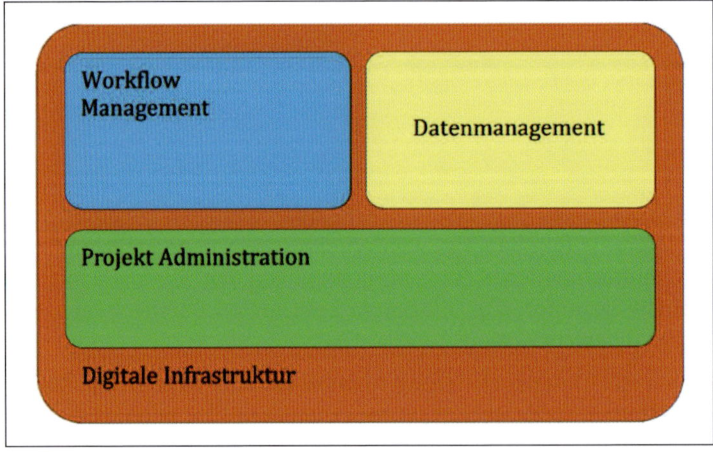

Abbildung 18: CDE-Übersicht

Häufig wird CDE als eine cloudbasierte Plattform für die gemeinsame Zusammenarbeit verstanden. Eine CDE ist grundsätzlich ein Framework und kann auch durch eine Softwareplattform oder mehrere verknüpfte Plattformen zu einer Lösung der BIM-Implementierung im Projekt führen.

Eine CDE hat zum Ziel: die Koordination von Modellen und Plänen, den containerbasierten Informationsaustausch, die Strukturierung von Informationscontainern, die Projektkommunikation, die Kollaboration und das Modellmanagement.

Bestandteile einer CDE sind die Modellvisualisierung sowie Anzeigen von Modelldaten, die Interaktion der Nutzer mit den Modellen, die Modellprüfungen und die Qualitätssicherung, die Interoperabilität und das Angebot eines Viewers. Weitere Bestandteile sind die Lieferqualität, Planung, Steuerung, Integration, technische Einrichtungen und die digitale Infrastruktur.

Die Anforderungen an eine CDE müssen genau definiert sein. Sie können erst dann umgesetzt werden, wenn man die Anwendungsfälle im Projekt korrekt definiert hat.

Über eine CDE können 2D-Planunterlagen mit 3D-Modellen kombiniert werden. Das bedeutet, dass die Pläne und Dokumente mit dem Modell verknüpft und in Echtzeit aktualisiert werden. Hier zeigt sich der Vorteil der Anwendung von BIM, da die Informationen und Daten nach Takten und nach Plan einfach verwaltet und überschaubar dargestellt werden können.

Autorenbeitrag

Markus Giera

Common Data Environment: Dogmenwechsel und Datenaskese

CDEs bilden das Herzstück der Zusammenarbeit nach BIM. Hier sollen alle Modelle, Daten und Listen zusammenlaufen und zentral für alle Beteiligten in aktueller Form akteursgerecht verfügbar sein.

Gegenüber einem herkömmlichen Datenraum, der auf die Ablage und den Austausch von Dokumenten fokussiert ist, vollzieht ein modernes BIM CDE einen fundamentalen Dogmenwechsel.

Dieser Dogmenwechsel lässt sich mit einer Analogie aus dem Alltag erklären. Für die Planung einer Reise musste vor noch nicht allzu langer Zeit eine Vielzahl unterschiedlicher Medien parallel genutzt werden. Neben Kartenmaterial auf Papier waren Fahrpläne, Umstiegszeiten und Anschlüsse zu beachten. Dazu kamen aktuelle Ansagen zu Umleitungen und Ausfällen.

Die moderne elektronische Navigation vereint diese unterschiedlichen Medien und Datenquellen zu einer vernetzten Gesamtsicht. Die Zieladresse wird auf der Karte angezeigt, Öffnungszeiten und Telefonnummer eingeblendet, die Route wird optimiert berechnet, Anschlüsse, Störungen etc. direkt einkalkuliert und die Route auf der Karte visualisiert.

Die Datenquellen rücken in den Hintergrund und es ergibt sich eine nahtlose Navigation über vernetzte Daten ohne Medienbrüche. Wer wollte da zurück zur Papierkarte?

Das moderne CDE bildet diese „Navigationsoberfläche" für das Projekt. Natürlich werden auch hier Dateien hochgeladen und für den Austausch bereitgestellt. Der Unterschied liegt jedoch darin, dass das CDE aus den Dateien die Inhalte extrahiert, vernetzt,

Dopplungen eliminiert und alle Informationen automatisch zu einer kohärenten, medienbruchfreien Gesamtsicht zusammenstellt. Vernetzte Informationen lösen damit die meist undurchschaubare Vielzahl an Einzeldokumenten ab.

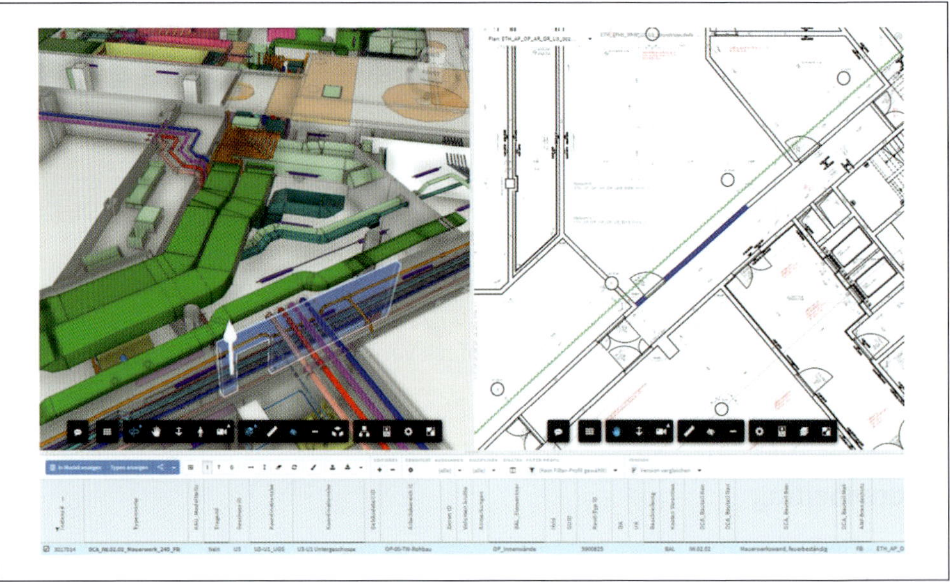

Abbildung 19: Verknüpfung des BIM-Modells mit den Dateien in CDE

Die extrahierten Daten umfassen beispielsweise die Geometrie und Alphanumerik der Modellobjekte der einzelnen Fachmodelle, die mit den Plänen verknüpft und um Listeninformation anderer Disziplinen aufinformiert werden. In gleicher Art lassen sich dynamische Prozessinformationen, wie z. B. Terminpläne, Freigaben oder LCM-Daten, bis hin zu den Werten von IOT-Sensoren integrieren. Damit bildet das CDE das Zuhause des „Digitalen Zwillings“ eines physischen Gebäudes.

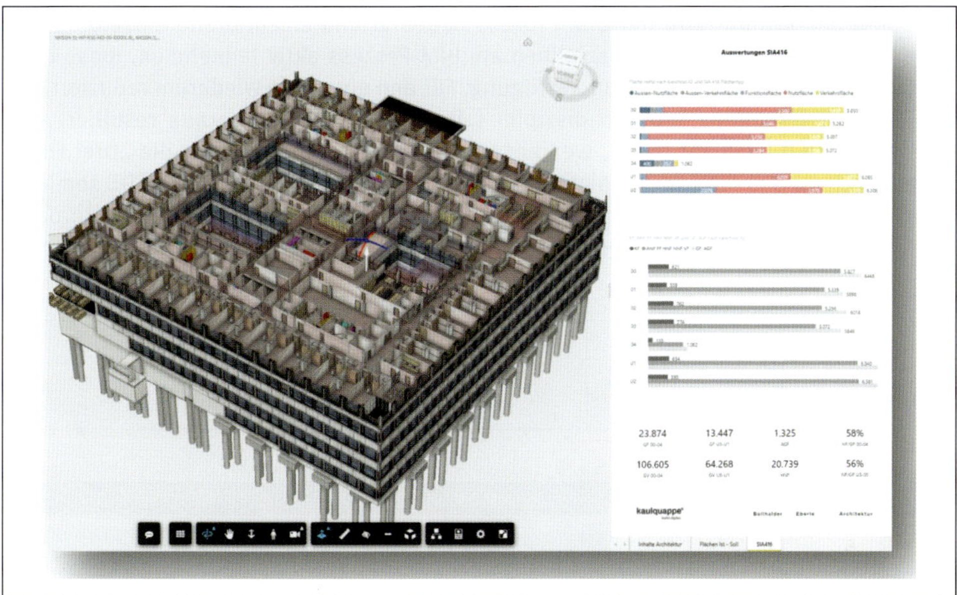

Abbildung 20: CDE und IOT

Die Automatisierung der Datenextraktion im CDE ist ein anspruchsvoller technischer Prozess. Das Ergebnis, der digitale Zwilling, erlaubt ein intuitives Navigieren durch den aktuellen Projektstand. Der Entfall technischer Schnittstellen und unterschiedlicher Datenformate ermöglicht ein Entschlacken aller Kollaborationsprozesse und damit die konsequente Fokussierung auf die Inhalte der Zusammenarbeit.

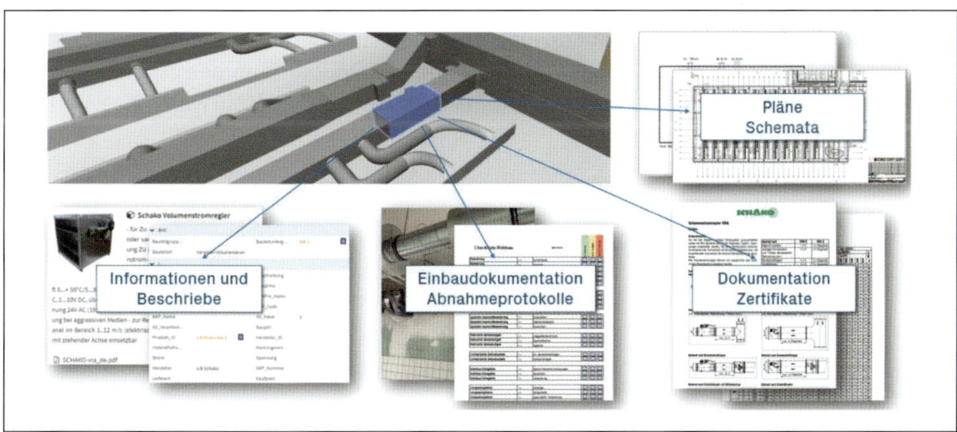

Abbildung 21: Kollaboration in CDE

Mit der Vereinfachung wird der BIM-Prozess nahbarer und einem breiteren Feld an Teilnehmern zugänglich. Je mehr Disziplinen am BIM-Prozess aktiv teilnehmen, umso mehr relevante Daten stehen im CDE zur Verfügung. Für den einzelnen wiederum reduziert sich damit der Lieferumfang pro Fachdisziplin („Datenaskese") und daraus resultiert eine erhöhte Qualität (weniger Daten, weniger Fehler). Als Prinzip kann hier die „Drei Finger Regel"* gelten. Aus diesem „Weniger" entsteht durch die Aufbereitung im CDE somit ein Mehr an Qualität, Mehr an Projektfokus und Mehr an Übersicht über den Gesamtprozess und die relevanten Projektthemen.

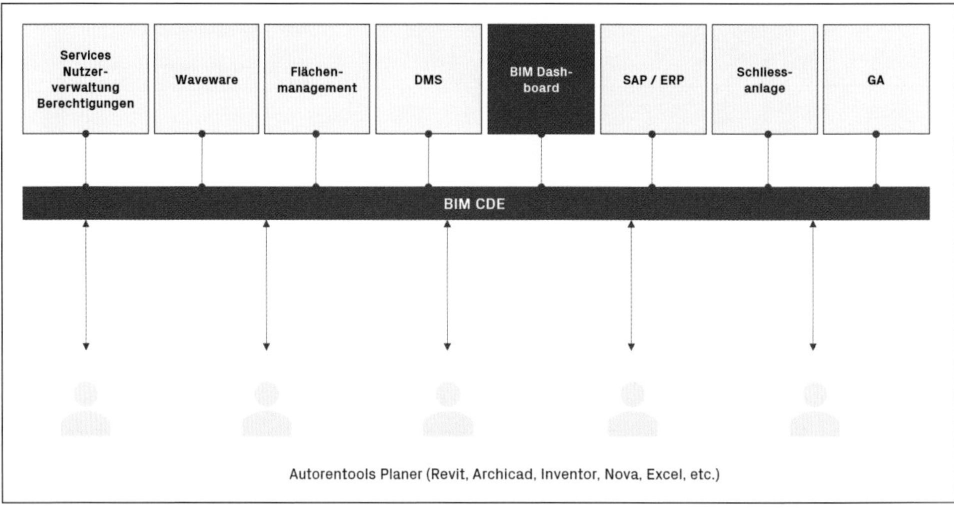

Abbildung 22: Struktur BIM CDE

Der Dogmenwechsel, weg von den Einzeldateien hin zum CDE-basierten, demokratischen und verfügbaren Digitalen Zwilling, wird die Immobilienindustrie in den nächsten Jahren prägen und einen wahrnehmbaren Beitrag zur Aktivierung der Mehrwerte des Building Information Modellings leisten.

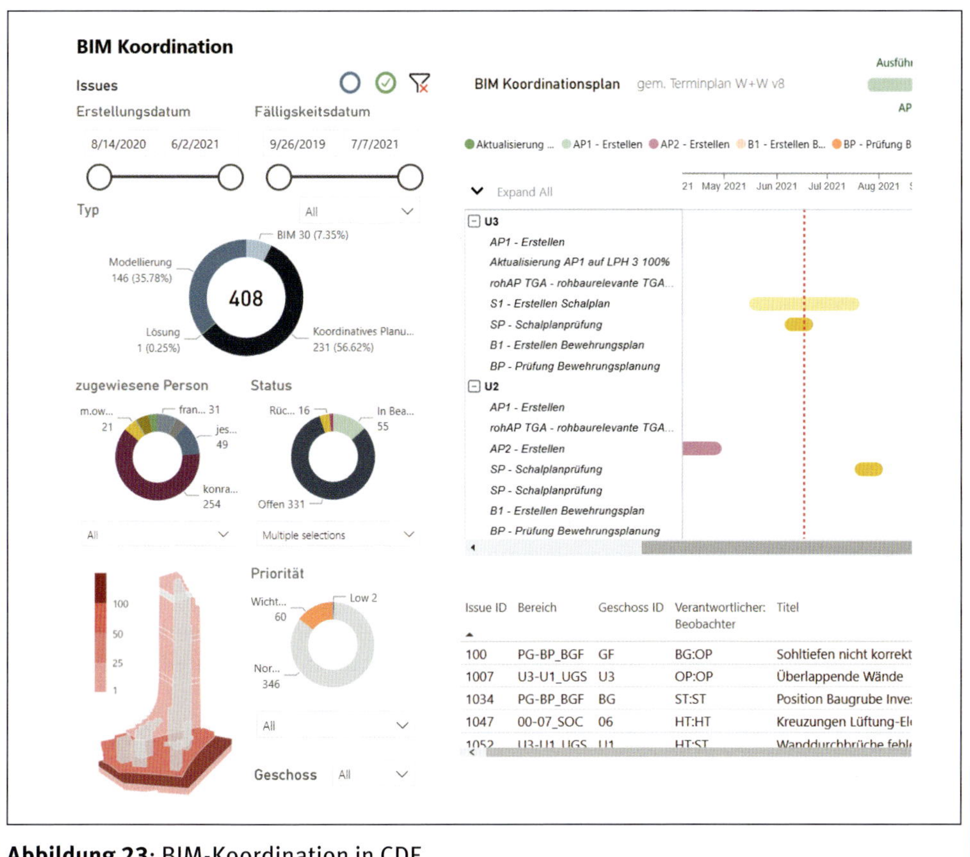

Abbildung 23: BIM-Koordination in CDE

4 openBIM und die buildingSMART Standards

4.1 Standards

4.1.1 IFC – Industry Foundation Classes

Um den erfolgreichen Austausch von Datenmodellen zu gewährleisten, wurde das Format IFC als eine standardisierte, herstellerneutrale Schnittstelle seitens buildingSMART entwickelt. Die aktuelle zertifizierte Version im Einsatz ist IFC4. Sie wurde in der DIN EN ISO 16739:2017-04 beschrieben. Diese ist in BIM-fähigen Programmen lesbar und bearbeitbar.

IFC kann im Gegenteil zu nativen Daten weitestgehend ohne Datenverlust zwischen unterschiedlichen Programmen Modellinformationen austauschen – von der Planung über die Ausführung bis hin zum Betrieb und anschließenden Rückbau. Dies ermöglicht die reibungslose Kommunikation und Kollaboration eines Projekts.

Des Weiteren ist IFC ebenfalls in unterschiedlichen Editoren lesbar und bearbeitbar und kann zusätzlich über eine programmierbare Schnittstelle entwickelt werden. Dabei können z. B. die Attribute in den Bauteilen angepasst werden.

Mit IFC können unterschiedliche Modelle unterschiedlicher Fachgewerke zusammengeführt und gegeneinander geprüft werden. Hierbei „wissen" die Bauteile, zu welchem Bauabschnitt, Geschoss bzw. zu welchem Raum sie gehören.

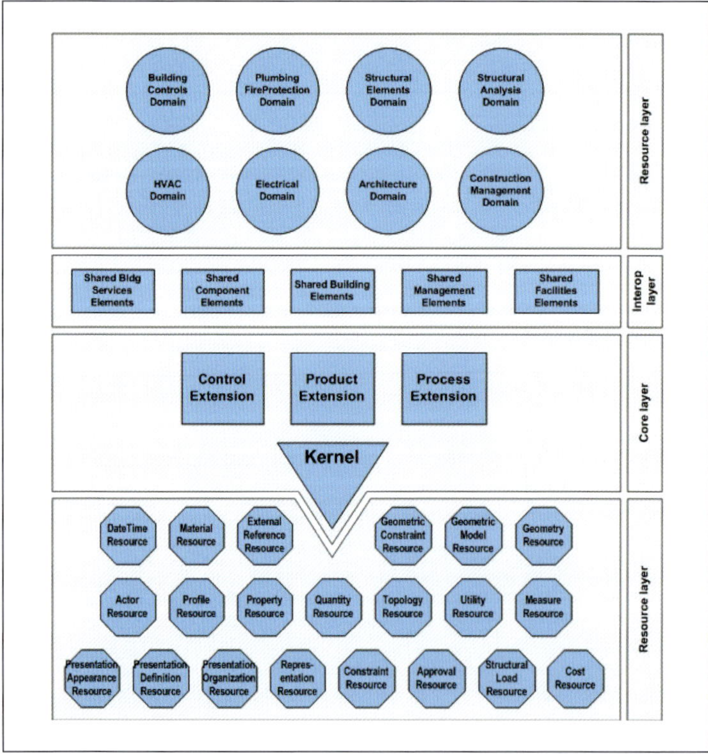

Abbildung 24: IFC Layerstruktur

Das IFC-Schema ist hierarchisch aufgebaut und beschreibt die Verbindung zwischen unterschiedlichen Objekten durch Abhängigkeiten und Informationen, die zwischen verschiedenen Objekten vererbt werden. Das IFC-Schema ist durch vier verschiedene Ebenen charakterisiert:

- **Domain Layer**

Die oberste Schicht umfasst Schemata, die Entitätsdefinitionen enthalten, die Spezialisierungen von Produkten, Prozessen oder Ressourcen sind oder die für eine bestimmte Disziplin spezifisch sind. Diese Definitionen werden typischerweise für den domäneninternen Austausch und die gemeinsame Nutzung von Informationen verwendet.

- **Interoperability Layer**

Die nächste Schicht umfasst Schemata, die Entitätsdefinitionen enthalten, die spezifisch für ein allgemeines Produkt, einen Prozess oder eine Ressourcenspezialisierung sind oder die über mehrere Disziplinen hinweg verwendet werden. Diese Definitionen werden typischerweise für den domänenübergreifenden Austausch und die gemeinsame Nutzung von Konstruktionsinformationen verwendet.

- **Core Layer**

Die nächste Schicht umfasst das Kernschema und die Kernerweiterungsschemata, welche die allgemeinsten Entitätsdefinitionen enthalten. Alle Entitäten, die auf der Kernebene oder darüber definiert sind, tragen eine global eindeutige ID und optional Eigentümer- und Verlaufsinformationen.

- **Resource Layer**

Die unterste Schicht aller einzelnen Schemata umfasst die Ressourcendefinitionen. Sie enthalten keinen global eindeutigen Bezeichner und dürfen nicht unabhängig von einer Definition, die auf einer höheren Schicht deklariert wurde, verwendet werden. So beziehen sich beispielsweise Eigenschaften immer auf einen bestimmten Bauteil.

IFC ordnet die Objekte hierarchisch nach ihrem Typus. Diese Struktur geht von außen nach innen. Diese Baumstruktur gilt als Struktur der IFC, um die Abhängigkeiten und Beziehungen umzusetzen. Die Abbildung 25 zeigt die IFC-Struktur.

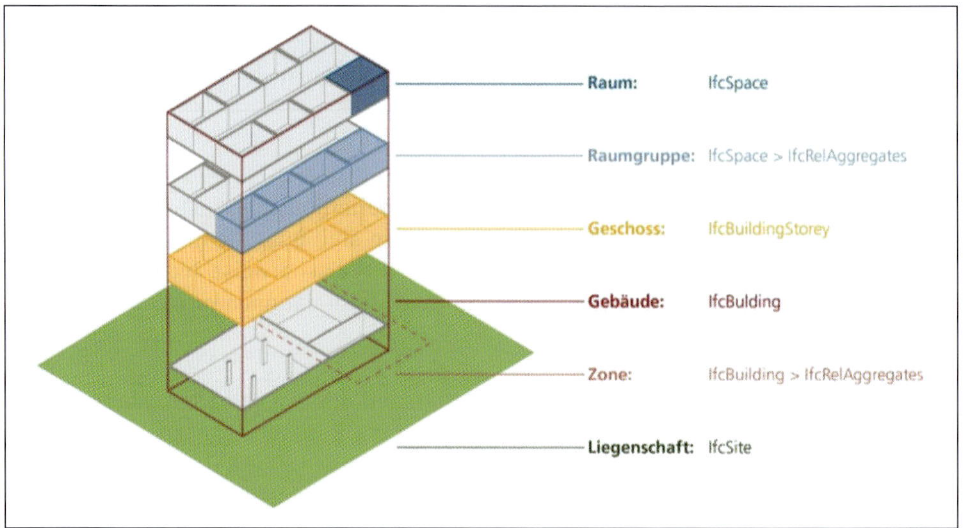

Abbildung 25: IFC-Baumstruktur

IFC hat sich über die Jahre hinweg immer weiterentwickelt und verbessert. Eine solche Verbesserung kann nur dann stattfinden, wenn das Format auch in der Praxis an den realen Projekten eingesetzt und auf die Probe gestellt wird. Natürlich wird der Austausch über IFC in erster Linie an zertifizierten und BIM-fähigen Tools auch von buildingSMART selbst getestet und kann u. U. in Zukunft weltweit als offizielle Schnittstelle definiert werden.

Grundsätzlich besteht ein IFC-Modell aus Klassen und Typen. Beim Import eines IFC-Modells werden die IFC-Klassen aus den im CAD ausgewählten Bauteilen abgeleitet. Ist also eine Wand im CAD-Programm mit dem Modul „Wand“ gezeichnet worden, erkennt das IFC beim Export automatisch, dass es sich hierbei um eine Wand handelt.

Falls im CAD-Programm ein Bauteil frei modelliert wurde und die Objekte nicht aus den eigentlichen Modulen stammen, müssen diese nachträglich im CAD-Programm eine IFC-Klasse erhalten. Erst durch die manuell eingetragene Klassifizierung kann das Objekt auch als korrektes Bauteil angezeigt werden. Auf dieselbe Weise können Bauteile, die entsprechend den Modulen gezeichnet wurden, nachträglich geändert werden und eine neue Identität erhalten. In der Praxis kann man demnach über das Modul „Wand“ einen Überzug modellieren und im Nachhinein die IFC-Klasse von Wand, also „IFCWall“, auf „IFCBeam“ zuweisen, sodass das Bauteil damit als Balken erkannt wird.

Das exportierte IFC-Modell kann ebenfalls im Nachgang angepasst und damit Bauteile in Ihrer Geometrie und Attribuierung verändert werden. Je nach Änderung und Anpassung muss das Modell teilweise nur durch die Codierung umprogrammiert werden, um z. B. Attribute zu ergänzen. Sind Anpassungen der Geometrie bestimmter Bauteile gewünscht, sollte hier sehr behutsam vorgegangen werden. Die Informationen können in der Codierung ergänzt, überarbeitet oder gelöscht werden. Das funktioniert sowohl bei einigen Model Checker Tools als auch in Tools wie beispielsweise Visual Studio mit Java.

Da IFC mit den Koordinaten der Bauteile aus dem CAD-Programm arbeitet, werden diese exakt an dieselbe Stelle gesetzt. Auf diese Weise sind die Abmessungen der einzelnen Bauteile nicht verfälscht, sondern können direkt und ohne Bedenken für weitere Anwendungsfälle genutzt werden.

4.1.2 MVD – Model View Definition

Das IFC-Modell kann für unterschiedliche Anwendungsfälle genutzt werden. Je nach Anwendungsfall werden nur die hierfür relevanten Bauteileigenschaften als Informationen mitgeführt.

Für das Facility Management sollten beispielsweise Informationen von technischen Parametern, Wartungsterminen von Geräten etc. in den Bauteileigenschaften vorhanden sein. Viele der Bauteileigenschaften aus dem vollständigen BIM-Modell sind hierbei aber nicht notwendig.

Die Modellansichtsdefinition (MVD) ist ein offizieller Standard von buildingSMART und wickelt den schematischen Austausch von IFC ab. Die MVDs stellen nicht das gesamte Modell zur Verfügung, sondern nur die wesentlichen Informationen jedes Anwendungsfalles. Das MVD ist ein Schema der IFC und dient quasi als vorgefilterte Version des Modells für einen bestimmten Zweck.

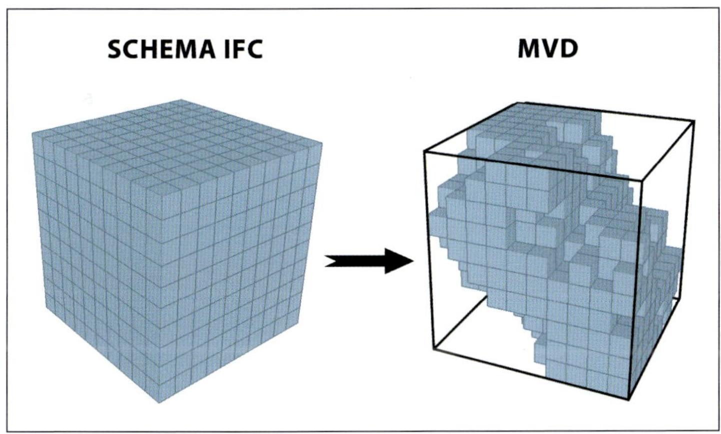

Abbildung 26: IFC und MVD

Mit dem MVD werden demzufolge aus dem gesamten BIM-Modell nur die Eigenschaften, welche den Anforderungen entsprechen, gefiltert und exportiert. So kann das Modell beim Export aus dem CAD-Programm mit der Ansicht Facility Management exportiert werden. Auf diese Weise kann verhindert werden, dass zu viele irrelevante Informationen und Eigenschaften aufgezeigt werden. Die Filterung ist nicht nur je nach Anwendungsfall, sondern auch je nach Empfänger als Zwischenstand etc. möglich. Durch die unterschiedlichen MVDs können aus einem Modell die Informationen zur Verfügung gestellt werden, welche exakt auf den Empfänger abgestimmt sind.

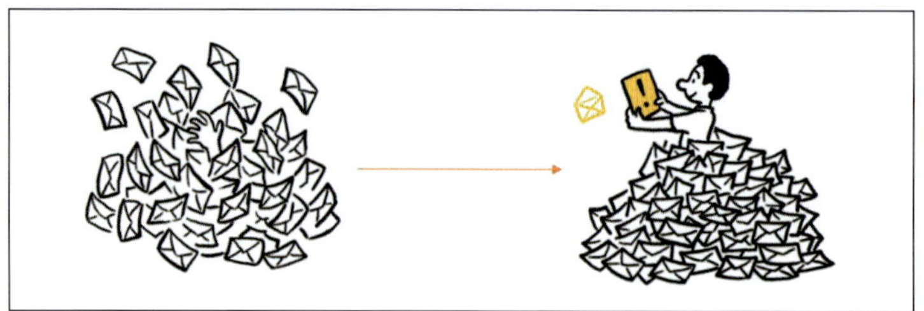

Abbildung 27: Informationsmanagement mit MVD

Eine Übersicht der aktuellen MVDs finden Sie in der Abbildung 28. Die in grauer Schriftfarbe notierten MVDs befinden sich derzeit im Entwurf und sind noch nicht verfügbar.

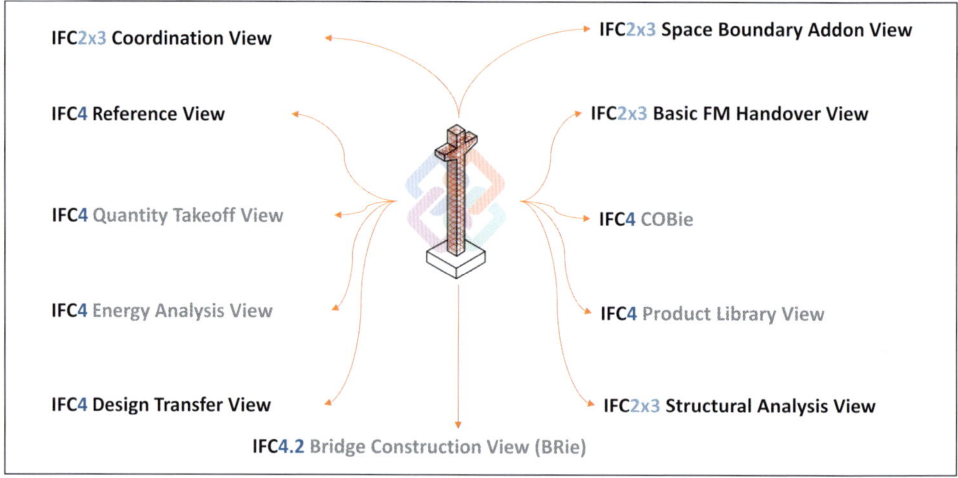

Abbildung 28: buildingSMART aktuelle MVDs

In der Regel verfügt eine BIM-Autorensoftware über eine Liste von MVD-Optionen in seiner IFC-Export-Benutzeroberfläche. Je nach Art des BIM-Werkzeuges unterscheidet sich die MVD-Unterstützung aufgrund der Domäne, die die Anwendung bedient, z. B. MVDs für Raumplanung, Architektur, Struktur oder Gebäudesysteme.

Als Beispiel können spezielle Modellansichten auch als Grundlage für ein analytisches Modell des Tragwerksplaners dienen. Dieses Modell kann optional in CAD erstellt werden und ist z. B. für die Lastberechnungen durch Tragwerksplaner relevant.

Abbildung 29: Analytisches Modell eines Hochhauses

Das analytische Modell, nach dem Generieren der Stab- und Flächenelemente, ist ein Modell mit Linien und Flächen. Dabei haben beispielsweise die Decken keine Dicke und sind nur eine 3D-Fläche bzw. Ebene. Die Modellflächen und Modellränder für Decken, Stützen und Wände sind in der Abbildung zu sehen.

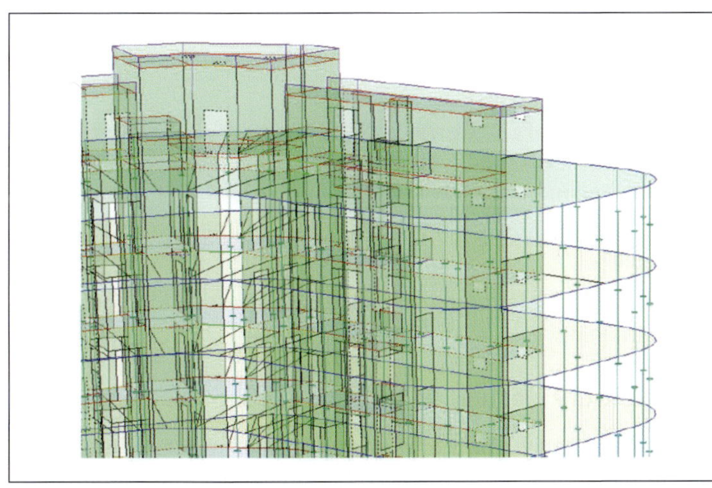

Abbildung 30: Ausschnitt aus einem analytischen Modell mit Modellflächen und -rändern für Decken, Stützen und Wände

Das Modell kann beim IFC-Export wiederum nur die Bauteile exportieren, die auch tatsächlich einen Körper haben. Die Decken können hiermit nicht exportiert werden. Die Bauteilvolumen können im analytischen Modell wie in der Abbildung 31 aussehen.

Abbildung 31: Ausschnitt aus einem analytischen Modell mit Darstellung der Bauteilvolumen

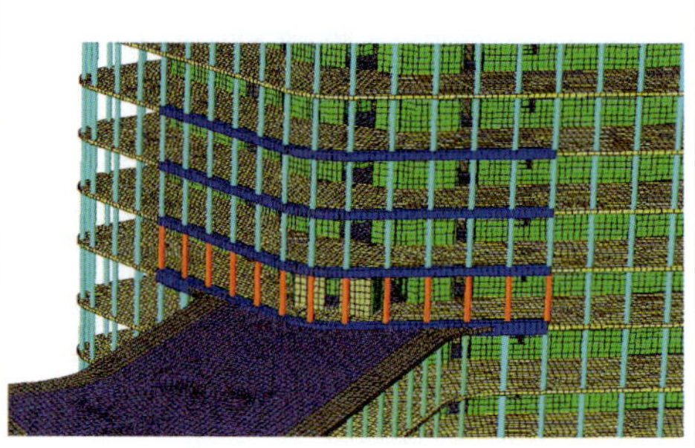

Abbildung 32: Ausschnitt aus einem analytischen Modell nach Generieren der Stab- und Flächenelemente

MVDs können auf verschiedene Arten erstellt werden. Separate Veröffentlichungen eines MVD-Dokumentationspaketes (wie COBie) werden häufig verwendet. Aber auch die Verwendung von mvdXML ist eine Option.

Mit mvdXML können Prüfregeln definiert werden, wonach später das BIM-Modell überprüft werden kann. Eine Aufstellung der Prüfregeln mit mvdXML ist allerdings mit Aufwand verbunden, und das soll vorab programmiert werden.

Lange Zeit konnte jeder seine eigene MVD erstellen und sich an Software-Anbieter wenden, damit diese dann implementiert wird. Das führte allerdings dazu, dass viele MVDs nicht miteinander interoperabel waren und die Implementierung in die Software-Tools erschwert wurden. Daher werden in der neuesten Version IFC 4.3.x nur einige wenige Basis-MVDs vorhanden sein, die von buildingSMART als Grundlage für mehrere Anwendungsfälle definiert werden.

In der ebenfalls neuesten Version IFC5 werden diese Basis-MVDs weiter eingeschränkt, um die Interoperabilität zwischen verschiedenen Domänen und Software-Implementierungen von IFC zu gewährleisten. IFC5 wird modular sein und eine gemeinsame Basis haben. Die Definition der Austauschanforderungen wird über Information Delivery Specifications (IDS) erfolgen.

Eine IDS ermöglicht die Austauschanforderungen von Objekten, Klassifikationen, Eigenschaften sowie Werten und Einheiten.

4.1.3 IDM – Information Delivery Manual

Ein IDM definiert, welche Informationen wann, von wem und in welcher Art zu beschaffen sind. Die Art der Zusammenarbeit wird somit festgelegt. Es sollen die zu liefernden Informationen zu den Meilensteinen verknüpft werden, sodass der erforderliche Input zur Erreichung klar bestimmt und rechtzeitig geliefert werden kann. Die Anforderungen von IDM können softwareneutral bedient werden. Das IDM muss unabhängig von möglichen Formaten berücksichtigt werden können.

Um IDM besser verstehen zu können, wird anhand der unteren Abbildung eine Pizzabestellung exemplarisch dargestellt: Zunächst wird in einer Pizzeria angerufen, um die

Bestellung aufzugeben. Das „Tool“ wäre in diesem Fall ein Telefon (am besten mit geladenem Akku und funktionsfähig).

Mithilfe des Telefons können wir mit einem Mitarbeiter der Pizzeria sprechen und die Informationen weitergeben, damit unsere Pizzabestellung und damit die „Aufgabe“ ausgeführt werden kann. Diese Aufgabe, die im Prozess „Pizzabestellung“ entsteht und zur erfolgreichen Abwicklung beiträgt, müssen in IDM aufgezeichnet werden.

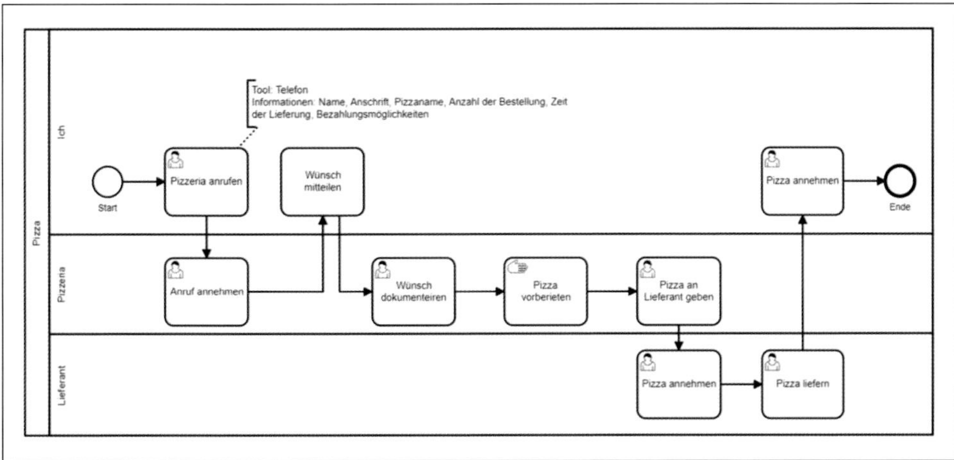

Abbildung 33: Pizza-Bestellungsprozess in BPMN

Nur wenn für jeden Prozessschritt die Inputs, Funktionen und Outputs klar dargestellt sind, kann ein reibungsloser Ablauf gewährleistet werden.

4.1.4 IFD – International Framework for Dictionaries

Das IFD ist in der ISO 12006-3 beschrieben und wurde von buildingSMART über das buildingSMART Data Dictionary (bSDD) veröffentlicht. Das bSDD (früher IFD) ist ein offenes Klassifizierungssystem für das Bauwesen.

Hierbei kann das bSDD unterschiedliche Klassifikationen mit den Bauteilen verknüpfen, beispielsweise die Entitäten, Eigenschaften oder die zulässigen Werte. Zudem werden unterschiedliche Klassifikationen sowie IFC, DIN276, ETIM, ECLASS usw. zusammengebracht und können somit in der Praxis angewendet werden.

Das bSDD dient ebenfalls als Wörterbuch zur Standardisierung von Begrifflichkeiten weltweit und kategorisiert diese in Klassifikationen für bestimmte Zwecke und Anwendungsfälle.

„Das buildingSMART Data Dictionary (bSDD) ist ein Online-Dienst, der Klassifikationen und deren Eigenschaften, zulässige Werte, Einheiten und Übersetzungen enthält.“[4]

4 Abbaspour et al.: BIM-Glossar. Erläuterungen der wichtigsten Fachbegriffe des Building Information Modeling, 1. Auflage, Berlin 2020

Die Bauteilklassifikationen und anwendungsspezifischen Standards wie ETIM und UniversalTypes sind mit bSDD verknüpft. Zudem können eigene Klassifikationen definiert und festgelegt werden. Diese Klassifikationen werden mittels programmierbarer Schnittstellen mit einem CAD-Programm verknüpft und Bauteilklassifikationen mit den Bauteilen verlinkt.

4.1.5 BCF – BIM Collaboration Format

Ein weiteres von buildingSMART als Standard eingeführtes Format ist BCF. BCF wurde eingeführt, um die qualitative Zusammenarbeit und Kollaboration zwischen allen Planungs- und Projektbeteiligten zu fördern. Über BCF können Kommentare im Modell direkt am Bauteil verortet und als Ticket an die jeweiligen Empfänger weitergeleitet werden.

Die Kommentare werden vor allem nach einer Modellprüfung eingefügt, sodass hierdurch die Aufgaben der Anpassung oder Änderung gesammelt zur Nachverfolgung vorliegen. Beim Export als BCF werden die Informationen aus dem Modell, der Aussichtspunkte, Lage und Perspektive mitübergeben.

Diese Kommentare werden als BCF ins CAD-Programm importiert und von dort aus direkt im Modell verortet. Dies kann sowohl 2D als auch 3D im Modell erfolgen. Die Anmerkungen können im Folgenden direkt vom Empfänger zurückkommentiert und/oder bearbeitet werden. Über die Statusanzeige kann immer der aktuelle Bearbeitungsstand angezeigt werden.

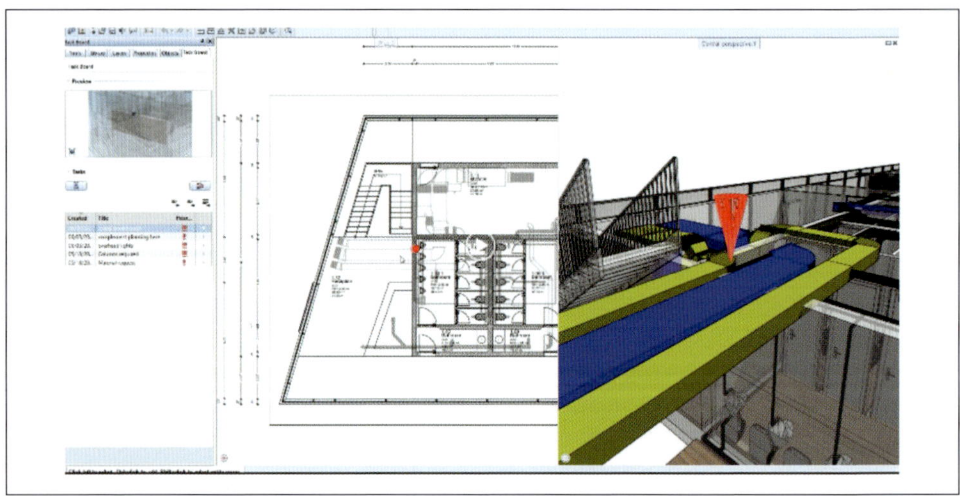

Abbildung 34: BCF Import in ALLPLAN

Abbildung 35: Offizielles Logo von BCF

Autorenbeitrag

Georg Dangl

Das *BIM Collaboration Format* BCF ist heute ein wichtiger Bestandteil in der digitalen Kommunikation zwischen verschiedenen beteiligten Planern bei Bauvorhaben. In der ersten Version bereits 2009 entwickelt, hat sich die Technologie sehr schnell zu einem umfassenden Werkzeug entwickelt, mit dem der gesamte Bereich der interdisziplinären Abstimmung verschiedener Gewerke & Planer abgebildet wird.

Kurz gesagt, mit BCF überträgt man Nachrichten, die neben Text- und Bildinformationen einen Bezug zum Gebäudemodell haben, wie etwa eine 3D-Ansicht oder damit verknüpfte Bauteile. Benutzer verwalten damit Planungskoordination, Mängelbearbeitung und viele weitere Themen, bei denen man sich über mehrere Gewerke hinweg austauschen muss.

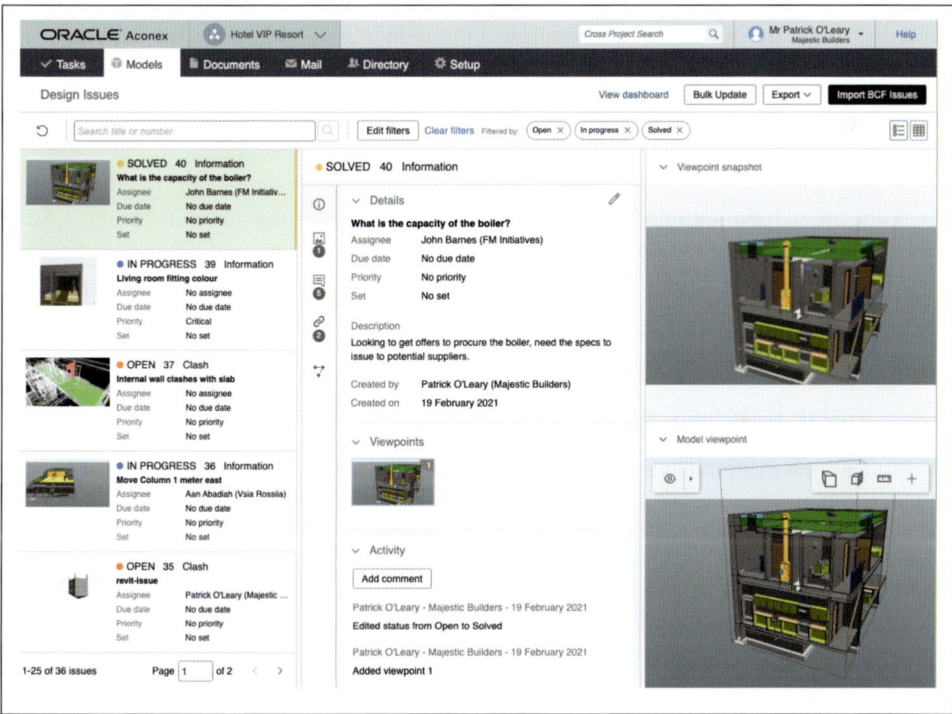

Abbildung 36: Ein BCF Interface, hier im Bild: Oracle Aconex

Inhalt von BCF

Technisch betrachtet sind BCF-Dateien einfache Zip-Archive, in denen unterschiedliche Informationen gespeichert werden. Neben Textdaten wie *Titeln*, *Kommentaren* oder *Verantwortlichen* können darin *Viewpoints*, also Kameraansichten und *Components* als Bauteilreferenzen übertragen werden. Einige Zusatzfeatures, wie *BIM-Snippets* als Datenanhänge, werden bereits von Anwendungen unterstützt. Die meisten Nachrichten werden heute noch mit dem Dateibasierten BCF-XML-Format ausgetauscht, jedoch unterstützen immer mehr Tools die Webschnittstelle BCF-API, mit der eine noch dynamischere Zusammenarbeit über cloudbasierte Lösungen möglich ist. Diese Systeme erlauben es dem Nutzer, viele weitere Funktionen in modernen BIM-Workflows zu nutzen, sodass BCF als Bindeglied dazu beiträgt, Prozesse im Bauwesen über alle Leistungsphasen hinweg zu digitalisieren.

Die meisten Tools im BCF-Bereich geben dem Nutzer die Möglichkeit, verschiedene Ansichten zu wählen, mit denen er offene Aufgaben direkt am 3D-Modell betrachten kann. Die Abbildung zeigt eine Darstellung, die auf der linken Seite Textdetails zum BCF anzeigen, während rechts ein Vorschaubild sowie ein Viewer für das Gebäudemodell ist.

Neue Version BCF 3.0

Im Februar 2021 wurde BCF in der neuen Version 3.0 als *Release Candidate* vorgestellt. Sobald die Entwickler der beteiligten Firmen mit der Prüfung fertig sind, wird der Stand an buildingSMART übergeben, um die offizielle Veröffentlichung herauszugeben. Das dateibasierte Format *BCF XML* wird dabei zeitglich mit dem *BCF API* Webservice erscheinen.

Neben den technischen Änderungen kamen einige Features hinzu, die von Endanwendern besonders erwartet wurden – neben deutlichen Verbesserungen im Handling von komplexen Viewpoints werden einige Probleme rund um webbasierten Austausch über die BCF API behoben.

Ebenfalls plant buildingSMART International eine Zertifizierung für BCF basierte Software, um für noch bessere Kompatibilität zu garantieren und genau definierte Use Cases zu beschreiben.

4.2 Native Daten vs. openBIM-Daten

OpenBIM-Daten ermöglichen eine herstellerneutrale Anwendung der Methodik BIM, wie beispielsweise DWG oder IFC. In diesem Fall wird keine explizite Software für das Projekt vorgegeben, sondern kann frei gewählt werden. So kann beispielsweise mit unterschiedlichen CAD-Programmen gezeichnet werden, da sich eine DWG oder IFC in allen Programmen importieren lässt. Somit fungieren OpenBIM-Daten als Schnittstelle zwischen unterschiedlichen Programmen, Tools oder Plattformen.

Im Gegensatz hierzu stehen die nativen Daten, die nur herstellerabhängig eingesetzt werden können. Falls native Daten im Projekt ausgetauscht werden, können diese erst dann gelesen und weiterverwendet werden, wenn die herstellerabhängige Software hierfür vorhanden ist. So kann eine Revit-Datei auch nur im Revit importiert werden und in keinem anderen CAD-Programm.

Ein weiterer Aspekt eines nativen Dateiformats ist ein vollumfänglicher und sichergestellter Zugriff auf alle Daten. Sollten im weiteren Verlauf Fachplaner hinzukommen, müssen diese dasselbe System, also dasselbe CAD-Programm, besitzen. Vorausgesetzt, es wurde auch zuvor nur mit nativen Daten gearbeitet. Ein Datenaustausch mit ausschließlich nativen Daten wird ClosedBIM genannt.

5 BIM-Anwendungsfälle

Nach der relativ allgemeinen Festlegung der BIM-Ziele für das jeweilige Projekt sollten die Ziele konkret in deren Umsetzung benannt und hieraus die Anwendungsfälle definiert werden. Anwendungsfälle, oder auch Use Cases genannt, können beispielsweise die Mengenermittlung oder Terminplanung sein, da sie sich aus den eingepflegten Attributen des BIM-Modells bedienen. Die Ergebnisse der jeweiligen Anwendung können auf diese Weise zuverlässiger, exakter und zeitsparender sein als bei der 2D-Ermittlung.

Anwendungsfälle ergeben sich immer in der Praxis und sollen bestimmte Anwendungen modellbasiert optimieren. Das Überblicken und Strukturieren aller möglichen Anwendungsfälle wird als Use Case Management bezeichnet und basiert auf der DIN EN ISO 29481-1:2018-01. Die einzelnen Anwendungsfälle sollten in Prozessen beschrieben werden, sodass die einzelnen Zusammenhänge und die technischen Verknüpfungen und Schnittstellen verdeutlicht werden. Jeder Anwendungsfall benötigt eine extra für ihn abgestimmte Informationsanforderung als Grundlage.

Von buildingSMART International wird jedem Nutzer eine Plattform zur Verfügung gestellt, bei der Experten ihre Erfahrungen und best practices inklusive entsprechender Prozesse vollständig je Anwendungsfall beschreiben. Hierdurch können wir Erfahrungen austauschen und uns gegenseitig bei der erfolgreichen Implementierung helfen.

Autorenbeitrag

Thomas Glättli

Die Anwendung der Building Information Modeling (BIM) Methode hat sich in den letzten Jahren etabliert und wird heute in der gesamten Bau- und Immobilienwirtschaft breit angewendet. Je nach Sektor und Lebenszyklusphase sind die Unterschiede in der Implementierungstiefe aber groß. In der Planungs- und Erstellungsphase wird BIM in vielen Projekten angewandt. Die Vorteile, welche die Methode für die Nutzungsphase mit sich bringt, werden heute noch zu wenig erkannt.

Das Wertversprechen der Digitalisierung und die damit verbundenen Erwartungen sind hochgesteckt. So sollen Qualitätssteigerung, Effizienzgewinne, eine kleinere Fehlerquote sowie eine bessere Nachhaltigkeit die Wertschöpfung erhöhen – ein Ziel, das dringend umgesetzt werden muss, da die Produktivitätssteigerung und der Automatisierungsgrad der Baubranche gegenüber anderen Wirtschaftszweigen weit zurückliegt.

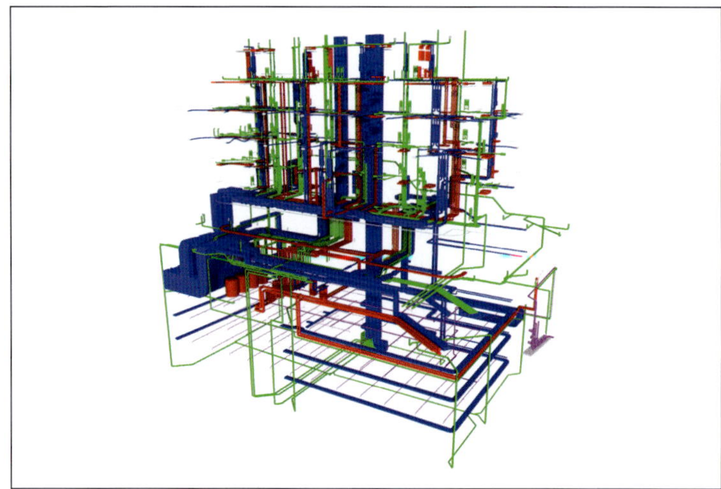

Quelle: Amstein + Walthert AG, Schweiz

Abbildung 37: BIM im Hochbau

Erfolgsfaktoren der digitalen Transformation

Um in der Digitalisierung erfolgreich zu sein, braucht es eine Vielzahl von Maßnahmen in ganz unterschiedlichen Bereichen. Oft fokussiert man rein technische Aspekte, anstatt sich mit den Herausforderungen ganzheitlich auseinanderzusetzen. Die mit der Digitalisierung verbundenen Veränderungen müssen als Aufgabe für alle Hierarchiestufen einer Organisation verstanden werden. Die Abkehr von alten, aber gut funktionierenden Prozessen birgt Risiken, ebnet aber auch den Weg für Geschäftsmodelle, mit welchen der Disruption durch neue, bislang unbekannte Marktteilnehmer begegnet werden kann. Chancen zu erkennen und zu nutzen entscheidet schlussendlich über den langfristigen Geschäftserfolg.

Das Silodenken in den eigenen Disziplinen ist leider immer noch weit verbreitet. BIM macht neue Zusammenarbeitsmodelle notwendig, in denen sich alle Akteure des gesamten Lebenszyklus eines Bauwerks austauschen und kooperieren. Viele Aufgaben verschieben sich in frühere Projektphasen, was die Art der Zusammenarbeit wesentlich verändert. So muss ein Betreiber zum Beispiel seine Anforderungen bereits von Beginn an einbringen, damit am Schluss die richtigen Informationen für z. B. das Facility Management zur Verfügung stehen.

Die zentrale Bedeutung des Informationsmanagements

Inkrementelle Anpassungen reichen nicht, um die großen Potenziale der Digitalisierung voll auszuschöpfen. Zu viele Akteure der Baubranche konzentrieren sich zu sehr auf ihre eigenen Aufgaben, der vor- und nachgelagerte Prozess interessiert kaum. Die Digitalisierung fordert jedoch die Vernetzung aller Disziplinen entlang der gesamten Wertschöpfungskette. Alle Parteien müssen von Beginn an involviert sein und ihre Informationsbedürfnisse klar deklarieren. Das Gebot der Stunde ist: Weg von disziplinären, hin zu multidisziplinären Prozessen, die den Anforderungen an digitale Bauwerksmodelle gerecht werden und durchgängige Informationsflüsse sicherstellen.

Pro BIM-Anwendung, nachfolgend Use Case genannt, muss eine Informationsaustauschanforderung definiert, verwaltet und bereitgestellt werden. Das Informationsmanagement bildet dabei, neben dem Projektmanagement, das zentrale Element für den erfolgreichen Einsatz der BIM-Methode.

Die Grundsätze des Informationsmanagements sind in ISO 19650-1:2018-12[5] definiert. Die Norm definiert, wie Informationsanforderungen hierarchisch zu gliedern und zu implementieren sind. Der Besteller der Informationen definiert die Ziele bzw. die Anforderungen an die Informationen, welcher der Lieferant der Information über den gesamten Projektverlauf bereitzustellen hat. Damit können geschäftsrelevante Entscheidungen auf der Basis eines geregelten Informationsflusses gefällt werden.

Use Cases und die w-Frage

Ein Use Case beschreibt den Geschäftsfall und das ideale Szenario, einschließlich der Ziele und Erfolgskriterien für den Informationsaustausch. Die verschiedenen Parteien und ihre Verantwortlichkeiten werden als Akteure bzw. Rollen festgelegt. Gleichzeitig werden auch ihre Aktivitäten im Informationsaustausch beschrieben. Vereinbarungen, Verträge, Standards usw. konkretisieren die externen Bedingungen, die sich auf die Ziele oder Ergebnisse des Informationsaustauschs auswirken können.

Jeder Use Case folgt einem übergeordneten Ziel und hat ein bestimmtes Ergebnis bzw. einen bestimmten Nutzen im Fokus. Um dies zu erzielen, definiert ein Use Case, wer wem welche Information zu welchem Zeitpunkt in welchem Format und in welchem Detaillierungsgrad liefert. Auf diese Weise können z. B. modellbasiert die Mengen und Kosten ermittelt, der Bedarf an grauer Energie und Betriebsenergie dargestellt, der Bauablauf geplant, die Baustellen-Logistik organisiert und Informationen für den Betrieb bereitgestellt werden.

Ein BIM-Projekt wird über die Use Cases spezifiziert. So lässt sich definieren, wie über den gesamten Modellprozess die benötigten Informationen phasengerecht in der geforderten Qualität den jeweiligen Nutzern zur Verfügung gestellt werden.

5 ISO 19650-1:2018-12; Organization and digitization of information about buildings and civil engineering works, including building information modelling (BIM) – Information management using building information modelling – Part 1: Concepts and principles.

Quelle: buildingSMART International

Abbildung 38: Use Cases adressieren die gesamte Wertschöpfungskette

Normative Einordnung

Zentrales Steuerungswerkzeug für die einheitliche Beschreibung der Use Cases ist das Information Delivery Manual (IDM). buildingSMART hat diese Methodik für die Beschreibung von Informationsaustauschanforderungen im Kontext von Lebenszyklusprozessen von Bauwerken entwickelt und als ISO 29481-1:2016-05[6] normiert. Die Norm definiert den Rahmen und die Methoden zur Darstellung von Prozessen und zum Austausch von Anforderungen für einen bestimmten Zweck. Zudem stellt sie sicher, dass die ausgetauschten Informationen korrekt und so vollständig sind, dass Aktivitäten ausgeführt werden können.

Im Grundsatz unterscheidet sich ein Use Case nicht von einem Information Delivery Manual (IDM). Beide folgen exakt dem gleichen Schema und sind gleich klassifiziert. Während der Use Case einen einzelnen, möglichst exakt abgegrenzten, spezifischen Anwendungsfall beschreibt, ist ein IDM die Zusammenfassung mehrere thematisch ähnlicher Use Cases. Normativ ist ein Use Case deshalb als subIDM bezeichnet. Es ist auch möglich, alle Informationsaustauschanforderungen eines Projektes als ein IDM zusammenzufassen.

In der vom Verein Deutscher Ingenieure (VDI) entwickelten Reihe VDI 2552 – Building Information Modeling (BIM)[7] sind mit den Blättern 11.ff mehrere Richtlinien verfügbar, welche die Grundlagen an die Informationsaustauschanforderungen regeln und mehrere Anwendungsfälle beschreiben. Die Dokumente, die auch als buildingSMART-Richtlinien zu verstehen sind, zielen auf die Anpassung und Weiterentwicklung von Prozessen

6 ISO 29481-1:2016-05; Building information models – Information delivery manual – Part 1: Methodology and format

7 VDI/bS 2552 Blatt 11.1 Building Information Modeling – Informationsaustauschanforderungen

– insbesondere im Zusammenhang mit IDM – und auf die Erarbeitung praxisbezogener Methoden zur Definition der Austauschanforderungen auf Basis bestehender openBIM-Datenaustauschstandards.

Die Fortführung der IDM-Methodik ist die Erstellung einer technischen Spezifikation in Form einer Model View Definition (MVD). Eine MVD ist eine Teilmenge des IFC-Schemas, die definiert wird, um eine oder mehrere fachspezifische Austauschanforderungen zu erfüllen. Sie beinhaltet Leitlinien oder Vereinbarungen für die Implementierung der genutzten IFC-Konzepte (Klassen, Attribute, Beziehungen, Eigenschaftsleisten, Mengendefinitionen etc.). Eine MVD bildet die Grundlage für einen Software-Entwicklungsprozess, der die IFC Import- und Exportfunktionen in einer Softwareanwendung sicherstellt und dafür sorgt, dass die relevanten Daten von den eingesetzten Softwareanwendungen verarbeitet werden können.

buildingSMART Use Case Management

Abbildung 39: Offizielles Logo von UCM

Über die letzten Jahre wurden weltweit viele Anstrengungen unternommen, Anwendungsfälle zu dokumentieren. Dabei wurden unzählige Dokumente erstellt, die oft keinem standardisierten oder gar normierten Ansatz folgten. Fehlende Zugänglichkeit sowie mangelhafte Angaben zu einer eindeutigen Klassifizierung, zum Status und zum Reifegrad verhinderten den Vergleich ähnlicher Anwendungsfälle. Eine Bündelung all dieser Aktivitäten in einer harmonisierten Form bringt große Vorteile für die Branche weltweit. Mit einem Service, der es erlaubt, Use Cases nach einem vorgegebenen Schema zu entwickeln und zu klassifizieren, kann die Effizienz in der Anwendung der BIM-Methode wesentlich erhöht werden. Auf Initiative von buildingSMART Switzerland hin entstand so das Use Case Management. Der cloudbasierte Service ermöglicht es, Informationsaustauschanforderungen unterschiedlicher digitaler Anwendungsfälle über das auf ISO 29481-1:2016-05 basierende Schema zu ermitteln.

Seit 2020 ist das Use Case Management integraler Bestandteil des Tool- und Service-Angebots von buildingSMART International (bSI). Die verschiedenen bSI Chapter (Länderorganisationen) oder bSI Rooms (offene Gruppen von Spezialisten, z. B. für Hochbauten, Flughäfen, Brücken, Bahninfrastrukturen) können über den Service ihre spezifischen, offenen Lösungen und Standards entwickeln.

Der Service ist für die gesamte Bau- und Immobilienwirtschaft offen, unabhängig von einer Mitgliedschaft bei buildingSMART International oder einem lokalen Chapter. So können Unternehmen, Verbände und Institutionen ihre Use Cases unter dem eigenen Brand entwickeln und diese – wenn gewünscht – der globalen Community zur Verfügung stellen.

Analog zum openBIM-Ansatz, der die Zugänglichkeit, Nutzbarkeit, Verwaltung und Nachhaltigkeit von digitalen Daten in der Baubranche verbessert, ist auch das Use Case

Management von Offenheit und Transparenz geprägt. Die Entwicklung von Use Cases ist ein kollaborativer Prozess, der herstellerneutral ist und die nahtlose Zusammenarbeit aller Projektbeteiligten unterstützt.

Alle aktiven Teilnehmenden haben Einsicht in die Entwicklungsstände aller Projekte. Ein durchgehendes Usermanagement regelt dabei die Zugriffsrechte, sodass nur die zugewiesenen Projektgruppen an ihren Dokumenten arbeiten können.

Mit dem Use Case Management will buildingSMART folgende Ziele erreichen:

- digitale Befähigung durch Einsatz der BIM-Methode bei Unternehmen und Akteuren der Bau- und Immobilienwirtschaft verbessern
- gemeinsame Sprache und einheitliches Verständnis für zentrale BIM-Anwendungen sicherstellen
- Know-how-Pools für den Informationsaustausch zwischen allen Organisationen von buildingSMART global zur Verfügung stellen
- relevante BIM Ziele, die Auftraggeber und Auftragnehmer bei der Ausarbeitung von Zusammenarbeitsverträgen unterstützen, nutzergruppenorientiert zu definieren
- Zusammenarbeit über durchgängige Informationsflüsse und einen IFC-basierten Austausch von Informationen optimieren
- Grundlagen für die Entwicklung von Model View Definition (MVD) oder für die Implementierung in eine Anwendersoftware bereitstellen
- Modellqualität steigern, indem mittels Model Checker automatisch geprüft wird, ob alle Anforderungen an das Modell eingehalten sind. Bei Abweichungen können Unstimmigkeiten modellbasiert korrigiert bzw. fehlende Informationen ergänzt werden

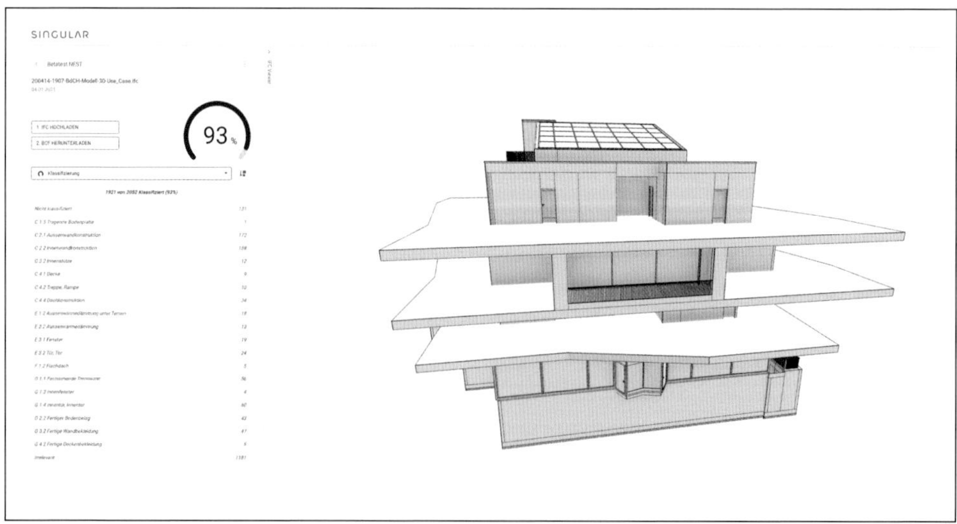

Quelle: Singular AG

Abbildung 40: Prüfung der Modellqualität mittels Model Check

Herzstück des Use Case Managements ist der „Co-Creation Space". In ihm können Projektgruppen Erfahrungen teilen und kollaborativ erfassen. Erfahrungen aus bereits durchgeführten oder laufenden BIM-Projekten werden unter Experten ausgetauscht, Kompetenzen werden gebündelt, und aus einzelnen Praxiserfahrungen wird ein Best Practice generiert.

Die Plattform ist so aufgebaut, dass die Nutzer für die Entwicklung eines Use Case einen schrittweisen und geführten Prozess durchlaufen. Dieser besteht aus drei Kernelementen:

	**Use-Case-Beschreibung** definiert den Inhalt und den Umfang der Informationslieferung
	**Prozessdefinition** erfolgt über mindestens eine der folgenden Methoden: Prozess-Diagramm/ Interaktions-Diagramm/Transaktions-Diagramm
	**Informationsaustauschanforderungen** beschreibt die Anforderungen an den Informationsaustausch in einem nicht-technischen Format

Die von den Projektgruppen erarbeiteten Informationsaustauschanforderungen werden anschließend im IFC-Schema abgebildet. Einerseits können diese technischen Spezifikationen von Model Checkern genutzt werden, um die Qualität der Modellstände einfach zu prüfen. Andererseits ermöglicht es den Software-Herstellern die Entwicklung von Applikationen. Schlussendlich unterstützt das Use Case Management auch die langfristige Weiterentwicklung von IFC.

Die Projektgruppen können nach einem vorgegebenen Freigabeprozess ihre Ergebnisse der Öffentlichkeit zur Verfügung stellen. Die Publikation erfolgt auf der UCM Website https://ucm.buildingsmart.org/. Nach einer kostenlosen Registration können alle Publikationen heruntergeladen werden. Jeder Nutzer kann zudem Kommentare hinzufügen. Diese werden gesammelt und den Projektgruppen zur Verfügung gestellt. So wird ein kontinuierlicher Verbesserungsprozess unterstützt, mit dem Ziel, eine Grundlage für zukünftige Standards zu legen.

Es bleibt noch viel zu tun

Gemeinsam mit buildingSMART International wird die Plattform laufend optimiert und mit zusätzlichen Funktionalitäten ergänzt. Anforderungen aus neuen Normen und der bSI Roadmap fließen in die Weiterentwicklung ein. Alle relevanten Use Cases und IDMs sollen über maschinenlesbare Informationsaustauschanforderungen verfügen.

Dem Use Case Management liegt eine klare Vision zugrunde. Aufträge definieren sich über die Summe aller Use Cases über den gesamten Lebenszyklus hinweg. Die durchgehenden und abgestimmten Informationen können von allen Beteiligten genutzt und Projekte so erfolgreich umgesetzt werden. Alle Akteure erhalten mit diesem Tool eine umfassende Grundlage, um ihre Prozesse zu digitalisieren und die kollaborative

Zusammenarbeit zu beschleunigen. Nutzen Sie die Vorteile dieses Services und engagieren Sie sich, um das digitale Fundament für die gesamte Bau- und Immobilienwirtschaft zu gestalten. Denn eines ist klar: Nur gemeinsam kommen wir dem Ziel, die Vorteile der Digitalisierung schnell und umfassend zu nutzen, einen entscheidenden Schritt näher!

Im folgendem Kapitel werden vorab die rechtlichen Aspekte von BIM beschrieben.

5.1 Rechtliche Aspekte von BIM

Autorenbeitrag

Dr. Till Kemper

Einleitung

Gleich welchen Anwendungsfall sich jemand von BIM genauer anschauen möchte, stellen sich im Grunde die gleichen Fragen für die rechtliche Implementierung.

Building Information Modeling (BIM) ist nach allgemeiner Auffassung, die auch Eingang in die Definition der VDI 2552 fand, eine Planungsmethode. Diese Planungsmethode ist in die am Bau üblichen Werkvertragstypen oder werkvertragsähnliche Typen zu integrieren. Allein weil BIM-Leistungen abgefordert werden, verändern sich die am Bau üblichen Hauptvertragstypen (Planungsvertrag, Bauvertrag und Projektsteuerungsvertrag) nicht. Vielmehr bleibt es dabei, dass dem Grunde nach Werk- bzw. werkvertragsähnliche Verträge geschlossen werden und somit die Definition des Werkerfolgs als maßgebliches Ziel der Leistungserbringung mit der Frage der Abnahmefähigkeit und der Vergütungspflicht im Zentrum steht. Dem Werkvertrag ist immanent, dass dem Grunde nach die Wahl des Weges zum Ziel und damit das Risiko der Leistungserbringung dem jeweiligen Auftragnehmer überlassen bleibt. Soll nun eine bestimmte Methodik bspw. bei der Planung zur Anwendung kommen, so ist dies genau im Vertrag zu definieren und zu prüfen, ob hier im Fall der Planungsleistung Besondere oder Beratungsleistungen im Sinne der HOAI vorliegen oder bei Bauverträgen zusätzliche Leistungen im Sinne der VOB/C ggf. gesondert zu vereinbaren und zu vergüten sind.

Unbeschadet der Tatsache, dass BIM zunächst nur eine Methodik ist, kann sich jedoch dennoch aus vertraglichen Vereinbarungen ergeben, dass sich aufgrund der Abforderung von bestimmten Anwendungsfällen besondere Werkerfolge ergeben, die gesondert geschuldet werden. Dies wäre bspw. bei der Erstellung eines As-built-Modells der Fall; sowohl der HOAI als auch dem typischen Bauvertrag in Auslegung durch die VOB/C ist es bspw. fremd, dem AG eine tiefgehende As-built-Planung zu übergeben; die übliche Baudokumentation bzw. die Revisionsunterlage sind deutlich abweichend von den Inhalten eines As-built-Modells. Wird also nun ein As-built-Modell verlangt, so liegt ein gesonderter Teilleistungserfolg vor, der speziell in den Verträgen abzufordern und zu beschreiben ist.

Vertrag

Vom Grunde her bleiben die Vertragstypen bei den am Bau Beteiligten bestehen. Wird nun BIM als Planungsmethodik implementiert, so sind diese zu ergänzen. Im Wesentlichen bleibt es somit bei dem Projektsteuerungs- und BIM-Management-, BIM-Planungs- und BIM-Bauvertrag. Je nach Wording (nach Building-Smart, Standards oder VDI-Standards) ist jedoch zu berücksichtigen, ob nicht bereits in naher Zukunft gänzlich eine Umbenennung vorgenommen werden kann, bspw. bei einem Projektsteuerungs- und BIM-Management-Vertrag, ein Gesamt-BIM-Koordinationsvertrag. Mit der Einpflege der unterschiedlichen BIM-Leistungspflichten geht einher, dass die bisher typischen Kern-Rechte und -Pflichten geregelt bleiben und dann die spezifischen BIM-Leistungspflichten hinzutreten.

Sofern Regelungsinhalte für alle am Bau Beteiligten gleichermaßen zu regeln sind, hat es sich etabliert, die sogenannten BIM-BVB, also die besonderen Vertragsbedingungen für BIM-Leistungen, den Baubeteiligten an die Hand zu geben. In diesen finden sich insbesondere auch Reglungen über Bereitstellung und Zugang zur Common Data Environment (CDE), die unterschiedlichen Formerfordernisse (Sollen Mängel-, Behinderungs-, Bedenken- oder Mehrkostenanzeige und Anordnungen in Textform via BCF erfolgen??) und auch die Mängelrechte bzgl. der BIM-Services vor Abnahme sowie die Nutzungsrechten an den erzeugten oder verarbeiteten Daten.

Weiterhin ist aufgrund der derzeitigen babylonischen Sprachverwirrung noch zu erwägen, umfängliche Leistungsbilder bzw. Glossare in das Vertragswesen mit aufzunehmen. Gleichermaßen kann jedoch auch auf die Rollenbeschreibung der VDI 2552 verwiesen werden. Da die VDI 2552 jedoch derzeit noch nicht als anerkannte Regeln der Technik gelten können, weil sie sich noch nicht als allgemein üblich eingebürgert habe, wären diese explizit in den Vertrag einzubeziehen.

Neben diesen Leistungsbildern sind dann zwingend in das Vertragswesen einzufügen die Auftraggeber-Informations-Anforderungen (AIA) sowie der BIM-Ablaufplan (BAP). Während die AIA als grundsätzliche Definition der BIM-Ziele und BIM-Anwendungsfälle sowie der BIM-Rollen Kalkulationsgrundlage sind und grundsätzlich unveränderlich zu Beginn eines Projekts aufgelegt werden, so wird der BIM-Ablaufplan (BAP) als lebendes Dokument verstanden, welches sich im Laufe des Projekts weiter entwickeln kann. Als Übersicht ergibt sich somit folgende Darstellung:

- Projektsteuerungsvertrag/Bauerrichtungsvertrag/Planervertrag
- BIM-Leistungsbild, AIA & BAP
- für alle am Bau Beteiligten gleichermaßen BIM-BVB

Besonderheiten im Planervertrag

Der Planervertrag steht meist in Verbindung mit der Frage der Anwendbarkeit der HOAI. Seit dem 01.01.2021 gilt die HOAI 2021. In ihr wurde nunmehr von der Verbindlichkeit Abstand genommen. Vielmehr bilden Basis und Höchstsatz nur noch Orientierungswerte. Zu jedem Zeitpunkt des Projekts kann mittels einfacher textlicher Vereinbarung zwischen Unternehmern eine von der Basis und den Höchstsätzen abweichende Kostenvereinbarung getroffen werden. Das Grundsystem, dass die HOAI lediglich Aufschluss über die

Vergütung von Grundleistungen gibt und besondere und Beratungsleistungen frei vereinbar sind, wurde beibehalten.

Sofern sich die Vertragsparteien weiterhin an dem Basis- und Höchstsatz der HOAI 2021 festhalten wollen (und dies ist aufgrund der Frage der Vergleichbarkeit von Angeboten im Rahmen der öffentlichen Auftragsvergabe zu erwarten), ist mit der herrschenden Meinung davon auszugehen, dass die Einordnung einer Leistung in die Grund- oder besonderen Leistungen von BIM unabhängig zu betrachten ist. Die HOAI ist nach herrschender Meinung methodenneutral, und somit kann BIM in den Anlagen keine wesentliche Rolle spielen. Entsprechend konsequent wird auch mit der Novellierung der HOAI nicht weiter auf BIM-Leistungen eingegangen; BIM als Modell findet sich weiterhin lediglich als Besondere Leistungen in der Leistungsphase 2 in der Anlage 10 zu § 34 HOAI. Somit ist genau zu prüfen, ob bei den speziellen BIM-Anwendungsfällen eine Grundleistung oder eine Besondere Leistung mittels der BIM-Methodik zu erbringen ist. Vielfach wird man hier zu dem Schluss kommen müssen, dass tatsächlich Besondere Leistungen abgefordert werden, wie z. B. eine gewerkeübergreifende Gesamtkoordination und Fortschreibung von detaillieren Kosten und Terminplänen.

Rücken die Parteien die BIM-Services in den Vordergrund und wollen auch bspw. die strikte Abfolge oder die lineare Abarbeitung der HOAI-Leistungsphasen stärker verlassen, so sind nun die Parteien hier frei, abweichende Kostenvereinbarungen zu treffen.

Zu berücksichtigen ist ferner, dass mit der HOAI 2021 sich das Nachtragswesen „liberalisiert“ hat. In verstärktem Maß findet nun das Anordnungsrecht des Bauherrn über das Planervertragsrecht im BGB (§§ 650q Abs. 2, 650c, 650c BGB) Anwendung. Wird also der Leistungsumfang oder das Leistungsziel bspw. durch das nachträgliche Abfordern von BIM-Leistungen verändert, so hat der Planer eine nachvollziehbare Aufschlüsselung der tatsächlichen Mehr- oder Minderkosten im Rahmen eines Nachtragsangebotes anzubieten oder unter Rückgriff auf eine vertragsgemäß vereinbarte Urkalkulation ein Nachtragsangebot vorzulegen. Dieses ist dann binnen 30 Tagen entweder zu beauftragen, oder es muss eine Anordnung dem Grunde nach erfolgen. Damit werden zusätzliche Nachtragstatbestände zu den bislang in der HOAI vorgesehenen Erhöhung der anrechenbaren Kosten oder Wiederholung von Grundleistungen in das Planervertragswesen eingeführt.

Bauerrichtungsvertrag

Die Besonderheiten beim Bauerrichtungsvertrag mit wesentlichen BIM-Autoren-Leistungen, bspw. durch die Verpflichtung, Werk- und Montagepläne in ein open-BIM-System direkt einzupflegen, oder aber bei der Erstellung eines As-built-Modells mitzuwirken, sind die folgenden:

Bei Erstellung des Vertrages ist genau darauf zu achten, dass neben den „üblichen“ Leistungspflichten die BIM-Autorenpflichten sowie weitere Prüf- und Hinweispflichten mit Blick auf die Planungsleistungen dezidiert geregelt werden. Nach bisheriger Rechtslage war es nämlich so, dass insbesondere die Frage der Erstellung der Werk- und Montageplanung eine rechtlich sehr strittige ist. Dem Grunde nach ist der Auftragnehmer nicht dazu verpflichtet, eine Werk- und Montageplanung vorzulegen. Soll nun aber ein durchlässiges Gebäudemodell auch mit Blick auf das Ziel, ein As-built-Modell zu erhalten, erstellt werden, so sind dies zusätzliche Aufgaben, die möglicherweise auch bei nachträglicher Anordnung nachtragsfähig nach § 2 Abs. 10 VOB/B (Planungsaufgaben des Bauherrn) sind. Darüber hinaus ist im Abgleich mit der VOB/C zu prüfen, ob in den gewerkeweise dargestellten ATV die Erstellung der Werk- und Montageplanung oder sonstigen Planungsleistungen eben als zusätzliche Leistungen einzuordnen sind, die dem Grunde nach auch grundsätzlich zu vergüten sind. So ist in der DIN 18380:2019-09, ATV „Heizanlagen und zentrale Wassererwärmungsanlagen" unter Nr. 4.2 geregelt, dass „Liefern von Montageunterlagen in digitaler Form, z.B. in bestimmten Dateiformaten, sowie das Einstellen in sog. Online-Datenplattformen" eine zusätzliche Leistung ist.

Darüber hinaus ist insbesondere bei den Bauerrichtungsverträgen darauf zu achten, dass für diese ebenfalls BIM-BVB, AIA's und BAP's einbezogen werden. Widrigenfalls können die BIM-Modelle nicht pflichtgemäß geprüft und erstellt werden. Gerade mit Blick auf die Bauerrichtungsleistungen ist von wesentlicher Bedeutung, dass in der BIM-BVB auch die Gewährleistungsrechte auf die BIM-Planungs-/Autorenleistung ausgewertet und ausgeweitet werden.

Vergabe

Die vergaberechtlichen Implikationen ergeben sich im Wesentlichen aus den beiden Anforderungen an den öffentlichen Auftraggeber, zum einen bei der Bekanntmachung, alle kalkulationsrelevanten Dokumente offenzulegen, und zum anderen, die Leistung erschöpfend und eindeutig zu beschreiben.

Aus der Anforderung, alle kalkulationsrelevanten Anforderungen mit der Bekanntmachung offenzulegen, geht einher, dass der öffentliche Auftraggeber nicht nur den jeweiligen Vertrag nebst Leistungsbeschreibung vorzulegen hat, sondern bspw. neben den AIA auch einen Vor-BAP, da dieser für die tatsächlichen Aufwände im Bauprojekt relevant wird. Allein aus der Tatsache, dass ein Vor-BAP erzeugt wird, heißt dies nicht, dass die Systematik eines lebenden Dokumentes verlassen wird. Jedoch soll den Bietern die Möglichkeit eröffnet werden, den Aufwand für die BIM-Leistungen einzuschätzen.

Hinzu tritt, dass dem Grunde nach die jeweils bereits erstellten BIM-Modelle mit in die Vergabe eingebracht werden müssen. Dies ist zwar derzeit eher weniger die Praxis, muss aber aus der Rechtssystematik heraus künftig geschehen. Denn je nach Reifegrad des jeweiligen BIM-Modells wird es für das bietende Unternehmen, gleich ob planend oder ausführend, relevant, wie viel Nachmodellierungen oder auch interne Nacharbeiten ausgeführt werden müssen, um in die Modelle tatsächlich hineinarbeiten zu können. Dies sind Kalkulationsaufwände und Risiken, die den bietenden Unternehmen zur Einschätzung mitgeteilt werden müssen.

Aus der Anforderung einer erschöpfenden und eindeutigen Leistungsbeschreibung ergibt sich ferner, dass – solange die babylonische Sprachverwirrung noch vorherrscht – der öffentliche Auftraggeber eine eindeutige Begriffsdefinition für die verschiedenen Rollen und Leistungsbilder geben muss. Mit fortschreibender Herausgabe der VDI 2552 wäre hier eine Möglichkeit gegeben, sich durch Berufung auf diese dem Erfordernis eines umfänglichen Glossars zu entledigen. In jedem Fall ist aber bei der Beschreibung der Leistungsbilder und Leistungsanforderungen darauf zu achten, dass im Sinne der HOAI eine Zuordnung zu Grund-, besonderen und Beratungsleistungen und im Sinne der VOB/C eine Zuordnung, bspw. zu zusätzlichen Leistungen und der Beschreibung besonderer

Teilleistungserfolge, die durch die Einführung der BIM-Methodik oder bestimmte Anwendungsfälle abgefordert werden, stattfinden. Dies gilt umso mehr, als dass nach ständiger Rechtsprechung die jeweilige Leistungsbeschreibung als AGB zu verstehen ist und die jeweiligen bietenden Unternehmen Widersprüchlichkeiten oder Unklarheiten bis an die Grenze der Sittenwidrigkeit für sich ausnutzen dürfen. Bietende Unternehmen dürfen bei der Auslegung der Leistungsbeschreibung stets die für sich günstigere Auslegung wählen.

Bei dem Abschluss von Verträgen im privatwirtschaftlichen Bereich gilt dies nicht uneingeschränkt. Denn im Bereich der Geschäftsanbahnung bei nicht öffentlichen Auftraggebern gelten erweiterte vorvertragliche Hinweis- und Beratungspflichten. Aus Rechtssicherheitsaspekten ist hierbei den Unternehmen verstärkt anzuraten, Unklarheiten mit dem Auftraggeber aufzuklären. Dies sollte sich jedoch auch bereits aus einem hinreichend kundenbezogenen Denken ergeben.

Fazit

Bei der Konzipierung eines BIM-Projekts und der damit einhergehenden Vergabe-/Vertragskonzipierung sollte sich also der jeweilige Auftraggeber hinreichend Gedanken darüber machen, welches Regelungswerk Anwendung finden soll, welche BIM-Standards und welche BIM-Anwendungsfälle er abfordern möchte. Der Markt gibt vieles her, jedoch ist die vertragliche Einpflege derzeit noch unzureichend, was zu Rechtsunsicherheiten und Nachtragsproblemen führen kann. Insbesondere mit Blick auf Planungsleistungen sollte sich daher nicht auf die bislang übliche Vorgehensweise versteift werden, schlicht sämtliche Grundleitungen aller Leistungsphasen abzuverlangen und lediglich den Hinweis aufzunehmen, dass dies mittels BIM in einem bestimmten Verfahren (open oder closed BIM) zu erbringen ist. Im Rahmen der Projektkonzipierung ist dabei weiter zu prüfen, wer die CDE und die eigentliche BIM-Software zu erbringen hat. Aus taktischen Gründen bietet sich meist an, dass der Bauherr diese selbst stellt, auch wenn er sich bspw. bei Zugangsproblemen auf die CDE einen möglichen Behinderungstatbestand schafft. Sollte es jedoch zum Streit mit einem Vertragspartner kommen, der die CDE bereitstellen sollte, verliert möglicherweise der Auftraggeber den gesamten Zugriff auf die BIM-Daten und steht somit im Projekt in einer gefährlichen Handlungsunfähigkeit. Darüber hinaus ist zu berücksichtigen, dass, sofern dem Planenden diese IT-Dienstleistungen aufgebürdet werden, diese den Bereich der originären Planerleistungen und damit den Bereich der typischerweise haftpflichtversicherten Leistungen verlassen. Nichtsdestotrotz bleibt auch festzuhalten, dass in dem klassischen Einzelvertragswesen BIM-Leistungen gut implementiert werden können. Die vielfach diskutierte Mehrparteienvertrags-Variante ist daher nicht zwingend erforderlich und überfordert möglicherweise bereits die durch die Einführung der BIM-Methodik stark geforderten Beteiligten am Bau.

5.2 Erste Ideen

Die ersten Ideen zum Entwurf können bereits mit unterschiedlichen Tools konzipiert werden. So kann beispielsweise die Grundfläche im System eingetragen und die Anzahl der Räume eingegeben werden, um unterschiedliche Entwurfsmöglichkeiten automatisiert zu erhalten. Die Höhe des Objekts kann mit eingetragen werden, sodass mit unterschiedlichen Anforderungen das Objekt als Kubaturmodell darzustellbar ist.

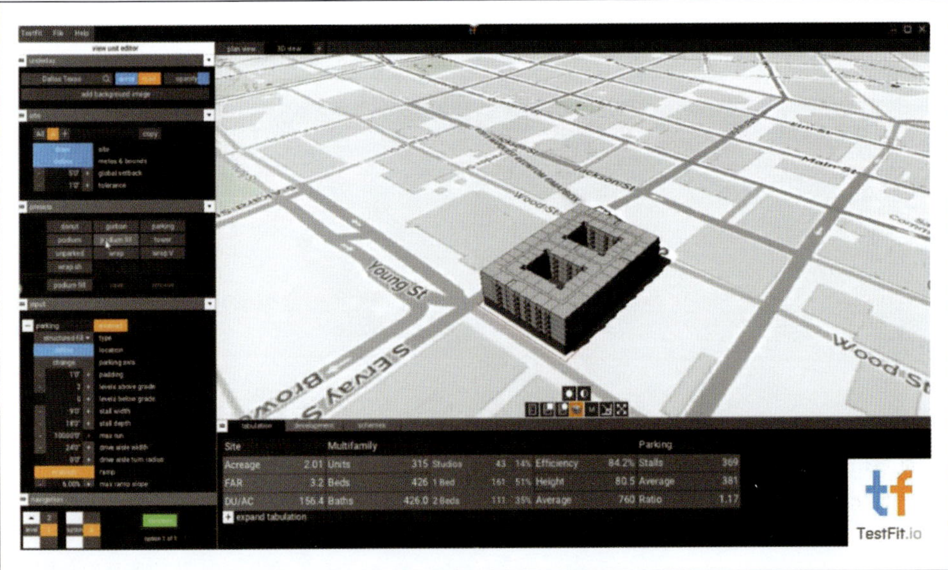

Abbildung 41: Darstellung eines Kubaturmodells auf der Karte

Die Räume können bereits dort einige Informationen und Eigenschaften beinhalten und lassen sich so direkt klassifizieren und gruppieren. Der automatisierte Entwurf kann auch nach Klassifikation stattfinden.

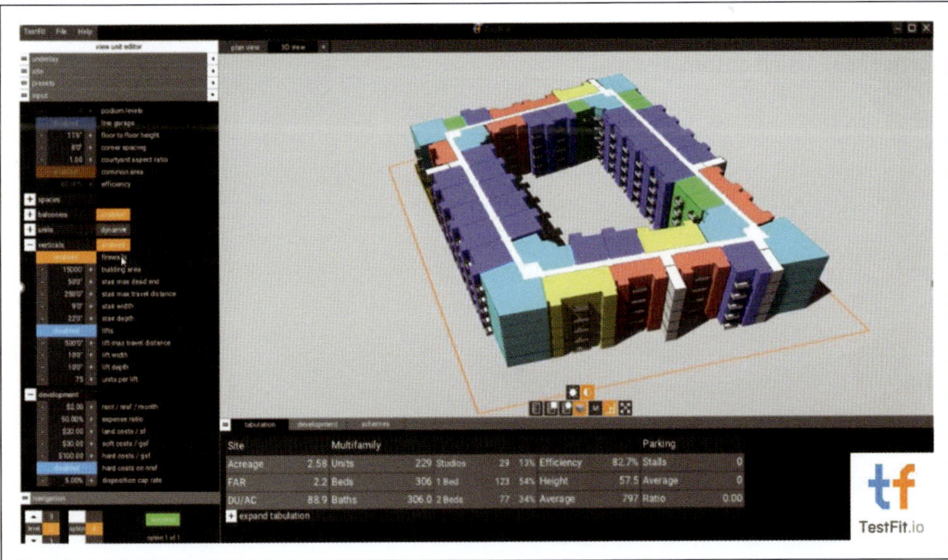

Abbildung 42: Kategorisierung der Räume im Kubaturmodell

Die Räume können separat in unterschiedlichen Formen vorbereitet werden, sodass diese anschließend nur noch zusammengespielt werden müssen. In diesem Schritt erfolgt die Beschriftung der Räume, welche anschließend bei der Zusammenführung übernommen werden.

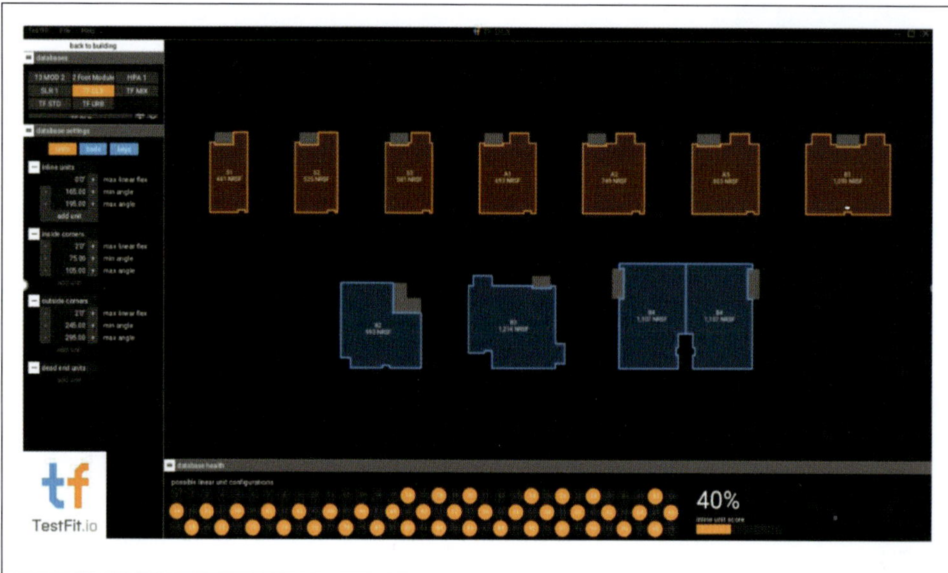

Abbildung 43: Aufstellung der Räume für den Entwurf

Eine besondere Hilfestellung wird auch in Bezug auf Parkplätze geboten. Ein automatisierter Parkplatz-Entwurf ist je nach Größe der Fläche, Anforderungen an Größe und Anzahl der Parkplätze möglich. Der Entwurf ist einfach zu verschieben, und die Parkplätze passen sich automatisch an.

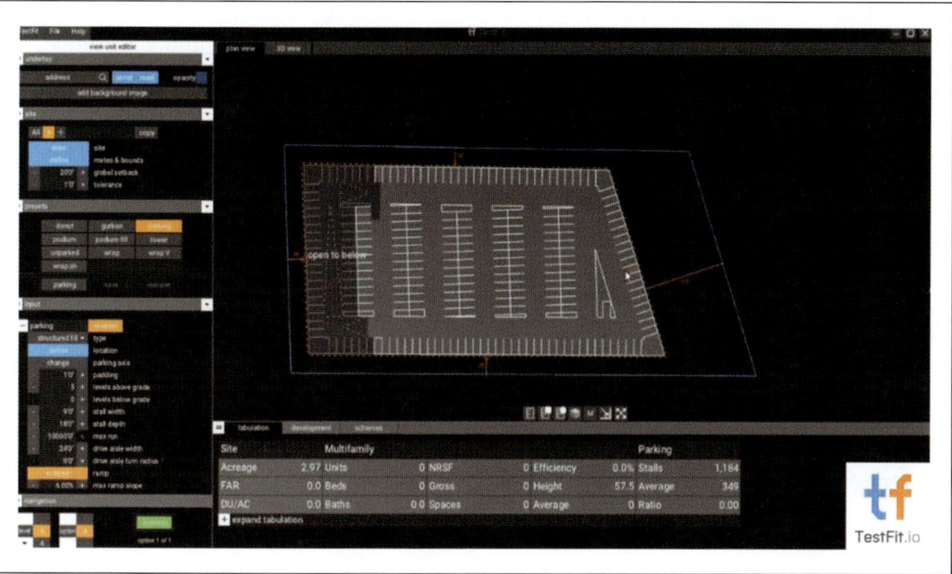

Abbildung 44: Automatisierte Anpassung der Parkplätze mit vordefinierten Angaben

Alle Informationen können als Kubaturmodell direkt als IFC-Modell exportiert werden. Das Kubaturmodell kann in CAD-Programme importiert werden und steht direkt zur Verfügung. Bei den Räumen besteht die Möglichkeit, im CAD-Programm mit einem automatisierten Befehl direkt die Wände der Räume erzeugen zu lassen. Diese Wände können selbstverständlich nachträglich angepasst werden

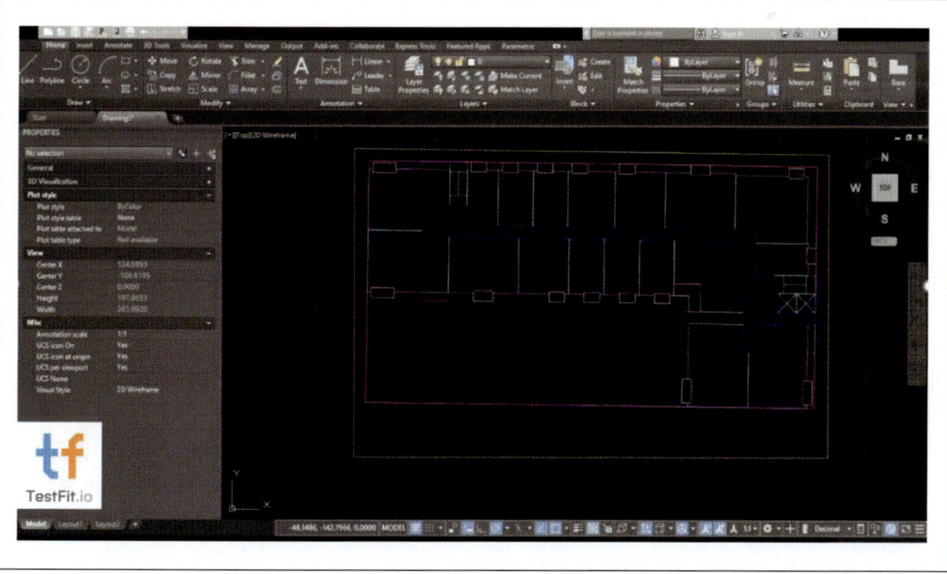

Abbildung 45: Importieren der Räume in CAD-Programm

Mit diesem Anwendungfall können die Entwurfsprozesse bei Bedarf beschleunigt und vereinfacht werden. Die Anwendungsfälle müssen nicht eins zu eins und von Anfang bis Ende genauso aufgebaut sein. Möglich ist beispielsweise, diesen Anwendungsfall nur teilweise unterstützend zu seinem Entwurf und zur Kontrolle in Betracht heranzuziehen.

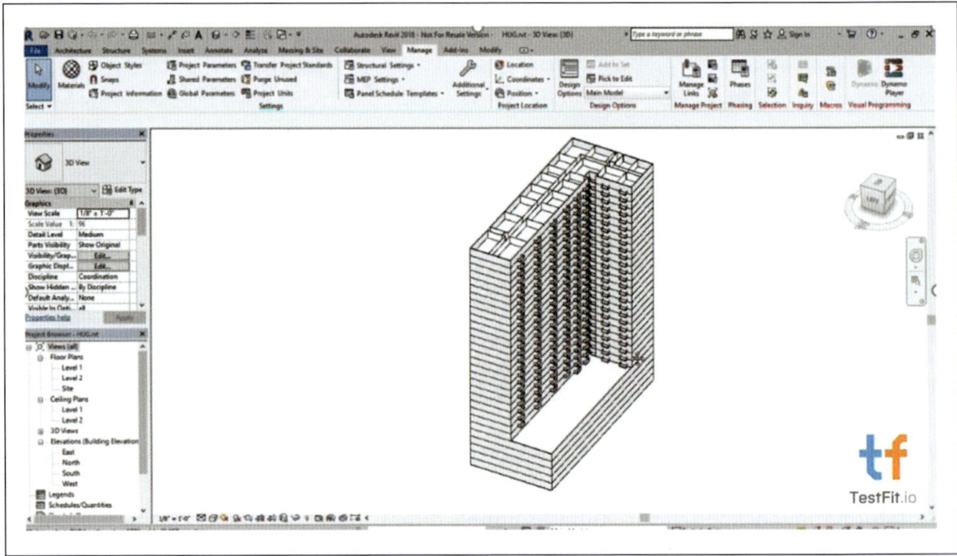

Abbildung 46: Räume aus dem Kubaturmodell im CAD-Programm

Wichtig ist dabei zu verstehen, dass die Automatisierung nicht unsere Fachkenntnisse ersetzt, sondern diese nur unterstützt. Die Tools sind immer noch nur Tools und dienen zur Unterstützung unserer Arbeit. Was genau im Prozess passiert und wie was geprüft wird, ist immer noch die Aufgabe des Faktors Mensch.

5.3 3D-Planung und Modellierung

Die Erstellung eines 3D-Modells des Projekts ist der erste Schritt zur Umsetzung eines erfolgreichen BIM-Projekts. Mit einer 3D-Modellierung wird Zeit gespart und die Qualität des Projekts sichergestellt. Ob simple Linien oder direkte Bauteile in der Planung dargestellt werden, macht zeitlich gesehen am Anfang kaum einen Unterschied – in der späteren Nutzung allerdings werden Sie den großen Vorteil von BIM erkennen.

In der 2D-Planung müssen Linien und Schraffuren einzeln aufgezogen oder die Makroobjekte aus der Bibliothek angepasst werden. Die Raumbeschriftung erfolgt manuell und wird als Text hinzugefügt. Grundrisse, Schnitte und Ansichten müssen einzeln gezeichnet und jede noch so kleine Planungsänderung separat angepasst werden.

In der 3D-Planung wird im Gegensatz dazu ausschließlich mit Bauteilen modelliert. Hierbei sind die ersten Attribute wie Länge, Breite, Höhe und Klassifizierung bereits im Bauteil vorhanden. Auf diese Weise generieren sich Grundrisse, Schnitte und Ansichten immer aus dem Modell nach aktuellstem Planungsstand. Die Räume erhalten eine automatische Flächen- und Volumenberechnung und können so automatisch beschriftet werden.

Für eine korrekte Modellierung sollten u. a. einige Modellierungsrichtlinien beachtet werden, weshalb sich insbesondere für den BIM-Autor eine extra Schulung empfiehlt. Nur ein kollisionsfreies Modell kann für weitere BIM-Anwendungsfälle XXX Ergebnisse bringen.

Autorenbeitrag

Thorsten Dill

Schon bei kleinen, sogar kleinsten Bauvorhaben lohnt es sich, die Planung basierend auf ein Gebäudemodell umzusetzen. Es ist kein Mehraufwand, ob 2D mit Linien, Kreisen, Fillings, Schraffuren etc. konstruiert wird oder eine bauteilorientierte Gebäudeeingabe erfolgt. Im Gegenteil – Vergleiche zeigen, dass die Planung mit Bauteilen zum einen weniger Zeit benötigt und zum anderen ein viel besseres und umfangreicheres Ergebnis erzielt wird. Neben der eigentlichen Grundrissdarstellung lassen sich viele Ableitungen wie Ansichten, Schnitte, Massen- und Flächenberechnungen sowie Visualisierungen oder ein Raumbuch aus dem Gebäudemodell ableiten.

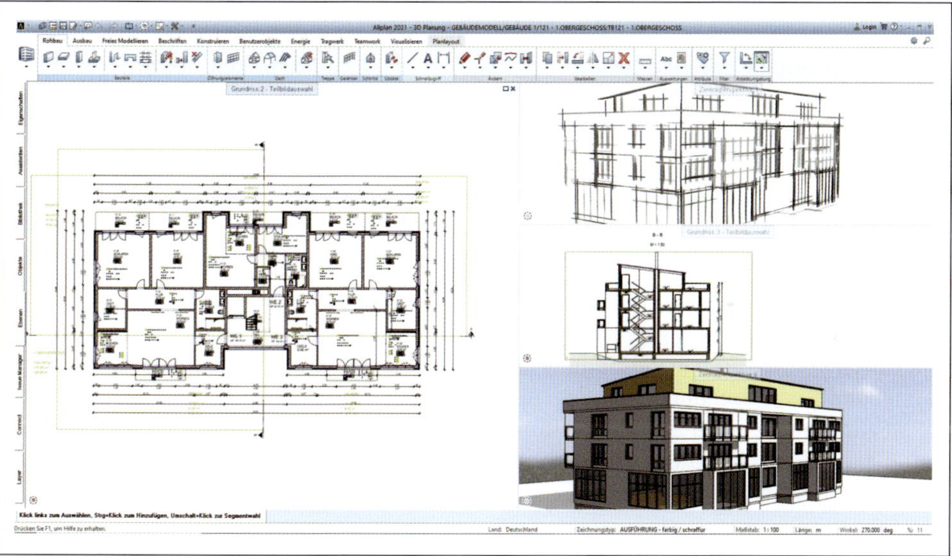

Abbildung 47: Modellbasierte Planung

Je komplexer ein Bauvorhaben wird, desto wichtiger ist, es schon zu Beginn auf eine modellbasierte Planung zu setzen. Nur so können kritische Punkte der Konstruktion schon früh erkannt und gelöst werden.

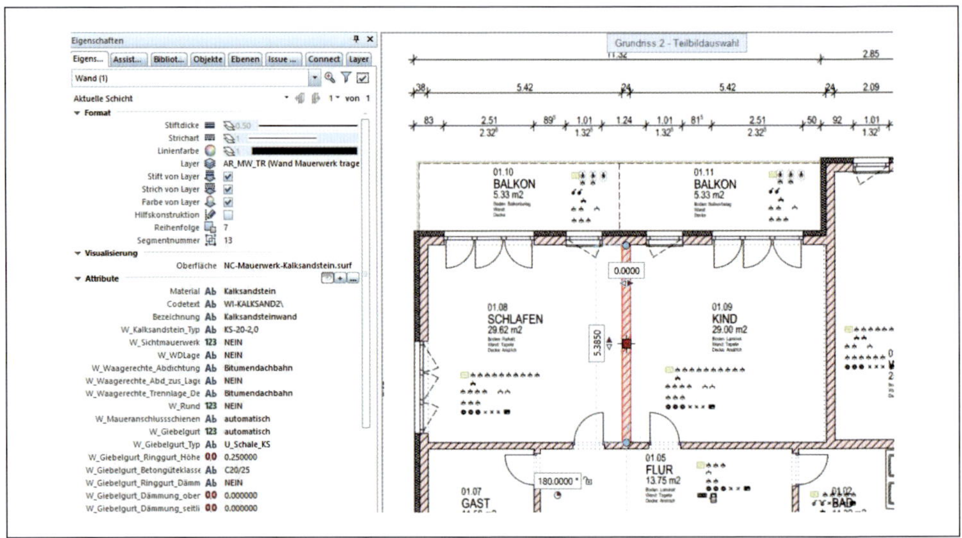

Abbildung 48: Automatisierte Raumbeschriftung und Maßlinien im CAD-Programm

Im Planungsverlauf ergeben sich in der Regel durch Veränderungen der Anforderungen und Ansprüche des Auftraggebers oder Anpassungen aufgrund der Fachplanungen Änderungen, die möglichst schnell und unkompliziert in die Planung und somit ins Gebäudemodell eingepflegt werden müssen. Bei der richtigen Vorgehensweise sind mit der Pflege des Gebäudemodells – geometrische oder qualitative und konstruktive Veränderungen – schnell und problemlos ins Gebäudemodell eingepflegt. Alle o. g. Ableitungen aktualisieren sich automatisch, und den Projektbeteiligten steht ein aktuell gepflegtes Modell zu Verfügung.

Sicherlich bedarf es einer gewissen Methodik zur Umsetzung der Planungen. Funktionierende Projektstrukturen in Verbindung mit den richtigen Bibliotheken und Ressourcen der Darstellung sind dabei unumgänglich. Außerdem muss der Planer sich kontinuierlich über die Möglichkeiten seiner Software informieren und seine Arbeitsweise auf diese Möglichkeiten anpassen, um so den größtmöglichen Vorteil für seine Planungen und somit für den Bauherrn zu erzielen.

§ Recht:

Sicherlich ist es so, dass allein die 3D-Modelierung keinen wesentlichen Mehraufwand darstellt und zudem hilfreich ist, um frühzeitig Missverständnisse zwischen Bauherrn und Planer zu vermeiden, da in der Regel die visuell geprägten Menschen besser mit 3D-Modellen umgehen können als mit 2D-Plänen. Nichtsdestotrotz ist dabei zu berücksichtigen, dass aufgrund der Methodenneutralität der HOAI eine gewisse finanzielle Einordnung stattfinden sollte, insbesondere, wenn auch die Basissätze unterschritten werden sollen. In der Anlage 10 zu § 34 HOAI ist in der Leistungsphase 2 bei der Entwurfsplanung die Erstellung eines 3D-Modells als Besondere Leistung vorgesehen.

Für die Vorplanungen und Genehmigungsplanungen ist dies jedoch nicht der Fall. Insofern sollte man sich darüber verhalten, welcher Aufwand hierbei getätigt wird.

Zugleich ist dabei zu berücksichtigen, dass aufgrund des hohen Detaillierungsgrades in den 3D-Modellierungen frühzeitig bereits Ausführungsdetails besprochen und damit die Kopflastigkeit der Planung begründet werden. Mit Blick auf die Entscheidung des LG Paderborn, Urteil vom 06.07.2017 – 3 O 418/16 ist dabei zu berücksichtigen, dass nur bei Leistungen aus späteren Leistungsphasen bereits eingebracht werden, dadurch nicht automatisch ein Vergütungsanspruch entsteht. Vielmehr gelten hier die Grundsätze des „vorauseilenden Gewerks“. Das heißt, ohne kostenpflichtigen Auftrag für die tatsächlich jeweilige Leistung wird es auch keinen Vergütungsanspruch geben. Um hier Rechtsunsicherheiten zu vermeiden, sollten genaue Leistungskataloge vereinbart werden, um Klarheit zu schaffen, welche Leistung wann wie zu erbringen und entsprechend zu vergüten ist.

5.4 BIM-Koordination

Sind die jeweiligen Fachmodelle von den Fachplanern angefertigt, müssen diese vollzählig übereinandergelegt und koordiniert werden. Früher waren dafür rote Fine Liner oder Marker im Einsatz, wenig später die roten Revisionswolken mit Textanmerkungen. Auch wenn die Änderungen mit Revisionswolken heute schneller im CAD kenntlich gemacht werden können, müssen die Empfänger dennoch immer abgleichen und genau die berichtigte oder kommentierte Stelle im Plan finden.

Die Modelle werden sowohl formell als auch inhaltlich geprüft. Bei einer formellen Prüfung werden die Modelle auf das Einhalten des Nullpunktes, den geschossweisen Aufbau und die Aufbaustruktur gemäß AIA geprüft. Ein Rohbaumodell darf z. B. keine Fassade beinhalten.

Eine inhaltliche Überprüfung erfolgt mit den vordefinierten Regeln des BIM-Koordinators. Dabei wird zwischen harten und weichen Kollisionen, den Mindest- und Maximum-Abständen zwischen Bauteilen unterschieden. Alle weiteren Festlegungen, wie z. B. die Anzahl der vertraglich vereinbarten Putzsteckdosen oder Fluchtweganalysen, werden ebenfalls untersucht.

In der nachfolgenden Abbildung wird die Abstandseinhaltung gemäß Prüfregel kontrolliert.

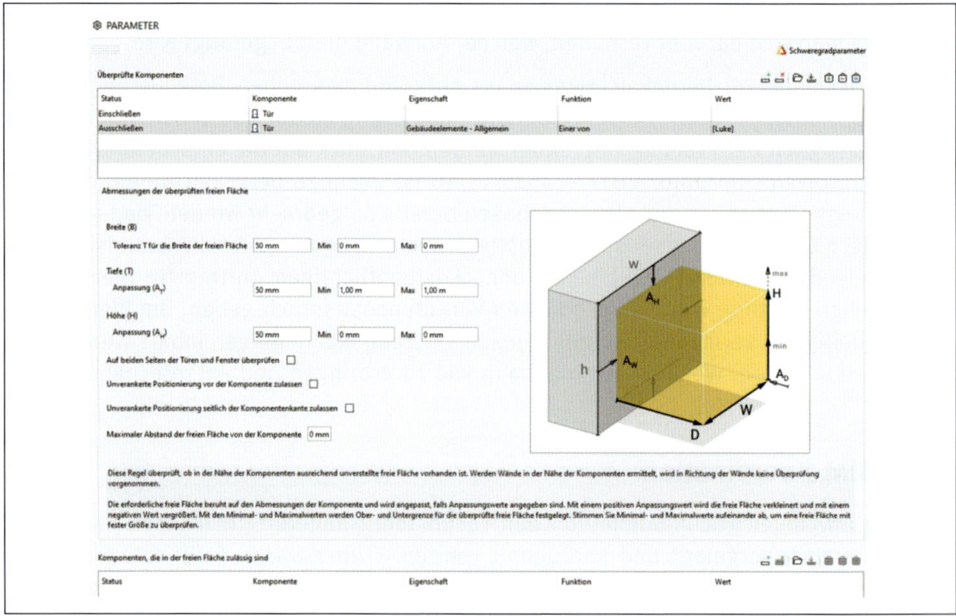

Abbildung 49: Prüfregel Freier Raum vor Türen

Prüfregeln können für das Unternehmen gespeichert werden, sodass diese nicht bei allen Projekten neu eingerichtet werden müssen. Dies bedeutet, dass zu Beginn alle Eintragungen erfolgt sein müssen, damit für weitere Schritte nur noch angepasst oder direkt ausgewertet werden muss. Hierdurch wird Zeit gespart und die Qualität des Projekts gewährleistet.

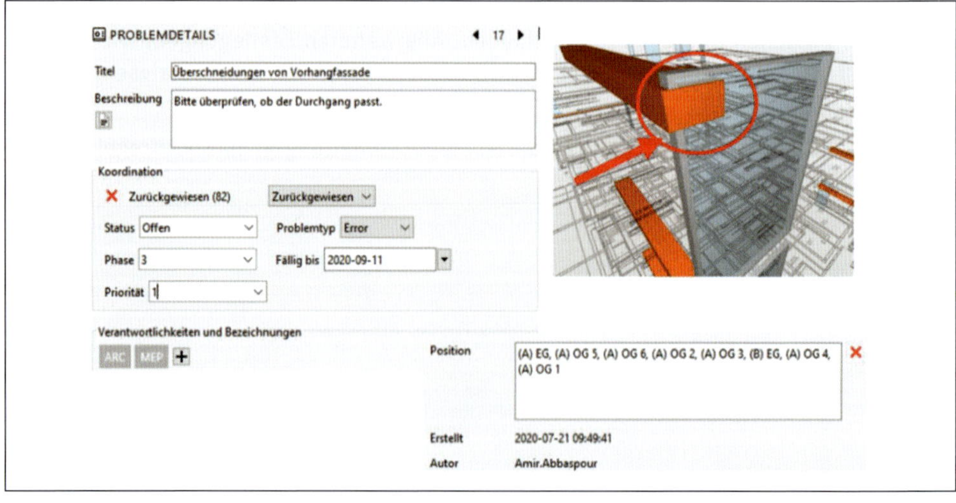

Abbildung 50: Inhalte von BCF

Nach einer Überprüfung werden alle Anmerkungen aus der Prüfung zusammengestellt und über BCF unverzüglich an alle Empfänger kommuniziert. BCF ermöglicht die direkte Verortung inklusive Kommentierung im Modell ohne Suchaufwand.

Mithilfe des BIM-Modells können zudem Koordinationsbesprechungen klarer, strukturierter und verständlicher transportiert werden. Über Medien, wie beispielsweise eine Cave oder eine Leinwand, können virtuelle Rundgänge ohne zusätzliche Datenaufbereitung unternommen werden. Hierbei können die Teilnehmer im BIM-Modell virtuell durch das BIM-Modell laufen und alles mitverfolgen. Dies wird ebenfalls für Marketingzwecke und zur Kundengewinnung genutzt.

Autorenbeitrag

Günter Wenzel

Immersive Besprechung mit Nutzer*innen

Ziel: frühzeitige Einbindung von Nutzern in Planungsprozesse zur Sammlung von detailliertem Nutzerwissen und zur Einbindung/Beteiligung von Nutzern in Veränderungsprozessen.

Umsetzungsprojekt:

In der Planung für das Flugfeldklinikum Böblingen Sindelfingen wurden auf Basis der BIM-Daten verschiedener Fachplanungen mehrere Visualisierungsprototypen für VR-Anwendungen abgeleitet und im Rahmen von „Immersiven Besprechungen mit Nutzer*innen" im Immersive Participation Lab (IPLab: https://www.iao.fraunhofer.de/de/labors-ausstattung/immersive-participation-lab.html) des Fraunhofer IAO einem Teilnehmerkreis (ca. 15 Personen) aus Planer*innen, Bauherrenvertreter*innen und Nutzer*innen präsentiert. So wurden die jeweiligen Planungsstände sehr früh im Projekt zur Bemusterung von Standardräumen sowie später zum Abschluss der Entwurfsplanung durch die zukünftigen Nutzer (Fachärzte, Hygieneverantwortliche, Pflegekräfte, ...) in einer gemeinsamen Virtuellen Begehung im Maßstab 1:1 reflektiert und optimiert. Die Besprechungen wurden gemäß klarer Zieldefinitionen vorbereitet und folgten einem klaren Ablauf mit Briefing, Durchführung und Debriefing. Die Nutzer*innen lobten die sehr verständliche Darstellung der Planung, konnten wichtige Impulse für die Planung geben und konnten die gewonnenen Erkenntnisse als Multiplikatoren in die jeweiligen Fachbereiche weiterkommunizieren. Somit konnte nicht nur die Planung optimiert, sondern auch das Change-Management für die neue Arbeitsstätte unterstützt werden.

Technologie:

Das Immersive Participation Lab (IPLab) am Fraunhofer IAO in Stuttgart eignet sich aufgrund der Größe und Anordnung der Stereo-Rückprojektionswände und -Böden in besonderer Weise für virtuelle Begehungen in größeren Gruppen. Alternativ können auch große Powerwalls oder andere mehrseitige immersive Projektionssysteme (CAVE) genutzt werden. Aufgrund der intensiven Diskussion und Interaktion zwischen den Teilnehmern eignen sich VR-Brillen-basierte Systeme (HMD Head-Mounted Displays) nur bedingt in diesem Anwendungskontext. Die Qualität der Deliberation in den Gruppen ist mit diesen Einzel-Systemen aufgrund der sozialen Isolation eingeschränkt – die Teilnehmer sollten einander sehen und neben dem gesprochenen Wort auch Gestik und Mimik als Informationskanäle nutzen können.

Methodik:

Die Effizienz der Nutzerbesprechung steigt gemäß unserer Erfahrung mit einem klar strukturierten Ablauf der Sitzung. Die Einführung (Briefing) sollte erste Erfahrung mit der VR-Technik und eine klare Zieldefinition umfassen. Die Durchführungsphase muss gut moderiert und protokolliert werden und sollte sich streng an der Abarbeitung der Ziele orientieren. Die Nachbereitungsphase (Debriefing) umfasst sowohl eine inhaltliche als auch methodische Diskussion und Zusammenfassung. Idealerweise sind die zur Diskussion stehenden Varianten bereits vorbereitet. Eine direkte Veränderung der Daten „live" in einer Besprechung mit vielen Teilnehmern ist nicht zu empfehlen. Diese Methodik funktioniert nicht nur in einer CAVE, sondern mit entsprechenden Anpassungen auch mit VR-Brillen, allerdings unter Einbuße der für Entscheidungsfindung benötigten sozialen Interaktion, die in einem Präsenztreffen in einer CAVE gegeben ist.

Daten Eingabe/Ausgabe:

Je nach Planungsphase werden verschiedene Modelle zu Standard-Räumen oder Gebäudeentwürfen (BIM-Koordinationsmodell) in die Visualisierungssysteme integriert. Die inhaltlichen und qualitativen Anforderungen sollten frühzeitig zwischen Planung und Visualisierung abgeglichen und getestet und bei mehrmaligem Einsatz als Datenaufbereitungs-Workflow dokumentiert werden. Der Wechsel von Varianten und die direkte Interaktion während der Visualisierung werden im Vorfeld entlang der Ziele definiert und integriert. Ein Datenrückfluss in die Planungssysteme ist als Dokumentation mit bcf (BIM-Collaboration Format) möglich. Datengrundlagen, Einbindung in den BIM-Workflow –› je nach Planungsreife von Fachmodelle/räumliche Skizzen aus 3D-Modellierungssystemen Koordinationsmodell (bestehend aus Teilmodellen aller beteiligten Fachplaner), Rückfluss der Abstimmungsergebnisse in den BIM-Workflow ist über bcf möglich. Integrierte Lösungen von Augmented Reality und Virtual Reality lassen sich sehr effizient auf Basis der aufbereiteten Daten auch für Planerbesprechungen oder die Öffentlichkeitsbeteiligung nutzen.

Abbildung 51: Fraunhofer IAO, Immersive Participation Lab, Immersive Besprechung mit Nutzer*innen in der Planung des Flugfeldklinikums mit Vertreter*innen der Ärzteschaft, Hygiene und Pflege und Planern und Projektleitern

§ **Recht:**

Die rechtssichere und effiziente Einbindung von Nutzern in Bauprojekte ist von erheblicher Bedeutung und führt in der Regel zu großen Rechtsunsicherheiten im Bauablauf. Insbesondere beim Krankenhausbau ist dies vielfach zu beobachten, ebenso wie bei den Flugfeldplanungen. Ein vergleichbares Segment findet sich auch bei der Einbindung von Ankermietern oder von Käufern im Wohnungsbau. All diesen steht es zu, Änderungswünsche einzugeben, und in einigen Fällen werden dann dislozierte Prozesse zum Grund für Nachträge und Behinderungen etc. Auch mit Blick auf den Use-Case Änderungsmanagement gibt es durchaus digitale Möglichkeiten, hier geordnete Prozesse zu liefern. Das IP-Lap bietet die kommunikative Ebene für Besprechungen, der SCM-Konfigurator bietet das kaufmännisch-rechtliche Tool, hier strukturierte Prozesse einzuführen und Änderungen dezidiert nachliefern zu lassen. Begleitet von der Nutzerabstimmung ist häufig auch eine Vielzahl von Missverständnissen, die bisher auf der Ausdeutung von Leistungsverzeichnissen und 2D-Plänen beruhen. Hier wird die 3D-Modelierung sowie die Auswertung nach 4D und 5D ein wichtiges Tool, um unmissverständliche Vereinbarungen über das Bausoll treffen zu können.

5.5 BIM-basierter Brandschutz

Das BIM-Modell kann auch zur Unterstützung der Brandschutzplanung genutzt werden, da zusätzlich brandschutztechnische Attribute im BIM-Modell eingetragen werden können. Diese Attribute fließen in die Klassifizierung der Bauteile entsprechend ihrer Eigenschaften ein. Als Beispiele sind hier die Feuerwiderstandsklasse oder die Fluchtwege zu nennen.

Koordinierte Modelle müssen zusätzlich fachspezifisch auf die brandschutztechnischen Regeln gegengeprüft werden. So können beispielsweise Abstände zwischen zwei oder mehreren Bauteilen anhand der entsprechenden Regeleingabe nachgemessen und bei Nichteinhaltungen identifiziert werden.

Zusätzlich können die möglichen Fluchtwege analysiert und eine Machbarkeitsstudie durchgeführt werden. Die Regeln können automatisiert das BIM-Modell auf Anforderungen hin prüfen. Auf diese Weise können viele der brandschutztechnischen Anforderungen durch das BIM-Modell sichergestellt und alle Änderungen schnell kontrolliert werden.

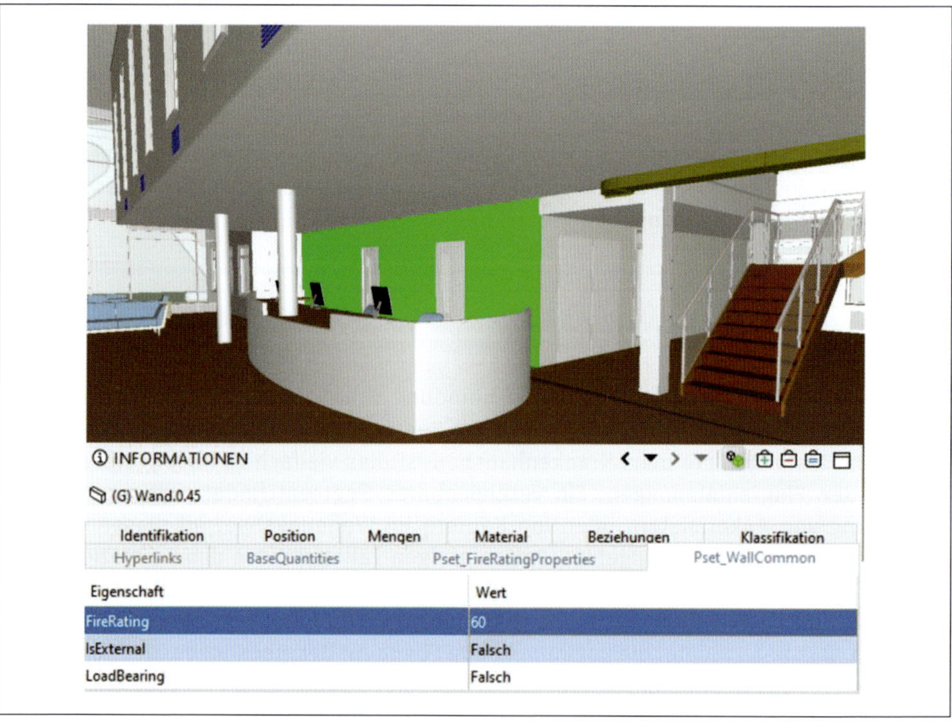

Abbildung 52: Brandschutz-Attribute im Modell

Autorenbeitrag

Daniel Kaiser

Die Digitalisierung gewinnt im Bauwesen und somit in der Planung von Bauwerken immer mehr an Bedeutung. Dies trifft auch auf den Bereich des Brandschutzes zu. Dieser Beitrag in dem Ihnen vorliegenden Werk soll an dieser Stelle nicht die Grundlagen der BIM-Methoden erläutern, sondern vielmehr auf die spezielle Fragestellung des Nutzens der Anwendung von BIM-Methoden in der Planung im Zusammenhang mit dem Thema des Brandschutzes aufgreifen und anhand von einzelnen Beispielen erläutern.

Insbesondere im Zuge der Ausführungsplanung gilt es, spezielle Aspekte im Detail zu betrachten und auch zu beachten.

Einige wenige der speziellen Aspekte seien an dieser Stelle kurz benannt:

- Abstandregeln nach den Vorgaben der MLAR.
- Abstandsregeln nach den Vorgaben MLüAR.
- Abstandsregeln nach den Vorgaben der jeweiligen bauaufsichtlichen Verwendbarkeitsnachweise.
- Einbausituation von Bauprodukten nach den Vorgaben der bauaufsichtlichen Verwendbarkeitsnachweise.

Wie unschwer anhand der kurzen vorstehenden Aufzählungen zu erkennen ist, ist die Vielfältigkeit der Themenschwerpunkte im Bereich der Planung in Bezug auf den Brandschutz sehr vielfältig und nur schwer zu überschauen.

An dieser Stelle sei der Vollständigkeit halber darauf hingewiesen, dass die Vorgaben über die zu planenden Feuerwiderstandklassen von Bauteilen wie z. B. Brandwände, Trennwände, Feuerschutzabschlüsse, Abschottungen, Brandschutzklappen usw. in der MBO in Verbindung mit der MVVTB bzw. der jeweiligen LBO und der VVTB des jeweiligen Bundeslandes getroffen werden.

Hier kann die Anwendung von BIM-Methoden in der Ausführungsplanung einen entscheidenden Vorteil in Bezug auf die Planungssicherheit geben. Ein weiterer positiver Effekt ist, dass die Fehlerquote bei konsequenter Nutzung von BIM-Methoden auch die Fehlerquelle auf der Baustelle verringern kann, somit kann auch davon gesprochen werden, dass bereits in der LPH5 auch ein Teil der LPH8 vorgenommen werden kann.

Erklärt wird die zuvor beschriebene These anhand eines Beispiels eines feuerhemmenden Revisionsverschlusses für den Trockenbau, welcher in einer feuerhemmenden Schachtwandkonstruktion eingebaut werden soll.

Situation:

Eine Schachtwandkonstruktion, klassifiziert F30 nach DIN 4102-17:2017-12, soll geplant im Zuge eines notwendigen Flures eingebaut werden. Da sich in dem Hohlraum jedoch Leitungsanlagen mit Absperrvorrichtungen befinden, welche zugänglich sein müssen, ist ein entsprechender feuerhemmender Revisionsverschluss zu planen.

Der Planer „A“ recherchiert nun im Zuge seiner konventionell und nicht unter konsequenter Nutzung der BIM-Methoden bei Herstellern nach entsprechenden Revisionsverschlüssen. Nach einiger Zeit wird unser Planer „A“ nun bei Herstellern von Trockenbausystemen fündig. Der Revisionsverschluss ist nach DIN EN 13501 nach EI 30 klassifiziert und nicht selbstschließend.

Der Planer „A“ denkt sich nun, „okay EI30 nach DIN EN 13501 und F30 nach DIN 4102-17: 2017-12 passen gut zusammen“, ohne jedoch dies genau zu hinterfragen. Problematisch ist genau ein kleines Detail, was unser Planer „A“ nicht sofort erkannt hat. Die Kombination F30 Schachtwandkonstruktion mit eben diesem nicht selbstschließenden EI30 klassifizierten Revisionsverschluss hat zur Folge, dass die Gesamtkonstruktion (feuerhemmende Schachtwand mit feuerhemmendem, nicht selbstschließendem Trockenbausystem-Revisionsverschluss) lediglich in die Klassifizierung I30-1 eingeordnet werden kann dies stellt wiederum eine Abweichung vom materiellen Bauordnungsrecht dar.

Im Zuge der Klärung wird unserem Planer „A“ das ganze Ausmaß bewusst, und am Ende bleibt ihm nur noch, eine vorhabenbezogene Bauartengenehmigung einzuholen, da die untere Bauaufsicht ihre Zustimmung nicht erteilt und der Ersteller des Brandschutzkonzeptes keine Erleichterung für diesen abweichenden Tatbestand formulieren kann.

Nun stellt sich die Frage, wie hätte die BIM Methode hier helfen können?

Die Antwort ist „relativ“ einfach: Hätte der Planer „A“ in seiner Planung konsequent die BIM-Methode angewendet und die Bauteilbibliotheken mit allen von den Systemherstellen in deren Verwendbarkeitsnachweisen benannten Hinweisen für die Planung und Einbauvarianten eingepflegt, hätte ihm sein System einen Hinweis gegeben, und die ganze Problematik wäre bereits vor der Ausschreibung und Vergabe im Zuge der LPH5 bekannt und lösbar gewesen.

Das vorgenannte Beispiel dient „lediglich“ zur plastischen Darstellung. Der Sachverhalt lässt sich jedoch auf Bauprodukte mit Anforderungen an den Brandschutz in seinem Kern übertragen.

Denn die Thematik der Abstandsregeln, Einbausituationen und Kombinationen ist in jedem Verwendbarkeitsnachweis und der dazugehörigen Einbauvorschrift sowie den in dem Verwendbarkeitsnachweis enthaltenen Hinweisen für die Planung beschrieben. Dies erlaubt es den Planern, die Bauteilbibliotheken mit den notwendigen Informationen zu versehen, sodass Fehler bereits in der Planung durch das System erkannt und auf diese hingewiesen werden.

Als Fazit kann festgehalten werden, dass die konsequente Nutzung der BIM-Methoden in Bezug auf die Ausführungsplanung gerade bei Bauteilen mit Anforderungen an den Brandschutz enorme Vorteile bietet und die Fehlerquote auf der Baustelle aufgrund von Ungenauigkeiten der Planung bereits während des Planungsprozesses minieren kann.

Als weiteres Fazit bleibt festzustellen, dass die Anwendung der BIM-Methode auch wertvolle Unterstützung bei der Erstellung der notwendigen Bestandsdokumentation im Zuge der LPH8 bietet, welche wiederum für die behördliche Abnahme eine Grundlage darstellt. So kann zum Beispiel relativ einfach auch ein Schottkataster bereits im Zuge der LPH5 erstellt werden.

Ein weiterer Bereich der Planung, bei welchem die BIM-Methoden hilfreich sein können, betrifft die Rettungswege. Die Vorgaben über Längen der Rettungswege werden bauordnungsrechtlich im § 35, (2) MBO bzw. ebenfalls in der LBO des jeweiligen Bundeslandes getroffen, nach den Vorgaben des § 35, (2) MBO beträgt die Rettungsweglänge bis zum Erreichen eines notwendigen Treppenraumes oder einen Ausgang ins freie höchstens 35 m. Die lichten Breiten von Türen im Zuge von Rettungswegen werden ebenfalls bauordnungsrechtlich in der MBO, der MVVTB und weiteren Sonderbauvorschriften bzw. in der jeweiligen LBO, der dazugehörigen VVTB und Sonderbauvorschriften geregelt.

Zum Beispiel kann im Zuge der Planung mit dem BIM-Modell festgestellt werden, ob Rettungsweglängen gesichert eingehalten werden können. Auch kann in dem BIM-Model überprüft werden, ob zum Beispiel die Anzahl der Rettungswege innerhalb einer Versammlungsstätte ausreichend sind. Hierzu können im 3D-Model entsprechende Simulationen einfache Simulationen zur ersten orientierenden Bewertung erstellt werden.

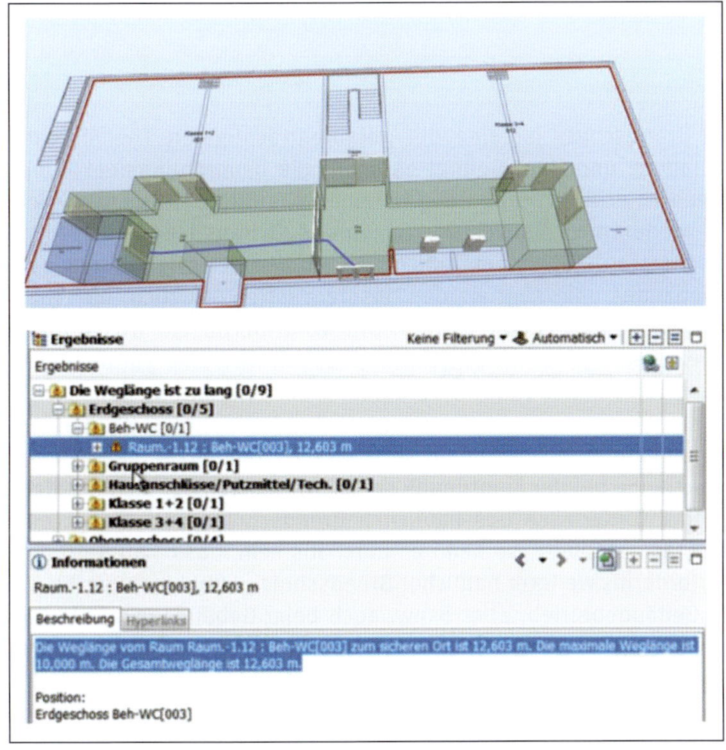

Abbildung 53: Automatisierte Analyse der Fluchtwege

Diese Simulationen stellen jedoch keine Entfluchtungssimulation, welche mit Ingenieurmethoden erstellt wurde, dar, die einfache orientierende Simulation kann lediglich Anhaltspunkte liefern. Sofern diese zeigt, dass es bei den Rettungswegen zu Problemen kommen kann, ist der ingenieurtechnische Nachweis mit entsprechenden Ingenieurmethoden und Simulationen durch Sonderfachleute zu führen.

Jedoch erfolgt hier der ausdrückliche und dringende Hinweis, dass die bauordnungsrechtlichen lichten breiten der Türen im Zuge von Rettungswegen nicht zwingend den

Vorgaben der ASR 2.3 entsprechen und diese ggf. unterschreiten. Dieser Hinweis ist insofern wichtig, als dass ein Gebäude, welches bauordnungsrechtlich richtig geplant ist, nicht auch zwingend den Vorgaben der ASR 2.3 entspricht. Die ASR kann bei der Planung von Gebäuden, welche eine Arbeitsstätte beinhalten, nicht unbeachtet bleiben, da die ASR die Anforderungen der Arbeitsstättenverordnung konkretisieren. Die ASR stellt somit die Technische Regeln für Arbeitsstätten auf Grundlage der Arbeitsstättenverordnung dar. Die Arbeitsstättenverordnung Ihrerseits gehört wiederum zur Rechtsmaterie des Arbeitsschutzgesetzes. Zu erkennen ist also, dass die ASR bei der Planung nicht unbeachtet bleiben darf bzw. sollte. Abweichungen von den Regelungen der ASR bedingen immer eine Gefährdungsbeurteilung einhergehend mit einer Erklärung der Unbedenklichkeit der Abweichung, diese ist von entsprechenden Sonderfachleuchten zu erstellen.

Abschließend erfolgt der Hinweis, dass die Belange der ASR im Zuge der Planung nicht durch den Brandschutzplaner geplant werden. Dies ist Aufgabe des Architekten.

§ Recht:

Der konstruktive Brandschutz ist eine der gefahrenträchtigsten Themenfelder im Bereich von Planung und Bau. Gelingt es nicht, die bauordnungsrechtlichen Brandschutzanforderungen zu erfüllen, so droht zum einen das Erfordernis einer Nachtragsgenehmigung, was wiederum zu Bauverzögerungen und Kostensteigerungen führt, andererseits können auch erforderliche behördliche Abnahmen verweigert oder später die Nutzung eines Gebäudes untersagt werden. Insofern ist es dringlich, die Qualität der Brandschutzplanung ständig zu verbessern. BIM wird hierfür ein wesentliches Element sein, was aus dem Beitrag klar hervorgeht. Schließlich wird eine gut dokumentierte Brandschutzplanung für ein Gebäude in Verbindung mit As-build-Modellen auch für die Fortentwicklung des Bestandes von ganz wesentlicher Bedeutung sein. Bei Veränderungen der Bestandsnutzung und der damit verbundenen Umbaumaßnahmen zeigen sich immer wieder Probleme bei der Einordnung der Auswirkungen auf die jeweiligen Brandschutzkonzepte und Erfordernisse des baulichen Brandschutzes. Wird z. B. eine Nutzungseinheit in eine Etage etabliert, so kann es durchaus sein, dass sich Rettungswege ändern oder das Erfordernis weiterer baulicher Brandschutzmaßnahmen ergibt. Um diese Möglichkeiten im Gebäudebetrieb, aber bspw. auch beim Gebäudeankauf besser einschätzen zu können, kann BIM durch eine sichere Datenlage einen wesentlichen Beitrag liefern. Dafür müssen allerdings auch die notwendigen Leistungen beauftragt werden. Insoweit wird auf die Ausführungen zur Beschaffung der Planungsleistungen verwiesen.

Das BIM-Modell kann ebenfalls der brandschutztechnischen Simulationen dienen und weitere Prozesse in dieser Thematik unterstützen. Der Vorteil von Informationen im BIM-Modell besteht also für weitere Klassifizierungen der Bauteile. Auch andere Aspekte, wie etwa die Zeit, können in die Berechnung einfließen und so z. B. eine Evakuierungssimulation mit nachvollziehbaren Ergebnissen abbilden.

Autorenbeitrag

Dr. Gerald Grewolls

Prof. Dr. Kathrin Grewolls

Vorteile von BIM für die Brand- und Evakuierungssimulation

Computersimulationen werden im Bereich des Bauwesens immer häufiger eingesetzt. Mittels Brandsimulation kann die Rauchgasverteilung im Raum, die Höhe der raucharmen Schicht, die Sichtverhältnisse und die Konzentration von Rauchgasen an beliebigen Stellen im Modell für ein spezifisches Brandszenario und verschiedene Rauchableitungsarten ermittelt werden. Außerdem können mit anderen Brandszenarien im gleichen Modell die adiabatischen Oberflächentemperaturen der Bauteile oder auch die Temperaturen in den Bauteilen ermittelt werden. Mit diesem Naturbrandverfahren erfolgt der Nachweis des Tragwerks für den Brandfall auf eine bestimmte Brandlast und nicht auf eine normative Brandverlaufskurve. Bei einer Evakuierungssimulation wird die Zeit bestimmt, welche die anwesenden Personen benötigen, um das Gebäude zu verlassen. Dabei werden typische Stellen sichtbar, an denen sich längere Staus bilden. Ob diese Staus als kritisch eingestuft werden müssen, hängt von mehreren Faktoren ab, z. B. ob auch die einzelnen Personen an dieser Stelle über einen längeren Zeitraum stehen. In modernen Simulationsprogrammen können Personenbewegungen realitätsnah nachgebildet werden, da den einzelnen Personen verschiedene Eigenschaften und auch ein Gruppenverhalten zugewiesen werden kann. Werden beide Modelle gekoppelt, können die Ergebnisse der Verbreitung der Rauchgase aus der Brandsimulation in der Evakuierungssimulation berücksichtigt werden. In diesem Fall wird für das betrachtete Szenario deutlich, wie viel Zeit für eine Evakuierung benötigt wird und wie viel Zeit dafür zur Verfügung steht, bevor die Räume und Fluchtwege verraucht sind. Eine sichere Evakuierung kann somit nach dem ASET-RSET-Verfahren nachgewiesen werden. Wird der Zeitraum der Betrachtung erweitert, so können damit auch die Bedingungen für einen wirksamen Löschangriff der Feuerwehr nachgewiesen werden.

In Fachgebieten, die für die Sicherheit von Personen und Sachwerten besonders wichtig sind, können Simulationen dazu beitragen, Gefahren objektspezifisch zu analysieren und somit wirksam zu vermindern. Außerdem können architektonisch anspruchsvolle Ideen, für welche ein normativer Standard-Nachweis nicht erfolgreich wäre, durch die Verwendung von computergestützten Ingenieurmethoden schutzzielorientiert ermöglicht werden. Durch eine simulationsbasierte Optimierung der Gebäude ist es möglich, die erforderlichen Maßnahmen und Anlagen so auszulegen, dass das gewünschte Sicherheitsniveau erreicht wird.

Abbildung 54: Beispiel Simulationsmodell

Simulationsmodelle werden auf der Basis von CAD-Daten erstellt. Die klassische Arbeitsweise für Gebäudemodelle ist der etagenweise Modellaufbau unter Verwendung von 2D-Grundrissen. Der Anteil zeitaufwendiger manueller Bearbeitung ist dabei hoch. Es gibt jedoch immer mehr Bauvorhaben, vor allem Neubauten, bei denen BIM-Daten zur Verfügung stehen. Diese enthalten 3D-Geometriedaten und Bauteilinformationen, welche in einige Simulationsprogramme direkt importiert werden können. Da der Zeitaufwand für den Modellaufbau mit der klassischen Arbeitsweise mit 2D-Daten mehr als die Hälfte des Gesamtaufwands für typische Brandsimulationen beträgt, kann durch diese Arbeitsweise die Erstellung der Modellgeometrie drastisch beschleunigt werden.

Abbildung 55: Beispiel Simulationsmodell – Nahaufnahme

Außerdem können durch den Einsatz von BIM-Daten auch technische Mitarbeiter, wie zum Beispiel Bauzeichner, stärker in den Modellaufbau einbezogen werden.

Durch die deutliche Zeiteinsparung beim Modellaufbau um weit mehr als die Hälfte der sonst üblichen Arbeitszeit und die Möglichkeit der Aufgabenteilung bleibt für die Spezialisten mehr Zeit für die typischen Ingenieurspezifikationen. Durch die freigewordenen Ressourcen können sich die Fachleute stärker auf physikalische Details der Brandmodellierung und die Optimierung der Netzaufteilung im Modell fokussieren, wodurch die Qualität der Ergebnisse und die Geschwindigkeit der Simulation gesteigert werden können.

Abbildung 56: Beispiel Simulationsmodell – Brandfall

Ein besonderer Nebeneffekt der 3D-BIM-Daten ist die anschauliche Visualisierung der Simulationen mit realistischer Fassaden- und Raumgeometrie. Dadurch werden die Simulationsergebnisse für alle am Bau Beteiligten leichter verständlich.

Dabei sind die Möglichkeiten der BIM-Technologie für die Simulationen mit dem beschleunigten Modellaufbau noch lange nicht ausgeschöpft. Zusätzlich zur Bauwerksgeometrie könnten auch folgende simulationsrelevanten Daten automatisch aus dem BIM-Modell übernommen werden:

- Materialeigenschaften von Bauteilen
- Parameter von technischen Anlagen zur Entrauchung und der Nachführung von Zuluft
- technische Daten von Löschanlagen inklusive ihrer Steuerung
- Lage und Auslösekriterien von Sensoren wie z. B. Rauch- und Wärmemelder
- Details aus einer Brandfallsteuermatrix

Um solche speziellen Daten über die Schnittstellen zwischen CAD- und Simulationssoftware zu übertragen, ist die Definition von standardisierten Formaten und Inhalten erforderlich. Dieses Thema wird aktuell in verschiedenen nationalen und internationalen Arbeitskreisen diskutiert.

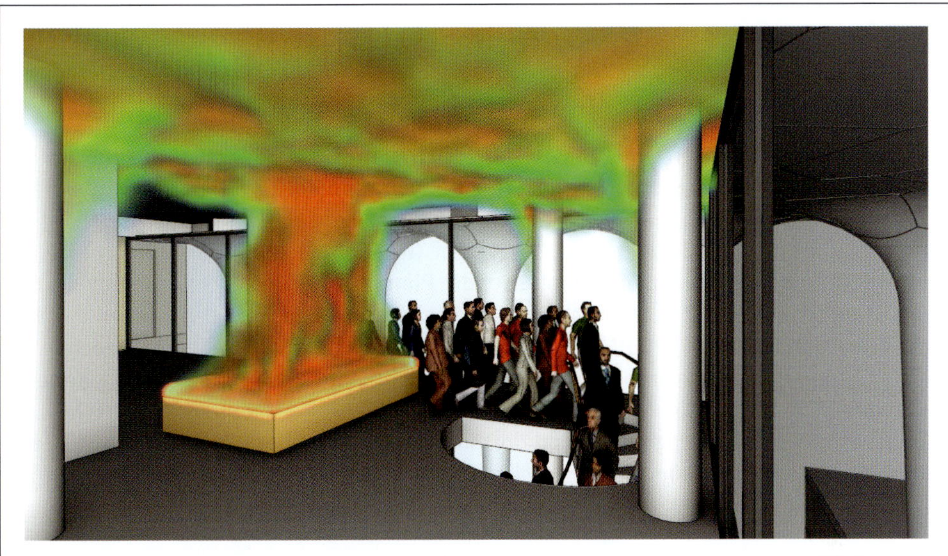

Abbildung 57: Beispiel Simulationsmodell – Visualisierung

Die Bilder zeigen ein Projektbeispiel mit gleichzeitiger Brand- und Evakuierungssimulation. Das Simulationsmodell wurde auf der Basis von BIM-Daten aufgebaut. Parallel zu den flüchtenden Personen sind die Energiefreisetzung über der Brandfläche, die Rauchausbreitung und als farbige 3D-Kontur die Sichtweite dargestellt.

5.6 Modellbasierte Terminplanung

Sobald das koordinierte Gesamtmodell finalisiert wurde, können die ersten Anwendungsfälle angelegt und bearbeitet werden, so beispielsweise auch die modellbasierte Terminplanung. Die Terminplanung kann bereits zum Zeitpunkt der Entwurfsplanung erfolgen, wobei zu Beginn die grobe Festlegung vorläufiger Start- und Endtermine erstellt werden könnte. Mit fortschreitender Planung kann auch die Terminplanung exakter angepasst werden.

In diesem Anwendungsfall werden alle Bauteile mit Terminen verknüpft, wodurch die zeitlichen Abfolgen auf Gewerke oder Bereiche koordiniert und aufgezeigt werden können. Die Verknüpfung von Terminen und Bauteilen erfolgt durch die vorbestimmten Klassifizierungen. Mithilfe der Klassifikationen sind die zeitlichen Fristen zur Fertigstellung eines Bauteils mit den jeweiligen Meilensteinen in den aufgesetzten Prozessen verlinkt. Auf diese Weise wird der Bauablauf gemäß dem generierten Terminplan simuliert und mit den Zeitangaben der Produktion, des Einbaus und der Fertigstellung des Bauteils versehen. Die Terminplanung ist Basis für weitere Prozesse, wie beispielsweise der Koordination der Ausführung. Je detaillierter das BIM-Modell ist, desto genauer sind die Verknüpfungen und angezeigten Ergebnisse der Bauablaufsimulation.

Autorenbeitrag

Michael Splett

Bei der Anwendung einer modellbasierten Terminplanung werden die Objekte des 3D-Modells mit den Vorgängen des zuvor erstellten Terminplanes verlinkt. Mindestvoraussetzung für die Erstellung ist eine möglichst abgeschlossene Entwurfsplanung. Mit der Übernahme des 3D-Modells in das 4D-System (wir benutzen hierfür SynchroPRO von Bentley), erfolgt zeitgleich eine umfassende Planprüfung und Schnittstellenoptimierung. Grundsätzlich ist die Übernahme aller gängigen Formate von 3D-Modellen möglich, solange es sich um sog. openBIM-Formate handelt. IFC-Datenformate liefern jedoch in den meisten Fällen das erfolgversprechendste – weil nicht mehr umfangreich zu bearbeitende – Ergebnis. Für die Terminplanungsdaten gilt das Gleiche – es können die wesentlichen Formate in das System eingespielt und dort mit der CPM-Methode bearbeitet und wieder in das jeweilige Terminplansystem zurückgespielt werden.

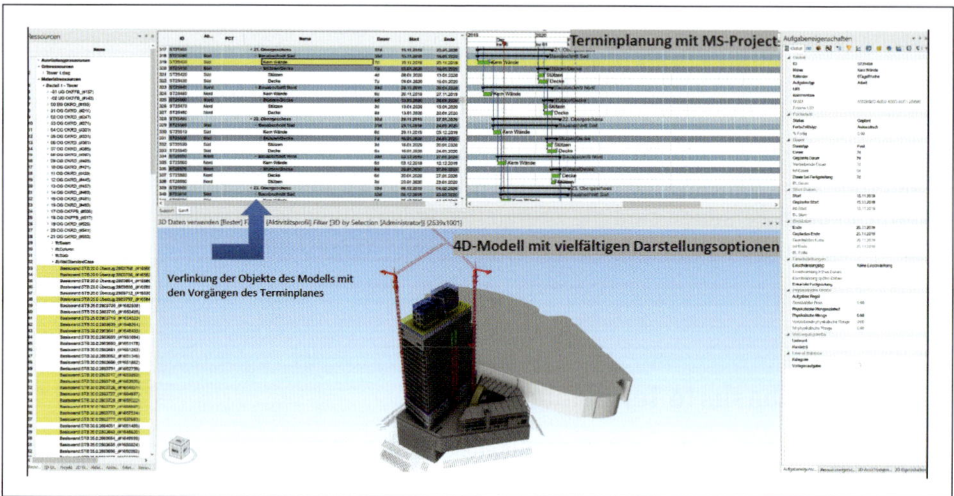

Abbildung 58: Modellbasierte Terminplanung

Mit dem so erzeugten 4D-Modell sind neben der tagesgenauen Visualisierung der geplanten Leistungsstände auch SOLL/IST-Vergleiche und eine Leistungsvorschau mit frei konfigurierbaren Zeitfenstern möglich. Damit ist im Ergebnis der modellbasierten Terminplanung eine hochgradig vorausschauende und transparente Darstellung der Ablaufentwicklung bei gleichzeitiger Optimierung der Terminplanung möglich. Alternative Abläufe und Szenarien sind mit deutlich geringerem Aufwand simulierbar und Schnittstellenproblem unter Gewerken und Beteiligten lassen sich auf diese Weise vorausschauend steuern.

Für die Projektbeteiligten entsteht somit ein transparenter Sollablauf mit dem „what you see ist what you get"-Effekt, bei dem Änderungen und Anpassungen mit einem deutlich geringeren Aufwand umgesetzt werden können. Darüber hinaus lassen sich im 4D-Modell alle Benutzerfelder des Modells hinsichtlich der zeitlichen Auswirkungen bewerten, sodass z. B. für Schalung und Betonagen konkrete Bestell- und Einsatzmengen ermittelt werden können.

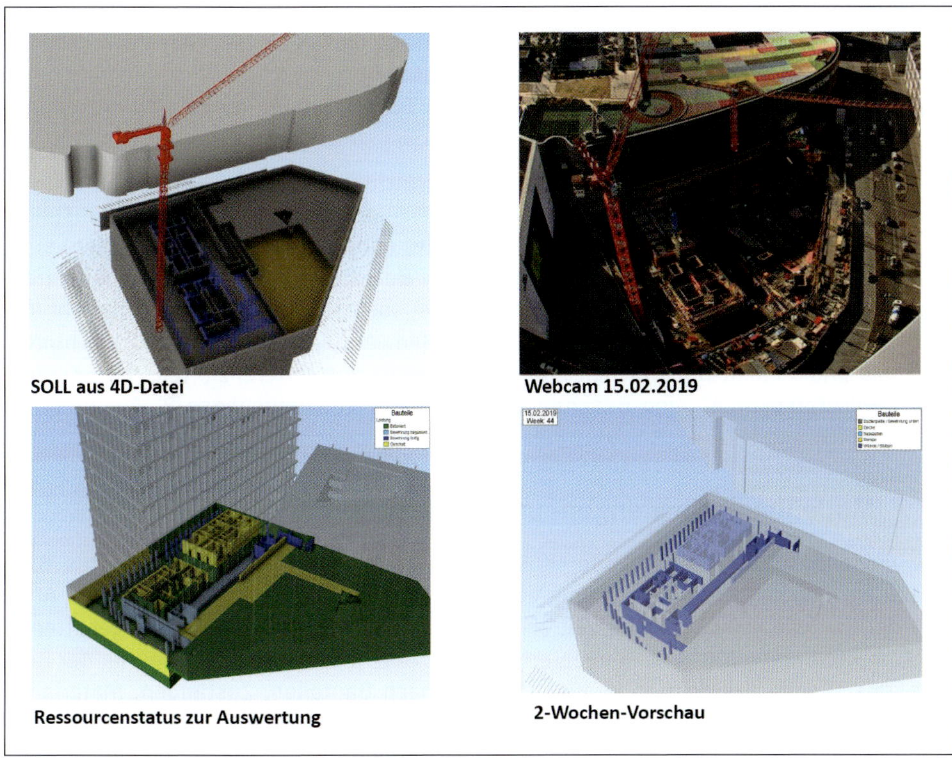

Abbildung 59: Modellbasierte Bauablaufsimulation

Dem etwas höheren Anfangsaufwand bei der Erstellung stehen im Laufe des Projektes für das Controlling deutlich weniger turnusmäßige Aufwendungen gegenüber, da die gesamte Leistungsstanderfassung ebenfalls im 4D-Systm erfolgt. Hierbei wird den Objekten des 3D-Modells (in SynchroPRO den sog. „Ressourcen“) jeweils ein bestimmter Status (z. B. geschalt, bewehrt, betoniert) zugewiesen, der dann über zuvor definierte Faktoren in einen terminlichen Leistungsstand pro Vorgang umgerechnet wird. Das Ablaufmanagement wird damit deutlich transparenter, weil auch sehr komplexe Situationen für alle Beteiligten verständlich und bewertbar werden. Auch die Planungsleistungen der Beteiligten können direkt und mit ihren Auswirkungen auf die Abläufe bewertet werden. Nicht zuletzt können logistische Abläufe in ihrem jeweiligen Bezug zum Terminplan/Ablauf entwickelt und fortlaufend angepasst werden.

§ **Recht:**

Die modellbasierte Terminplanung bietet ein großes Potenzial zur Streitvermeidung. In zahlrechen Bauprozessen ist der geplante genauso wie der tatsächliche Bauablauf insbesondere in Bezug auf Nachträge und Verzugsschäden Streitthema. Uns dies meist deshalb, weil Ist- und Soll-Ablauf nicht hinreichend dokumentiert und/oder vereinbart wurden. Mit einer transparenten Terminplanung geht somit die Chance der Befriedung einher.

Zugleich ist die modellbasierte Terminplanung ein wichtiges Tool, um die Machbarkeit von Bauabläufen insbesondere in Stadtinnenbereichen zu prüfen. Je komplexer die Baustellen und die Begleitumstände (Andienungsverkehr oder andere Störquellen von außen) sind, desto wichtiger ist die detailliert Planung. Bei der Beauftragung ist jedoch genau darauf zu achten, welches Leistungsversprechen mit einer solchen Modellierung einhergeht und den Gewährleistungsrahmen deutlich zu umreißen. Außerdem ist zu berücksichtigen, dass das „Aufstellen, Überwachen und Fortschreiben von differenzierten Zeit-, Kosten- oder Kapazitätsplänen“ eine Besondere Leistung der Leistungsphase 8, Anlage 10 zu § 34 HOAI ist.

5.7 Modellbasierte Mengen- und Kostenermittlung

Eine modellbasierte Mengen- oder Kostenermittlung benötigt ein koordiniertes BIM-Modell als Grundlage zur Berechnung und Kalkulation. Anhand der zugewiesenen Attribute der Bauteile lässt sich jederzeit eine modellbasierte Mengenermittlung generieren. Die korrekte Darstellung der Mengen erfolgt durch die jeweilige Klassifizierung der Bauteile. Bestehende Geometrien können daher je nach Bauteilen, Zuständen, Materialien und Qualitäten schnell zu Mengenberichten zusammengefasst und dokumentiert werden. Die Kosten werden nicht wie die üblichen Informationen als Attribute eingetragen, sondern im Nachhinein über eine Verknüpfung mit externen Datenbanken den jeweiligen Bauteilen zugewiesen. Je nach Planungs- und Detaillierungsstand des Modells können Kostenschätzungen oder Kostenermittlungen automatisch generiert werden.

Mithilfe der BIM-basierten Mengenermittlung des aktuellen Ausführungsstandes hinsichtlich der Planung kann ebenso ein Leistungsverzeichnis abgeleitet werden. Hierzu werden die ermittelten Mengen der einzelnen Bauteile entsprechend der Gewerke als Positionen ausgeschrieben und vergeben. Als Richtwert für alle eingereichten Angebote der Firmen zu den LVs dient die zuvor generierte Kostenermittlung. Hierbei unterstützt dieser Anwendungsfall eine saubere Qualität und dient der Zeitersparnis.

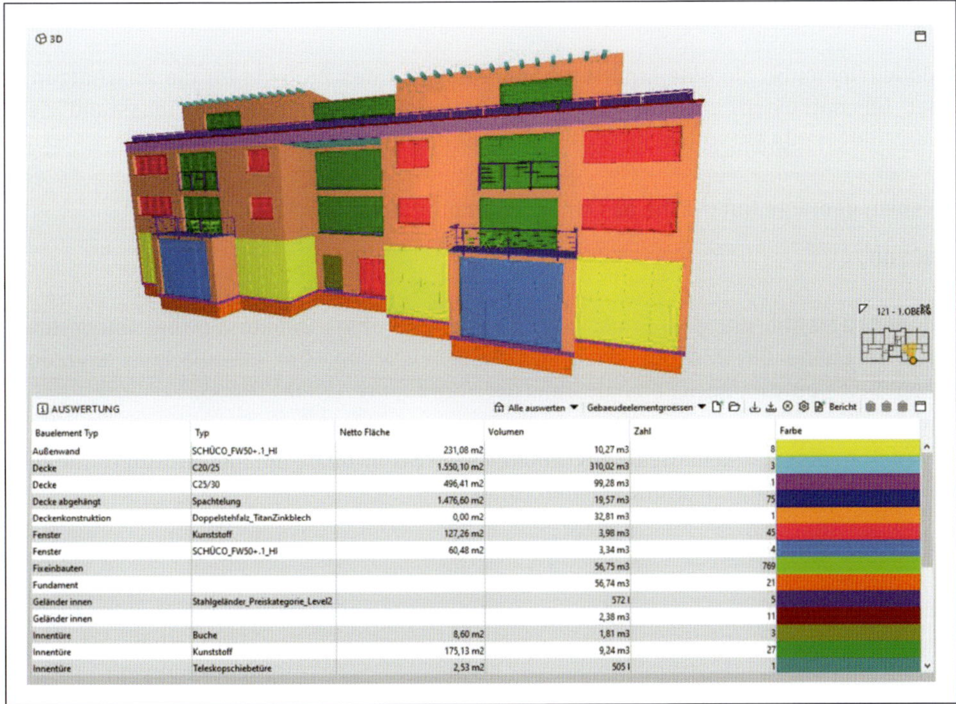

Bauelement Typ	Typ	Netto Fläche	Volumen	Zahl	Farbe
Außenwand	SCHÜCO_FW50+.1_HI	231,08 m2	10,27 m3	8	
Decke	C20/25	1.550,10 m2	310,02 m3	3	
Decke	C25/30	496,41 m2	99,28 m3	1	
Decke abgehängt	Spachtelung	1.476,60 m2	19,57 m3	75	
Deckenkonstruktion	Doppelstehfalz_TitanZinkblech	0,00 m2	32,81 m3	1	
Fenster	Kunststoff	127,26 m2	3,98 m3	45	
Fenster	SCHÜCO_FW50+.1_HI	60,48 m2	3,34 m3	4	
Fixeinbauten			56,75 m3	769	
Fundament			56,74 m3	21	
Geländer innen	Stahlgeländer_Preiskategorie_Level2		572 l	5	
Geländer innen			2,38 m3	11	
Innentüre	Buche	8,60 m2	1,81 m3	3	
Innentüre	Kunststoff	175,13 m2	9,24 m3	27	
Innentüre	Teleskopschiebetüre	2,53 m2	505 l	1	

Abbildung 60: Modellbasierte Mengenermittlung

Autorenbeitrag

Holger Kreienbrink

Andreas Haffa

Die modellbasierte Mengenermittlung ist neben der Planerstellung sicherlich eine sehr naheliegende Anwendung von BIM. Ein Modell kann alle geometrischen Werte und Eigenschaften mitbringen, die für die Kostenberechnungen benötigt werden. Die Mengen müssen nicht überschlägig per Hand ermittelt werden, der Computer berechnet alles in kürzester Zeit.

Das Modell wächst mit dem Planungsfortschritt in Bezug auf die Geometrie, Genauigkeit und Informationsdichte und bietet so die beste Grundlage.

Fertigstellungsgrade der Kostenermittlung (FGK) nach VDI 2552

Das Blatt 3 der VDI 2552[8] behandelt die modellbasierte Mengenermittlung. Sie definiert fünf Fertigstellungsgrade für die Kostenermittlung (FGK) – von 100 bis 500:

8 VDI 2552 Blatt 3:2018-05 Building Information Modeling – Modellbasierte Mengenermittlung zur Kostenplanung, Terminplanung, Vergabe und Abrechnung

FGK 100

> Modellelemente, die eine Ermittlung von Mengen eines Projekts für die Abschätzung der Gesamtkosten und Bauwerkskosten ermöglichen. Der Informationsstand der Modellelemente entspricht mindestens der Bedarfsplanung. (*Zitat VDI 2552*)

Beispiel: geplante Nutzfläche aus einem Raumprogramm in m²

FGK 200

> Modellelemente, die eine Ermittlung von Mengen eines Baukörpers mit Gliederung nach 1. Ebene DIN 276 oder vergleichbar ermöglichen. Der Informationsstand der Modellelemente entspricht mindestens der Vorplanung. (*Zitat VDI 2552*)

Beispiel: geplante Fläche des Baugrundstücks (FBG in m²), geplante Bruttogrundfläche (BGF in m²), geplanter Bruttorauminhalt (BRI in m³

FGK 300

> Modellelemente, die eine Ermittlung von Mengen einzelner Bauteiltypen mit Gliederung nach 2. Ebene DIN 276 oder vergleichbar ermöglichen. Der Informationsstand der Modellelemente entspricht mindestens der Entwurfsplanung. (*Zitat VDI 2552*)

Das Modell besteht aus einfachen Grobelementen, wie Wänden, Decken inkl. Bodenaufbauten, Räumen, Dächern.

Beispiel: geplanten Außenwandflächen in m², geplante Reinigungsfläche der Bauwerksfassade in m²

FGK 400

> Modellelemente, die eine Ermittlung von Mengen einzelner Bauelemente mit Gliederung nach 3. Ebene DIN 276 oder vergleichbar sowie eine Zuordnung von Leistungen nach STLB Bau oder vergleichbar ermöglichen. Der Informationsstand der Modellelemente entspricht mindestens der Ausführungsplanung. (*Zitat VDI 2552*)

Das Modell besteht aus mehrschichtige Aufbauten.

Beispiel: Fläche einer Wandscheibe in m², geplante Reinigungsfläche eines Fensters in m²

FGK 500

> Modellelemente, die eine Ermittlung der Mengen einzelner Bauelemente mit Gliederung nach DIN 276 oder vergleichbar sowie eine Zuordnung von Leistungen nach STLB Bau oder vergleichbar ermöglichen. Der Informationsstand der Modellelemente entspricht mindestens einer Revisionsplanung (fortgeschriebene Ausführungsplanung). (*Zitat VDI 2552*)

Das 500er-Modell entspricht in den Modellierungsansätzen dem Modell in FGK 400, enthält aber detaillierte Konstruktionen und mehr Informationen.

Beispiel: erstelltes Volumen einer Bodenplatte in m^3, gereinigte Bodenfläche in m^2

Für die bekannten Termini ergeben sich laut VDI 2552 folgende Modellqualitäten:

- **Kostenrahmen:** Das Modell besteht aus Elementen mit mindestens FGK 100.
- **Kostenschätzung:** Das Modell besteht aus Elementen mit mindestens FGK 200.
- **Kostenberechnung:** Das Modell besteht aus Elementen mit mindestens FGK 300.
- **Kostenanschlag:** Das Modell besteht aus Elementen mit mindestens FGK 400.
- **Kostenfeststellung:** Das Modell besteht aus Elementen mit mindestens FGK 500.

Mengen

Die VDI 2552 unterscheidet zudem zwischen expliziten und impliziten Mengen. Explizite Mengen werden direkt aus Modellkörpern berechnet: z. B. das Volumen oder die Oberfläche einer Betondecke. Implizite Mengen wendet man auf nicht modellierte Mengen an und berechnet sie aus anderen Werten: Z. B. ergeben sich die Längen der Sockelleisten aus dem Raumumfang abzüglich der Türbreite (unter Anwendung der Abzugsregeln nach VOB/C).

Von der CAD in die AVA: Die BIM-Autorensoftwarelösungen (häufig besser bekannt als Architektur CAD Software) liefern die Modelle und die darin enthaltenen Mengen und Eigenschaften. Alle Elemente, die modelliert sind, können mittels IFC-Datenaustausch übernommen und im Zielsystem ausgewertet werden.

Die AVA-Software liest dazu die Modelle aus – wobei es auch Softwarelösungen gibt, die Mengen intern selbst berechnet – und kombiniert die vorhandenen Mengen und Eigenschaften je nach Anforderung.

Für die Kostenermittlung werden zum Beispiel in der AVA-Software die Mengen der Modellelemente konkreten Leistungen zugeordnet. Dabei kann man entscheiden, ob die Basis bzw. Netto-Mengen aus dem Modell oder andere Kombinationsmöglichkeiten wie VOB eingesetzt werden sollen.

Da alle Netto- und Bruttowerte für Flächen und Volumina sowie alle Öffnungen mit deren Beziehungen zu übergeordneten Modellelementen vorliegen, lässt sich immer das passende Berechnungsmodell zusammenstellen.

Alle Modellelemente besitzen zudem eine eindeutige ID (GUID). Ändert sich ein Element in der Autorensoftware (Neu/Löschen/Ändern), so erkennt die AVA-Software die Änderung im Vergleich zu einem vorherigen Stand.

Geregelte Übergabe

Die große Herausforderung liegt in der Modellqualität. Ein Modell muss die zum Zeitpunkt geforderten Mengen und Eigenschaften enthalten. Neben der geometrischen Qualität (z. B.: Steht die Stütze auf der tragenden Decke? Ist eine Öffnung implizit oder explizit definiert?) muss es ein festgelegtes Set von Eigenschaften geben, das zu einem bestimmten Zeitpunkt übergeben und in der AVA-Software genutzt werden kann.

Die FG Kostenermittlung des buildingSMART Deutschland e.V. arbeitet an der Definition dieses Übergabeszenarios. Ziel ist eine festgelegte Modellqualität, die ein Autorensystem ausgeben und eine AVA-System gegenprüfen kann. So kann z. B. ein Modell im FGK 300 beispielsweise auch mit verknüpften Leistungsbeschreibungen in Form eines Multi-Modell-Containers zu einem definierten Vertragsbestandteil werden.

§ **Recht:**

Ist eine Mengenermittlung nach Blatt 3 der VDI 2552 gewünscht, so muss dies explizit vereinbart werden. Ein Verweis auf die anerkannten Regeln der Technik genügt nicht. Die anerkannten Regeln der Technik sind rechtlich solche, die sich in der Praxis bewährt und üblicherweise angewendet werden. Davon sind wir derzeit noch weit entfernt.

Wird eine BIM-basierte Mengenermittlung nach Blatt 3 der VDI 2552 vereinbart, so bleibt der planende dennoch für die Richtigkeit der Massen und Mengen grundsätzlich verantwortlich. Bislang ist nicht erkennbar, dass sich die üblichen Toleranzrahmen bei Mengenermittlungen ändern würden. Zugleich ändert sich auch nichts an den Einordnungen, dass falsche Mengen- und Massenvordersätze im Angebots-Leistungsverzeichnis einen Planungsfehler darstellen. Natürlich bleibt aber die Zuversicht, dass sich die Wahrscheinlichkeit solcher verhindert.

Fraglich ist, ob es künftig bei Ausschreibungsverfahren auch möglich sein wird, die von planenden und ausführenden zur Planung einerseits und zur Kalkulation andererseits erstellen Massen- und Mengengerüste besser abgleichen zu können und z. B. bei der Auswertung der Vergabe transparent machen zu können.

Die Weiterentwicklung der Massen- und Mengenmodelle während der Bauphase wird ein wichtiges Tool für das Nachtragsmanagement. Dies wird jedoch erst dann ein vielversprechender Ansatz, wenn z. B. nach Zuschlag die Angebotspreise zu den Mengengerüsten hinzugefügt werden können. Dann kann eine detaillierte Kostenfortschreibung geschehen, was jedoch eine Besondere Leistung der Leistungsphase 8 (z. B. Anlage 10 zu § 34 HOAI) ist.

5.8 BIM-basierter Bauantrag

BIM-Modelle könnten bereits in einigen Bundesländern als Grundlage der Baugenehmigung dienen. Hierbei sollten die Vorschriften und Vorgaben der Modellierungsrichtlinien eingehalten werden, damit das BIM-Modell korrekt bezüglich der Genehmigungsanforderungen geprüft werden kann.

Die Modelle werden entsprechend erstellt und als openBIM-standardisiertes Dateiformat IFC der Bauaufsicht zur Verfügung gestellt. Die IFC-Modelle werden unterstützend zu den geforderten Plansätzen, mit weiteren Dokumenten und dem Bauantrag im System hochgeladen und anschließend geprüft.

Die Prüfung umfasst das BIM-Modell gemäß den Anforderungen der Bauaufsicht formell und inhaltlich. Sollten Rückfragen oder Meldungen auftauchen, werden diese Punkte klar dokumentiert und kommuniziert. Mit dem BIM-Modell wächst das Verständnis vom Gebäude, mögliche Verständnisfragen können vermieden werden.

Autorenbeitrag

Dr. Kai-Uwe Krause

André Vonthron

Das Konzept des BIM-basierten Bauantrages[9] sieht die modellbasierte Umsetzung von Planungs- und Bauordnungsrecht sowie die einhergehende Optimierung des Prozessablaufes während des Bauantrags- und Genehmigungsverfahrens vor. Hierfür wird ein zentraler Service der Behörde im Sinne des Onlinezugangsgesetztes (OZG) vorgesehen, durch welchen alle notwendigen Planunterlagen bereitgestellt sowie im Laufe des Bauantragsverfahrens eingereicht werden können (Abb. 61). Dies beginnt mit dem Abruf von Bebauungsplänen für die zu planenden Grundstücke. Der Datenaustausch erfolgt über den Datenstandard XPlanung[10]. In Abstimmung mit den Vermessungsingenieuren können diese aktualisiert und in einen amtlichen Lageplan überführt werden. Durch den Import in das Autorentool kann so bereits mit der Erstellung von BIM-Modellen eine modellbasierte Ableitung und ein Abgleich der planungsrechtlichen Parameter, wie z. B. der Grundstücksflächenzahl, erfolgen. Das Konzept sieht ebenfalls vor, dass die Architekturvorlagen anstatt in Form von abgeleiteten 2D-Planunterlagen als BIM-Modell im Standard Industry Foundation Classes[11] (IFC) zum Bauantrag mit eingereicht werden.

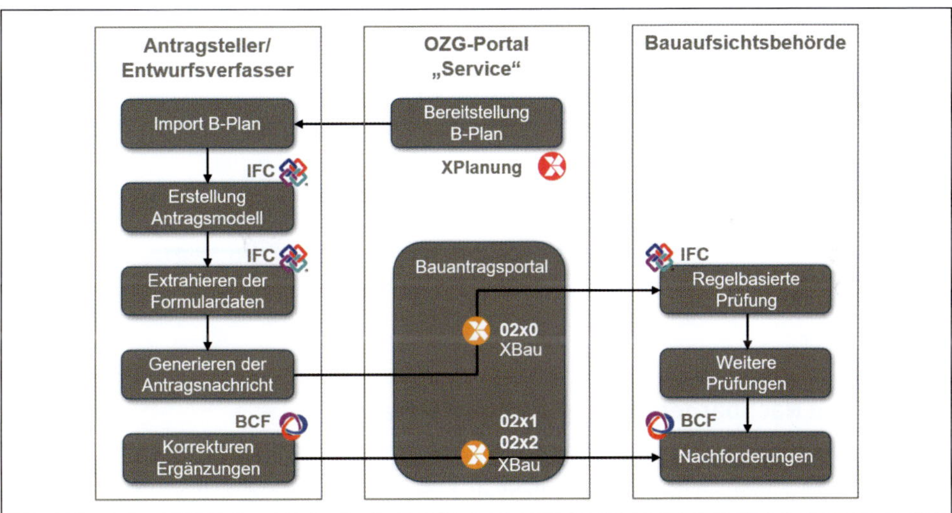

Abbildung 61: Prozessablauf des BIM-basierten Bauantrags

Die klassischen Bauantragsformulare werden hier durch ein digitales Format unter Anwendung des Standards XBau[2] ersetzt, welches sämtliche Kommunikationswege im Bauantragsverfahren abbildet. In diesem Schritt können bereits viele Kennzahlen, wie bspw.

9 www.bimbauantrag.de

10 www.xleitstelle.de

11 www.buildingsmart.org

Grundflächen, Nutzungseinheiten oder Stellplätze, automatisch aus dem BIM-Modell extrahiert und automatisch in die Antragsnachricht übernommen werden. Unter Hinzunahme des BIM Collaboration Formats[3] (BCF) wird die Kommunikation von Korrekturanfragen, Abweichungsanträgen u. Ä. zusätzlich visuell und objektbezogen unterstützt. Alle an einem Kommunikationsschritt zugehörigen Dokumente werden in einer nach XBau-spezifizierten Containerdatei zusammengefasst und versendet. Auf Seiten der Behörde werden die Schritte der formellen und materiellen Prüfung durch ein modellbasiertes Verfahren und unter Anwendung der zuvor genannten Standards optimiert. In der formellen Prüfung kann die Vollständigkeit und Konformität des eingereichten Antrages durch Methoden der Schema-Validierung bzw. unter Einsatz von Model View Definitions[3] (MVD) für BIM-Modelle automatisch vorgenommen werden. In der materiellen Prüfung können die Prüfvorgänge durch regelbasierte Prüfungen unterstützt werden. Einige planungs- und bauordnungsrechtliche Vorschriften können hier bereits teilautomatisch geprüft und durch Methoden der automatischen Mengenermittlung und Visualisierung beschleunigt und vereinfacht werden. Eine ganzheitliche Überführung von Bauvorschriften und Bereitstellung in einem offenen Regelformat muss allerdings noch erforscht und entwickelt werden. Durch die Bereitstellung und Kommunikation von Abweichungsanträgen und Nachforderungen in Kombination mit BCF können diese schneller identifiziert und objektbezogen bearbeitet werden. Durch die Potential für die Antragstellerseite, viele dieser automatischen Prüfvorgänge in Zukunft bereits vor Einreichung des Antrags im Rahmen einer Vorprüfung durchzuführen, wird im Allgemeinen eine bessere Qualität des Modells erreicht und damit der zusammenhängende Kommunikations- und Zeitaufwand im Antragsverfahren verringert.

Autorenbeitrag

Dr. Till Kemper

Bürger- und Nachbarbeteiligung – Betroffenheiten

Nicht nur bei großen Bauvorhaben wird es von zunehmend wichtiger Bedeutung, die Nachbarn und sonst auch die Öffentlichkeit hinreichend über das Projekt in Kenntnis zu setzen. Die meisten Nachbarschaftsstreitigkeiten und Beschwerdeverfahren haben zum Inhalt, dass eine zu späte Kommunikation über das Bauvorhaben an sich besteht und andererseits sich ein Missverständnis aus den vorhandenen 2D-Plänen ergibt. Insbesondere in der anwaltlichen Praxis wird dies deutlich. Da insbesondere bei den Nachbarn und der Öffentlichkeit, die mit Bauplänen noch weniger vertraut sind, als die am Bau tätigen Fachleute, die visuelle Prägung des Menschen stark zum Tragen kommt. So ist es von größter Wichtigkeit, insbesondere bei umfangreichen Bauvorhaben oder Bauvorhaben, die einen nah gelegenen Nachbarn beeinträchtigen könnten, mittels BIM-Methodik zu visualisieren und so bspw. Verschattungen, Schluchten und Abstandsflächen sichtbar zu machen.

Verstärkt haben wir dies bereits im Infrastrukturbereich für Trassenplanungen, genauso aber auch bei vorhabenbezogenen Bebauungsplan- und Baugenehmigungsverfahren vorgenommen. Aus rechtsanwaltlicher Sicht ist dies insbesondere deswegen von Interesse, da zu spät erkannte Nachbarschaftskonflikte dazu führen, dass die Nachbarn nach Interventionsmöglichkeiten während der Bauphase suchen und so Antragsprobleme wegen Bauzeitverlängerungen und eventuellen Stilllegungsverfügungen behördlicherseits verursachen können. Es gehört daher zu einem guten Projektmanagement, Nachbarkonflikte frühzeitig zu erkennen und diese ggf. durch Nachbarschaftsvereinbarungen zu bannen.

Insofern minimiert sich der use case nicht allein auf die Sichtbarmachung bspw. von Verschattungen, Sonnenläufen und Abstandsflächen. Vielmehr sind auch immissionsrechtliche Auswirkungen in Betracht zu ziehen, wie etwa die Schallentwicklung während der Bauphase oder aber auch durch einen gewissen Anlagenbetrieb. Hier sind verschiedene Simulationen möglich, wie auch die Simulationen bspw. bei der Brandschutzplanung zeigen.

Die Wahrnehmung dieses use case ist auch von keinem großen Aufwand. So sind die technischen Möglichkeiten durchaus so, dass ein Rendering, das bereits die wesentlichen Auswirkungen auf eine Nachbarbebauung darstellen kann, relativ zügig und mit kleinem Geld gemacht. Weitergehende Simulationen sind selbstverständlich aufwendiger, können aber auch durch Schnittstellenbereiche aufgesetzt werden. Insofern geht es weniger um die Prozesslandschaft, als um das Mindset, dass nicht nur das einzelne Bauobjekt visualisiert wird, sondern auch die Fronten der anstehenden Bebauung.

Aus rechtlicher Sicht ist jeweils zu beachten, dass das Rendering der Nachbarbebauung so „grob" zu erfolgen hat bzw. so verfremdet, dass keine eventuellen Nutzungsrechts- oder auch Datenschutzprobleme auftreten können. Urheberrechte werden in der Regel bei der Nachbarbebauung nicht bestehen, die verletzt werden können. Dagegen wäre es jedoch unzuträglich, wenn direkt Fotoaufnahmen von Häuserfronten der Nachbarbebauung aufgenommen werden, da hier nicht zu vermeiden ist, dass es ggf. zu personenbezogenen Daten wie Personenaufnahmen etc. kommen kann. Im Übrigen stehen jedoch diesem Verfahren keine Bedenken zu.

Wird der use case für eine förmliche Öffentlichkeitsbeteiligung wahrgenommen, was aufgrund der Wirksamkeit wünschenswert ist, ist darauf zu achten, dass ausreichend Hinweise getätigt werden, dass es sich um Modelle handelt, und es sind Ausführungen zum Detaillierungsgrad zu tätigen, um unzutreffende Erwartungen von vornherein auszuräumen.

Der use case Bürger- bzw. Nachbarbeteiligung hat eine enge Schnittstelle zu den use cases Bauplanungs- und Nachbargenehmigungs-Anwendungen. Hierzu wird auf die entsprechenden Beiträge verwiesen.

5.9 WMP-Werkstatt und Montageplanung

Sobald eine Baugenehmigung vorliegt, kann mit der weiteren Planung begonnen werden. Ähnlich der bereits aufgeführten Vorgänge wird nun mit dem detaillierteren Planungsstand der WMP-Koordination das BIM-Modell verwaltet. Die WMP ist die Grundlage für die Ausführung auf der Baustelle.

Für maximale Sicherheit bei der Koordination ist es hilfreich, die Bauteile sehr detailliert darzustellen. Der Detaillierungsgrad richtet sich nach dem benötigten Informationsgehalt. So ist es durchaus dienlich, wenn z. B. Befestigungen von Rohrleitungen auch modelliert werden, damit die Durchquerung der Bauteile durch Leitungen keine Komplikationen hervorruft. Eine Koordinierung vor Ort kann jedoch nicht immer gewährleistet werden.

Insbesondere die Koordination der TGA muss meist sehr detailliert betrachtet werden, da hier oft sehr wenig Spielraum für Umplanungen vorhanden ist.

Abbildung 62: Koordination der Montageplanung

Autorenbeitrag

Robert Landfried

Wie installiere ich ein Hochhaus, Büro oder Hotel mit 100.000 m² BGF?

Die Erfahrungen in der Praxis sind ernüchternd. Selbst in Großprojekten findet man selten durchgängige digitale Planungsketten. Einmal ist die Fachplanung, ein anderes Mal die ausführende Firma nicht in der Lage sich an die Kette anzupassen.

Beim Wechsel von Leistungsphasen werden zuvor ambitionierte BIM-Betrachtungs- und Vorgehensweisen in Projekten aus Angst vor digitalen Repressalien, Datenschutz und

Unwissenheit gekippt und vereinfacht, sodass oft nicht mal mehr ein gemeinsamer 3D-Workflow seitens der Fachplanung besteht und in 2,5D geplant wird.

Hier ist jedoch zu berücksichtigen, dass die Angst aus der Vielzahl von noch nicht lange am Markt befindlichen Tools begründet wird. In einigen Bereichen ist BIM oder 3D augenscheinlich für die Anwender nicht rentabel. Vor allem wenn Kosten- und Zeitdruck auf den Baustellen vorherrscht, möchte keiner Methoden anpassen. In allen Fällen aber müssen die Planer der WMP bewerten, ob Sie BIM Konsens wahrscheinlicher als für Projektentwickler, deren Ziel es ist, möglichst viel Rendite beim Verkauf des Objektes zu erwirtschaften. Hier ist ein BIM-Gedanke durch die fehlende Bewirtschaftungskomponente schwer zu entfachen.

Bewährt sich das BIM-basierte Ergebnis in der Praxis?

Die Erfahrungen mit BIM-Projekten zeigen ganz klar auf, dass Planungen mit BIM transparenter und bewertbarer sind. Vor allem bei der in Deutschland derzeit noch üblichen Abgrenzung der Ausführungsplanung zur Werk- und Montageplanung wäre es sehr von Vorteil, technische Daten aus den BIM-Modellen beziehen zu können: Wärmelasten, Eigenschaften von Türen und technischen Einbauten, Literleistungen, Schallleistungen und vieles mehr. Durch den Leistungsübergang sind tiefgreifende Prüfungen unumgänglich.

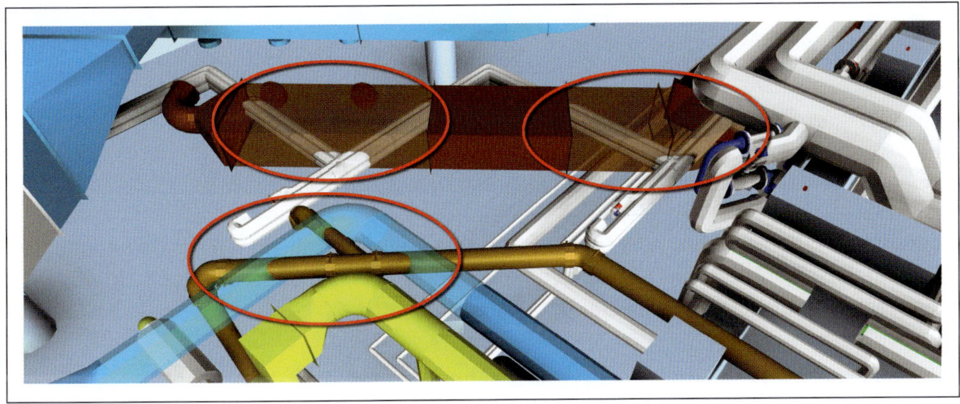

Abbildung 63: Multiple Kollisionen zwischen Versorgung Heiz-/Kühldecke mit Abluft und Schmutzwasser mit Zuluft

Alleine das Vorhandensein von belastbaren 3D-Modellen in (Teilen der) Projekten (nativ oder als IFC) führt bei allen Beteiligten zu viel mehr Verständnis, Klarheit und thematischer Durchdringung. Auch das Aufzeigen von Problemstellen während der Planung ist dadurch oft ein Kinderspiel.

Ich plädiere für ein zweistufiges Modell für Deutschland:

Stufe 1 – Bitte unbedingt in 3D!

Stufe 2 – Bitte mit BIM-Methode von Anfang an. Digital planen, digital denken, digitaler Erfolg – Tools bis zum Construction Management aufeinander abgestimmt einzusetzen ist möglich!

Was sind die Vorteile von BIM bei der WMP-Koordination?

Die WMP-Koordination ist ein (fast) überflüssiger Prozess – sofern man ein BIM Projekt im Idealfall betrachtet. WMP bedeutet im Kern, dass eine Überprüfung der Fachplanung und Konkretisierung der bestehenden Planung zu erstellen ist.

Mit 3D/BIM erstellte Projekte erlauben Verfahren zur automatisierten Prüfung, ob geometrische Probleme in den Disziplinen untereinander vorherrschen (harte oder weiche Clash-Detection: Kollisionsprüfung, Bemessung Fluchtwege oder Fenster- oder Türaufschlagsrichtungen und vieles mehr).

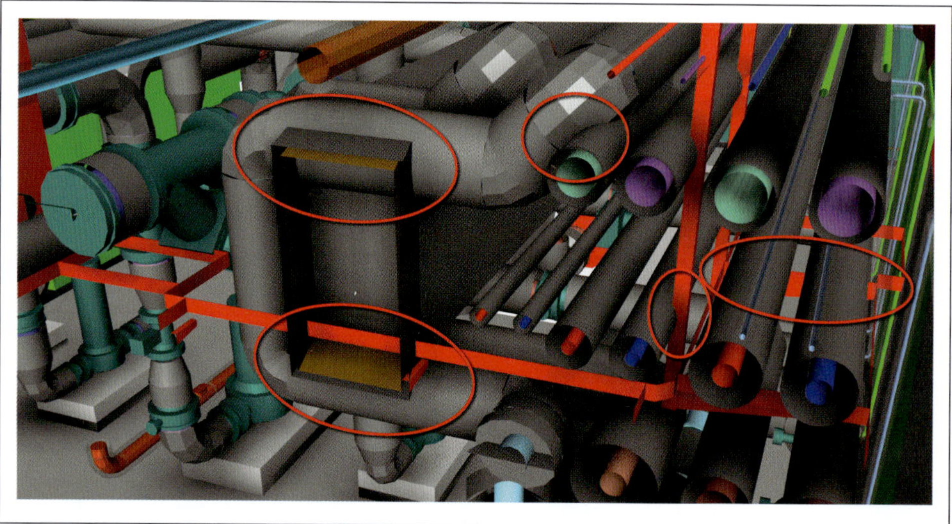

Abbildung 64: Koordination einer Technikzentrale. Multiple Kollisionen der Gewerke untereinander. Lösung: Abluft um 15 cm nach links und 10 cm nach oben. Die Rohrschleife muss rechts an die Rohr-Trasse. Elektro Stiel nach rechts.

Die Planer der WMP können dadurch viel schneller reagieren, auf belastbarere Planungen aufsetzen, qualitativ bessere Ergebnisse erzielen. Beispiele sind: Montagebühnen in Lüftungsschächten, Technikzentralen mit vielen Disziplinen, Stahlbau auf Dächern oder in Zentralen, der sich an die TGA schmiegen soll.

Die Ergebnisse nach der Koordination können ebenfalls wieder automatisiert geprüft werden, um Probleme zu vermeiden.

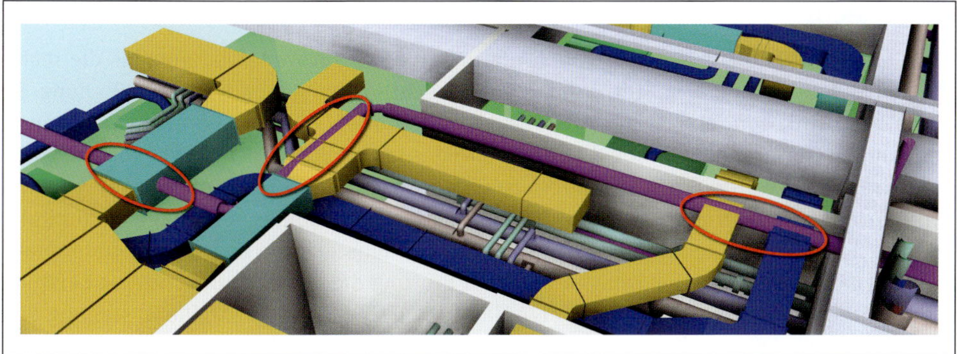

Abbildung 65: Typischer Fall: ein Gewerk kollidiert flächendeckend.
Hier Sanitär mit Lüftung. Anpassung durch Lüftung und Sanitär lösbar.

Was sind genau die BIM-Nutzungen für die WMP TGA?

- Qualitätssicherung, Qualitätssteigerung, Zeitersparnis beim Gegenwirken der Änderungswilligkeit der Bauherren und späteren Nutzer
- Bei Problemen auf der Baustelle auch die Unterstützung von Lösungsfindungen

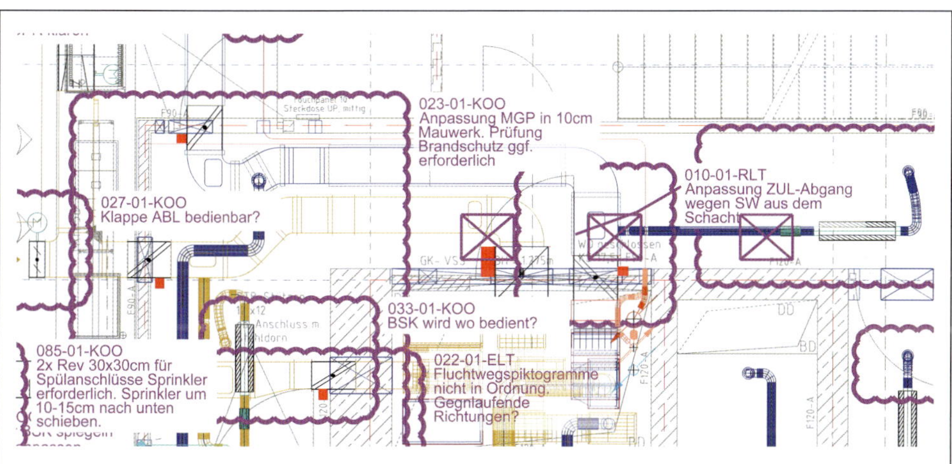

Abbildung 66: Als Zwischenlösung zur Dokumentation in 2D können Kollisionen und Aufgaben im Projekt in einem 2D-Koordinations-Modell beschrieben werden. Pro Thema ein Layer. Jederzeit trennbar. Mit den richtigen Werkzeugen ist dies automatisierbar.

§ **Recht:**

Neben den technischen Herausforderungen kann ein weiteres Hemmnis die rechtliche Situation sein. Die WMP gehört rechtlich gesehen nicht zur Planung im Sinne der HOAI, sondern ist der Ausführung zugeordnet. Die Vorlage der WMP kann in bestimmten Gewerken (zumindest in digitaler Form) nach VOB/C als eine besondere Leistung qualifiziert werden, die besonders zu vergüten ist (vgl. DIN 18380 Heizanlagen und zentrale Wassererwärmungsanlagen, Nr. 4.2: „Liefern von Montageunterlagen in digitaler Form, z.B. in bestimmten Dateiformaten, sowie das Einstellen in sog. Online-Datenplattformen“[12]). Auf der anderen Seite ist auch die Prüfung dieser einen Besonderen Leistung z. B. nach Anlage 10 zu § 34 HOAI 2021/Anlage 15 zu § 55 HOAI 2021). Die Bestellung dieser Leistung wird eher selten vom Auftraggeber, insbesondere den öffentlichen, getätigt.

Soll neben der Prüfung der WMP auch der Abgleich mit dem gebauten Bestand erfolgen (as built) ist dies ebenfalls keine Grundleistung im Sinne der HOAI, da die Grundleistung der Leistungsphase 8 nur den Abgleich mit der Ausführungsplanung betrifft. Wird ein solcher Abgleich mit gemeinsamen Aufmaßen verbunden, liegt erst recht eine Besondere Leistung vor. Hier ist Platz für neue Geschäftsmodelle.

5.10 Heiz-/Kühllastberechnung

Für die Planungskoordination können modellbasierte Heiz- und Kühllastberechnungen durchgeführt werden. Die Berechnung gelingt durch entsprechende Bauteilattribute in Verbindung mit weiteren berührenden Bauteilen. Hierbei sollten Attribute, wie z. B. der U-Wert, ins Modell fließen.

So können die Berechnungen durch die Geometrien und die Eigenschaften der Decke innerhalb eines Raumes in nur wenigen Schritten erfolgen. Solche Berechnungen können automatisiert in diversen Programmen durchgeführt werden, sobald die Grundlagen im Modell automatisch aufrufbar sind.

Autorenbeitrag

Wilhelmina Katzschmann

BIM steht für eine Planungsmethode, die eine Zusammenarbeit an „gemeinsamen“ Modellen voraussetzt. Alle Projektbeteiligten greifen auf das gewerkeübergreifende Gebäudemodell zurück. Dieses Gebäudemodell bietet auch die Möglichkeit für die Bereitstellung der Daten zu einer nahezu automatischen Erstellung von Berechnungen, beispielsweise zur Heiz- und Kühllastermittlug, für energetische Nachweise und für thermische Simulationen und andere TGA-Gewerke. Die BIM-Planungsmethode würde ad absurdum geführt werden, würde man dies weiterhin „extra“ erledigen und die Berechnungsergebnisse händisch zurückführen. Das Architekturmodell muss deshalb bereits alle Gebäudedaten

12 Miegel/Wagnitz: Beck‘scher VOB- und Vergaberechts-Kommentar, VOB Teil C, 3. Aufl., München 2014, Rn. 220.

enthalten, die der TGA-Ingenieur für die thermischen Berechnungen braucht. Dazu gehören insbesondere die U-Werte aller Bauteile.

Des Weiteren sind in dieser Phase bereits folgende Datenangaben im Modell wichtig: Raummaße, Personenzahl, innere Lasten aus Geräten und Maschinen, gewünschte Raumtemperatur des Nutzers usw. Ebenso muss die genaue Lokalisierung und Nordrichtung im Architekturmodell enthalten sein.

Deshalb müssen die IFC-Attribute definiert und vorgegeben werden, damit quasi per Mausklick aus dem Architekturmodel das thermische Modell erzeugt werden kann.

Wir setzen Trimble Nova ein, die damit automatisch Heizlast und Kühllast berechnet.

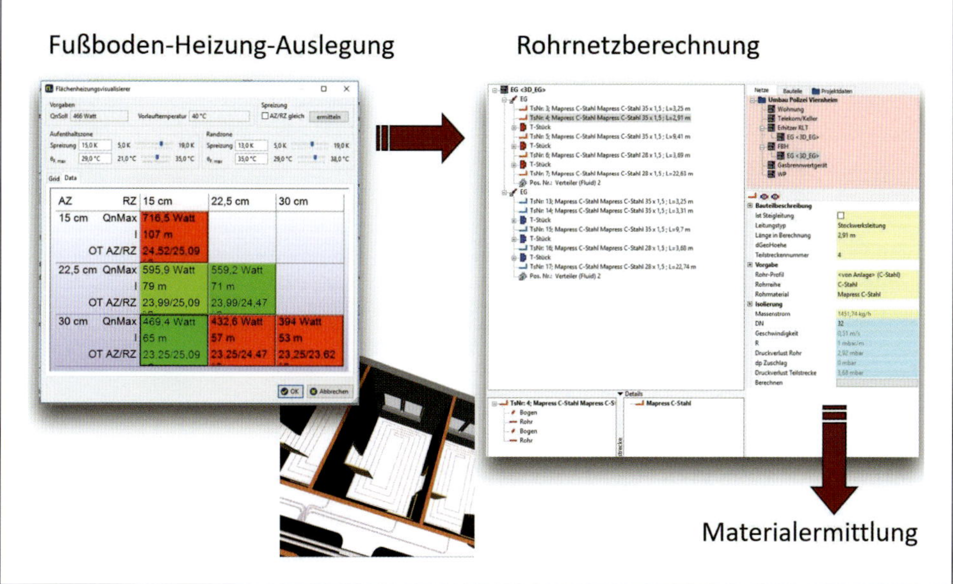

Abbildung 67: Heizung: Rohrnetzberechnung

Zwingende Voraussetzung ist: Alle Beteiligte haben präzise und richtig zu arbeiten.

Zur Berechnung der Beschattung und des Temperaturverlaufs im Gebäude ist Voraussetzung, dass das Architekturmodell Attribute zu den Welt-Koordinaten, Nordeinrichtung und Umgebungsbeschattung enthält.

Doch der zeitliche Ablauf der Planungsstufen birgt dabei das größte Problem:

Früh – in der Vorentwurfsphase – müssen die technischen Berechnungen erfolgen, um die Größe der TGA-Systeme und somit den Platzbedarf und somit die Größe des Gebäudes zu bestimmen, damit der Architekten den Entwurf fertigen kann. Man ist quasi in der Zwickmühle, und es ergibt sich ein ganz anderer Anwendungsfall:

Das Architekturmodell hat noch keine U-Werte. Der TGA-Ingenieur fertigt daraus das thermische Modell anhand angenommener Schichtaufbauten. Über die zuvor abgestimmten IFC-Attribute werden diese zurückgegeben, und das Architekturmodel kann weiterbearbeitet werden bis zum vollständigen Entwurf. Idealerweise erhält der TGA-Ingenieur dann ein Architekturmodell mit allen nötigen Attributen, aber wie gesagt: exakt nach den vorgegebenen Attributen. Nur dann können quasi per Mausklick automatisch die Berechnungen angepasst werden.

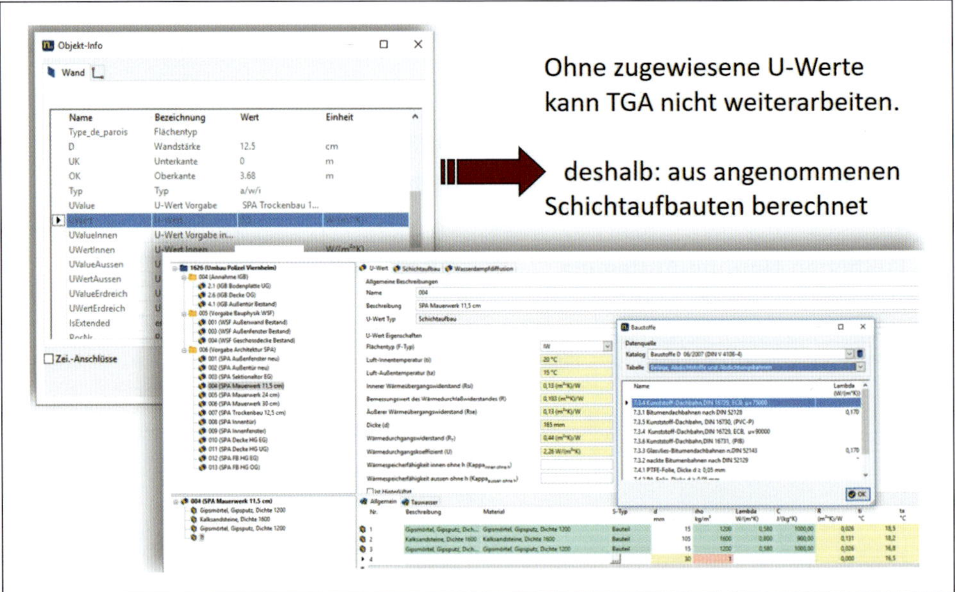

Abbildung 68: IFC-Attribute müssen festgelegt und abgestimmt sein

Doch zwingende Voraussetzung ist: Alle Beteiligte haben präzise und richtig zu arbeiten.

Ist das nicht der Fall, fängt die händische Nacharbeit an.

Aus einer Heizungs- und Rohrnetzberechnung erfolgt mit der BIM-Planungsmethode automatisch die Material- bzw. Mengenermittlung und daraus dann eine belastbare Kostenberechnung. Für eine genaue Berechnung, bedarf es aber zuvor der Festlegung des Herstellers. Die IFC-Daten werden inzwischen von den meisten zum Einlesen ins System zur Verfügung gestellt.

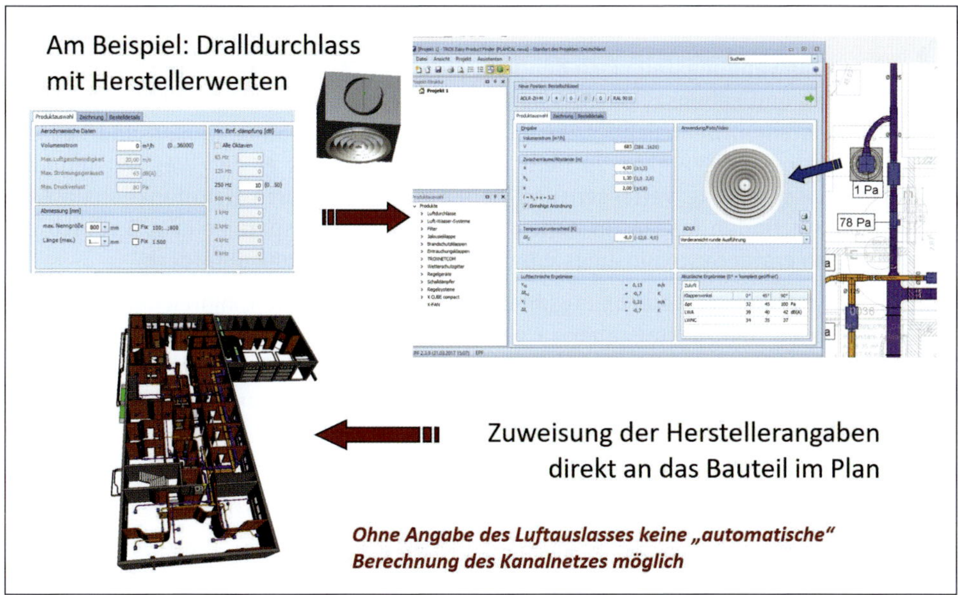

Abbildung 69: Zuweisung von Herstellerangaben

Dies gilt übrigens für alle anderen TGA-Gewerke (Wasser, Luft, Licht) ebenso.

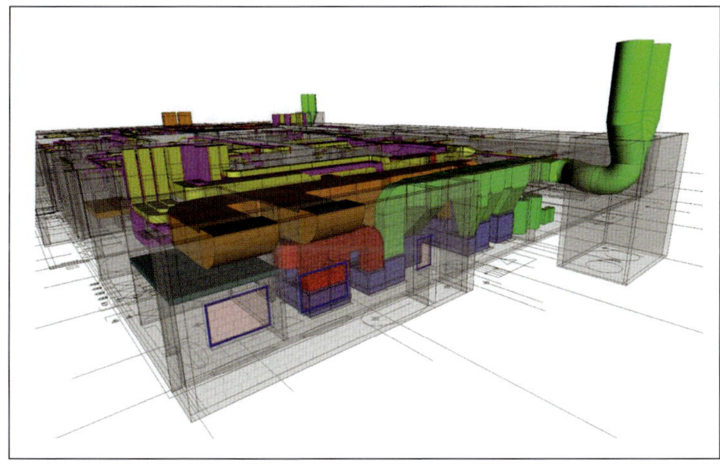

Abbildung 70: Beispiel TGA-Modell

Die oft aushilfsweise angewendete Methode, dazu ein „Dummy“ einzusetzen, birgt die äußerst fehlerbehaftete spätere Nacharbeit der händischen Dateneingabe. Wie eingangs erwähnt: Dadurch wird die BIM-Planungsmethode ad absurdum geführt

§ Recht:

Dieser Anwendungsfall mach deutlich, dass die BIM-Potenziale mit Blick auf Simulationen und Lebenszyklusbetrachtungen erst gehoben werden können, wenn die Produkte feststehen. Beabsichtigt der Auftraggeber, solche Simulationen und Lebenszyklusaspekte bei der Vergabe zu berücksichtigen, so muss er den Weg der produktneutralen Ausschreibung verlassen und den Wettbewerb durch (teil-)funktionale Ausschreibung stattfinden lassen, in denen er die Lebenszyklusparameter z. B. durch die Anforderungen erster Systemlösungsaspekte bei Angebotslegung abfordert.

Seitens der Ersteller der Berechnungsmodelle ist drauf zu achten, hinreichende (Bedenken-)Hinweise an den Auftraggeber zu geben, dass die Berechnungsmodelle nur unter bestimmten Parametern „reell“ oder „valide“ sind. Insbesondere bei starken Abhängigkeiten vom Nutzerverhalten ist auf diesen Umstand hinzuweisen, um nicht in die Haftung für einen funktionalen Werkerfolg zu geraten.

5.11 Änderungsmanagement (Change Management)

Änderungen der bereits festgelegten Planung treten im Laufe des Projekts immer auf, unerheblich ob durch Planfortschreitung, neue Erkenntnisse oder Mieterwünsche. Jede Änderung kostet meist enorm viel Zeit für die Koordination, die Modellanpassung und natürlich auch Geld. Die entstehenden Nachträge zeigen die Änderungen der bereits festgelegten Leistungen an, die erstellt und dokumentiert werden müssen. Mögliche Änderungen sollten bereits im Vorfeld überlegt und übersichtlich notiert werden. Auf diese Weise können frühzeitig entsprechende Mehrkosten eingeplant und kritische Punkte überprüft werden. Selbst eine kleine Anpassung kann zeitraubend und kostenintensiv werden.

Änderungen lassen sich anhand der unterschiedlichen Versionen der BIM-Fachmodelle automatisch dokumentieren. Ändert sich beispielsweise die Länge einer Wand, würde genau diese Wand durch eine Versionsprüfung sowie ihre ID erkannt und der Massentausch aufgelistet. Auf diese Weise werden alle Änderungen von Bauteilen sicher erkannt.

Autorenbeitrag

Dr. Till Kemper

Modellbasiertes Änderungsmanagement

Entgegen manch allgemeiner Meinung wird es auch bei einem hohen Perfektionsgrad von BIM noch diverse Änderungs- und damit Nachtragstatbestände geben. Zwar werden die Nachbesserungsbedarfe durch undetaillierte Planungen oder auch Kollisionen reduziert, jedoch bleiben die Möglichkeiten der nachträglichen Änderungsanordnung oder aber auch der Änderungen durch z. B. Mieterausbau und Käuferwünsche im Eigentumswohnungsbau weiterhin bestehen. Die Frage ist, wie diese in geordnete Prozesse gebracht werden können. Hier besteht sowohl auf Seiten des Auftraggebers und/oder Nutzers großes Interesse an der Nachverfolgung von Änderungswünschen einerseits, also auch auf Seiten des Auftragnehmers an der Transparenz des Nachtragsmanagements anderseits.

Auch wenn in BIM-Modellen die Änderungen bspw. durch einen Reporting und durch Versionierung von Modellen planerisch-technisch einigermaßen nachvollziehbar sind, so fehlt doch gerade aus kaufmännischer und insbesondere juristischer Sicht eine eindeutige Dokumentation der hinter den Änderungen stehenden Änderungsanordnungen, Nachtragsangeboten, Behinderungs- und Mehrkostenanzeigen. Denn in einem gängigen BIM-Modell werden zwar die Autoren von Änderungen registriert, jedoch ist nicht der eigentliche Änderungsprozess in kaufmännischer-juristischer Sicht abgebildet.

Hierfür gibt es z. B. das Tool des Supply-Chain-Management-Konfigurators. Der Supply-Chain-Management-Konfigurator wird auf einer Low-Level-BIM-Modellierung das jeweilige Projekt und z. B. die verschiedenen Wohnungen oder Büros aufgesetzt. Für jede Nutzungseinheit kann dann eine gewisse Variationsbreite von Produkten eingebracht werden, die durch die jeweiligen Nutzer, wie z. B. Mieter oder Käufer, ausgewählt werden können. Die Änderung wird dann jeweils durch eine einfache 3D-Animation, wie mit einem Autokonfigurator, in die Umgebung eingeplant, sodass visuell die Veränderung sichtbar wird; auf einer weiteren Stufe können dann selbstverständlich die Änderungen auch in einem BIM-Modell LOD 400 oder 500 eingearbeitet werden (jedoch erst, wenn die Kostenfrage der Planänderung geklärt ist). Mit der Auswahl der Änderung können auch die bereits vordefinierten Preisänderungen dem Nutzer an die Hand gegeben werden, z. B. durch eingestellte Einkaufspreise. Nach Eingabe des Änderungswunsches erhält der Auftraggeber/Nutzer die der Preisermittlung zugrunde liegenden Stundensätze für Planer für die Umplanung sowie für das ausführende Handwerk und die Produktlieferung. Hält anhand der ungefähren Preisermittlung der Käufer an seinem Änderungswunsch fest, kann er für die Änderung per Mausklick die Auswahl bestätigen und eine Machbarkeitsanfrage an Planer und das ausführende Gewerk schicken. Die Machbarkeitsstudie wird dann schnellstmöglich erledigt. Mit der Auslotung der Machbarkeit werden nochmals die Preise nachgesteuert. Mit der Machbarkeitsstudie werden dann aber auch die Terminänderungen ermittelt. Somit erhält der Auftraggeber/Nutzer mit der Bestätigung der Machbarkeit eine Aussage zu den Kosten und Zeitverschiebungen, die sich dann selbstverständlich auch auf die Übergabe der Nutzungseinheit auswirken.

Ist er weiterhin mit den Aussagen zur Machbarkeit einverstanden, insbesondere zu den Termin- und Kostenaussagen, kann er den Auftrag daraufhin mit einem nochmaligen Bestätigungsverfahren annehmen, wodurch dann Planer und ausführendes Gewerk ebenfalls den Startschuss erhalten.

Vertraglich sind die Verbindlichkeiten dann bereits mit eingepflegt.

Aufgrund dieses Verfahrens in dem use-case-Änderungsmanagement ist dann für alle am Projekt Beteiligten transparent, wer wann welche Änderungen gewünscht hat, sodass dieses Änderungsmanagement auch im Rahmen der Vertragsabwicklung und dem weiteren Bauablauf eindeutig eingeplant werden kann, bis hin zur Ab- bzw. Übernahme einer Nutzungseinheit.

Ist das Änderungsmanagement in diesem use case so erfasst, so ist auch die Frage des Nachtragsmanagements geklärt. Denn für alle Beteiligten ist nunmehr eindeutig belegt, welche terminlichen Kostenauswirkungen der Änderungswunsch hat. Das Handwerk kann sich hier sicher sein, seine Mehrkostenanzeige und Bauzeitverlängerungsansprüche angemeldet zu haben. Die Auswahl- und Angebotsmöglichkeiten sind mit Autorisationsschlüsseln versehen, sodass die rechtsgeschäftliche Bindung der Erklärungen sichergestellt ist. Der Investor kann so auch sicherstellen, dass die Kosten für bestimmte Wünsche vom Nutzer zu tragen sind und der Planer kann sich ebenfalls darüber sicher sein, dass bspw. Umplanungen nach Stundensatz vergütet werden. Die ausführenden Firmen haben verbindlich Angebot gelegt und beauftragt bekommen. Insofern hat sich auch das Nachtragsmanagement erledigt. Somit trägt das Tool wesentlich zu einem Abbau des typischen, zeit- und kostenintensiven Claim- bzw. Anticlaimmanagements bei.

5.12 Nachhaltigkeit und BIM

Die Nachhaltigkeit spielt eine sehr wichtige Rolle bei Bauprojekten. Der Klimawandel kommt auf uns zu und lässt sich jedes Jahr in „The Global Risks Report" nachvollziehen. Dabei werden die Ursachen nach Kategorien aufgelistet und bewertet. Deutlich zu erkennen ist, dass die Gebäude eine immer wichtigere Rolle bei der ESG spielen.

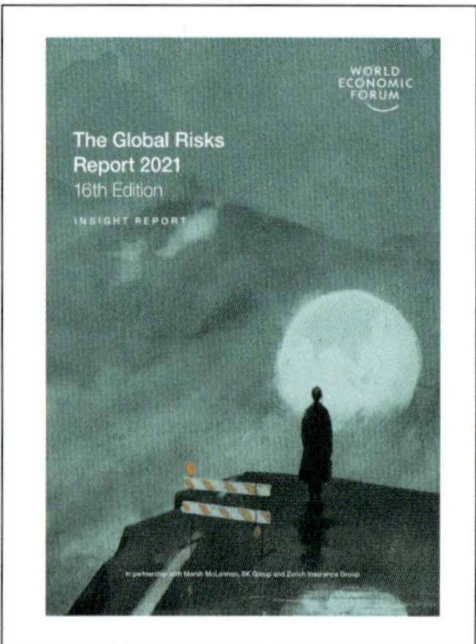

Abbildung 71: The Global Risks Report 2021

Ein Klimarisiko ist ein Investmentrisiko. Die Taxonomie ist eine Zusammenfassung aus den Bereichen der Finanzbranche und der EU.

In der Taxonomie werden sechs Module aufgestellt: Klimawandel Entschärfung (climate change mitigation), Klimawandel Anpassung (climate change adaptation), Wasser (sustainability and protection of water and marine resources), Kreislaufwirtschaft (transition to a circular economy), Verschmutzung Luft-Wasser-Erde (pollution prevention and control) und Schutz und Wiederherstellung von Biodiversität und Ökosystemen (protection and restoration of biodiversity and ecosystems).

Für eine Nachhaltigkeitsbewertung nach DIN EN 15978:2012-10 sollten umweltbezogene, soziale und ökonomische Indikatoren berücksichtigt werden.

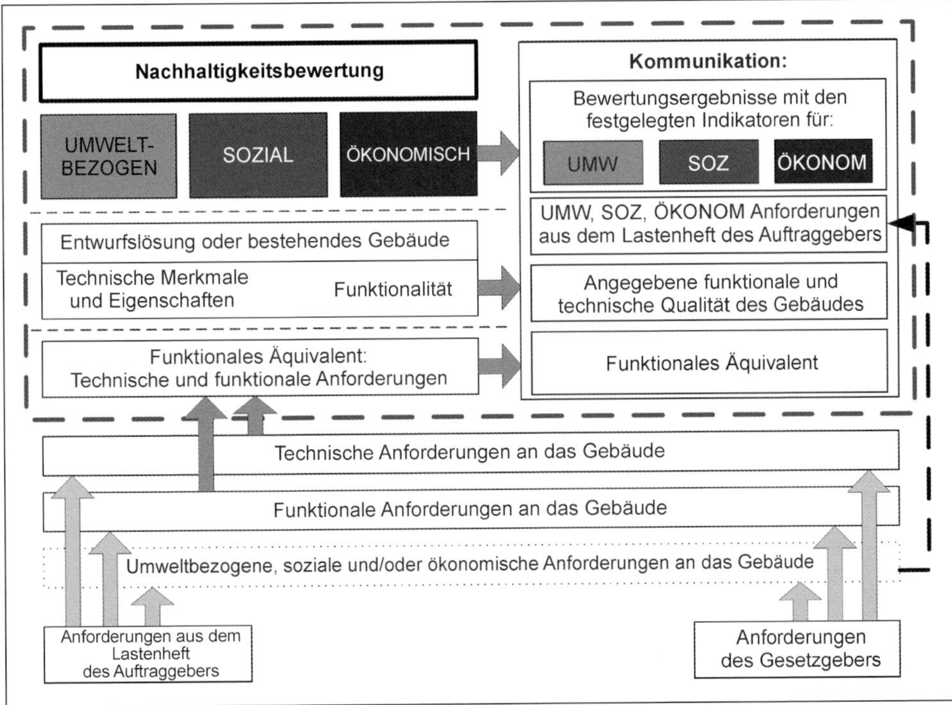

Abbildung 72: Konzeption der Bewertung der Nachhaltigkeit von Gebäuden nach DIN EN 15978:2012-10

Eine der Indikatoren zur Umsetzung in der Baubranche ist der Treibhauspotenzial-GWP, also quasi die CO_2-Emissionen. Diese sind derzeit für die Berechnungen praktisch anwendbar. Die Berechnungen der Indikatoren sind unterschiedlichen Phasen zugeordnet. Diese Lebenszyklusphasen eines Gebäudes sind in DIN EN 15978 dargestellt.

Für eine Berechnung stehen unterschiedliche Datensätze zur Verfügung. Als Grundlage für die Berechnung sollte man sich jedoch nur für einen Datensatz entscheiden.

Die Basismengen und Materialien der Bauteile in einem BIM-Modell gelten als Grundlage der modellbasierten Berechnung der Ökobilanzierung.

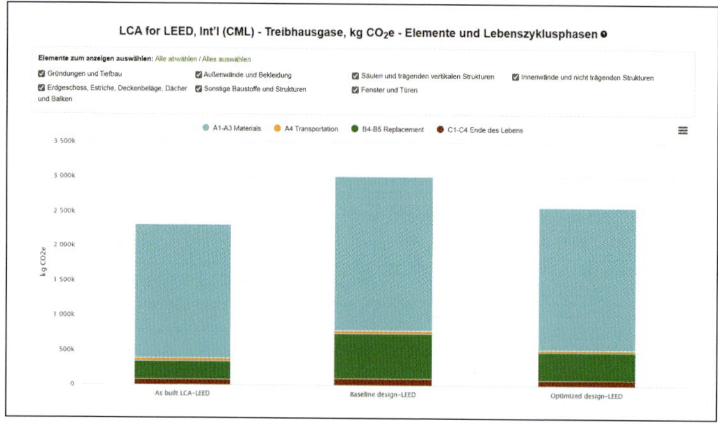

Abbildung 73: Ökobilanzierungsanalyse – Treibhausgase CO_2

Die Ergebnisse der Berechnungen werden in unterschiedlichen Kategorien zusammengestellt und stehen sofort zur Verfügung. Dabei sind auch die Bauteile identifizierbar, die mit einem erhöhten Ausstoß an CO_2-Emission verbunden sind.

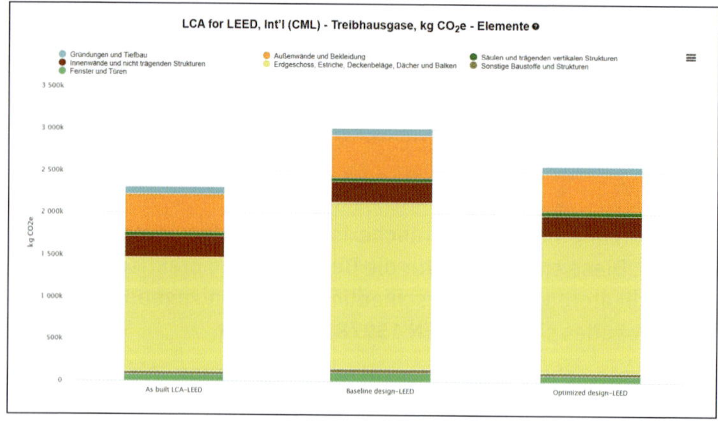

Abbildung 74: Treibhausgase CO_2 nach Phasen

Die Ergebnisse werden gem. Zertifizierungsanforderungen aufbereitet und können so als Grundlage dienen. Um die Ergebnisse zu optimieren, ist es von Vorteil, einen professionellen Berater zu kontaktieren, um anschließend die „richtigen" Entscheidungen zu treffen bzw. die Ökobilanzierung im Projekt korrekt zu optimieren.

Es gibt weitere Möglichkeiten, die Nachhaltigkeit in der BIM-Welt korrekt umzusetzen. Diese Neuigkeiten sind im nächsten Autorenbeitrag vorgestellt.

Autorenbeitrag

Mirbek Bekboliev

Jeffrey W. Ouellette

Die Umsetzung der Nachhaltigkeit durch Anwendung der openBIM®-Standards von buildingSMART International

Kurzfassung

Building Information Modeling (BIM) in Verbindung mit dem Konzept der Nachhaltigkeit verändert die Design-Philosophie unserer gebauten Umwelt positiv. Die direkten Auswirkungen der Nachhaltigkeit auf soziale, wirtschaftliche und ökologische Aspekte unseres Lebens könnten durch eine umfassende BIM-Implementierung in allen Phasen der Projektabwicklung – Konzeptplanung, Detailplanung, Vergabe und Bauausführung – über den gesamten Lebenszyklus eines Gebäudes effektiver umgesetzt werden. Je früher BIM-Workflows und -Daten genutzt werden können, desto wirkungsvoller. Ein großes Problem ist jedoch, dass diese Nachhaltigkeitsaspekte oft erst in späten Phasen der Planung und Beschaffung berücksichtigt werden. Die Einbindung der openBIM®-Standards und -Methoden von buildingSMART International (bSI) wie [IFC[13]], [bSDD[14]] und [IDM[15]] zusammen mit der IoT-Technologie in neuen und/oder sanierten Gebäuden könnte die Arbeit von Fachleuten erleichtern, die sowohl prädiktive als auch Echtzeit-Informationen und Messungen für eine optimierte Gebäudenutzung liefern.

Herausforderung

Nach Angaben des Umweltprogramms der Vereinten Nationen (UNEP)[16] ist die städtische Umgebung für 75 % der weltweiten CO_2-Emissionen verantwortlich, davon sind Gebäude die größten Verursacher. Gleichzeitig stellte die Internationale Energieagentur (IEA)[17] fest, dass allein der Gebäude- und Bausektor bereits für 39 % dieser CO_2-Emissionen verantwortlich ist. Daher gewinnt die Gesamtenergieeffizienz von Gebäuden immer mehr an Bedeutung und spielt eine wichtige Rolle in der gebauten Umwelt. Das UNDP hat 2015 die 17 Ziele für nachhaltige Entwicklung (Sustainable Development Goals, SDGs) festgelegt, die integrierte Lösungsziele zur Verbesserung vieler sozialer, wirtschaftlicher und ökologischer Faktoren vorgeben, um bis 2030 eine globale Nachhaltigkeitsbilanz zu erreichen. Die SDGs 6, 7, 9 und 11 beziehen sich auf die Bauindustrie, wo zahlreiche Verbesserungen in der Technologie über Lieferketten, Projektabwicklungssysteme, das Management von gebauten Anlagen, die Energieerzeugung und ein effizienterer Ressourcenverbrauch festgelegt sind. Die Gebäudeenergiemodellierung (BEM),

---

13 Industry Foundation Classes (DIN EN ISO 16739:2017-04)

14 buildingSMART Data Dictionary

15 Information Delivery Manual (DIN EN ISO 29481-1/-2)

16 Cities and climate change. (n.d.). UNEP – UN Environment Programme, URL: https://www.unep.org/explore-topics/resource-efficiency/what-we-do/cities/cities-and-climate-change (Stand 12.03.2021)

17 IEA (2019), Global Status Report for Buildings and Construction 2019, IEA, Paris, URL: https://www.iea.org/reports/global-status-report-for-buildings-and-construction-2019

auch bekannt als Gebäudeenergiesimulation (BEPS), ist eine solche Methode, bei der die umfassende Digitalisierung von Gebäudedaten über BIM und die Nutzung fortschrittlicher Computerressourcen Möglichkeiten zur Vorhersage des Energieverbrauchs eines Entwurfs, zur Überwachung der Leistung in Echtzeit und zur weiteren Optimierung oder Anpassung der formalen Zusammensetzung, der Systeme und Materialien bietet, sodass Hochleistungsziele erreicht werden können.

Auf der Grundlage einer Reihe von Computersimulationen (z. B. Wärmeübertragung, Fluiddynamik, natürliche und künstliche Beleuchtung) und fortschrittlicher IoT-Überwachung und -Steuerung (z. B. digitale Beleuchtungs- und HLK-Managementsysteme) können die Beteiligten eines Bauprojekts (z. B. Designer, Eigentümer, Bauherren, Gebäudebetreiber/-manager, Energiedienstleister) nun die nachfolgenden Entscheidungen besser steuern, um die Leistungsziele in allen Phasen der Planung, Beschaffung, Montage und des Betriebs zu erreichen. Darüber hinaus kann eine breitere Digitalisierung von Informationen, wie z. B. grauer Energie, CO_2-Kosten und Energieversorgungsraten sowie Wetter- und Klimadaten, genutzt werden, um Lebenszykluskostenanalysen (LCA) durchzuführen, die mehrere Aspekte von Design und Betrieb zur Optimierung im Hinblick auf die Erreichung von Nachhaltigkeitszielen vorhersagen und berichten. Diese Technologien und die Vielfalt an relevanten Informationen sind in den letzten 40 Jahren gewachsen und gereift und haben schließlich zum aktuellen Stand der Technik von BIM und BEM geführt. Trotzdem erreicht dieser Stand der Technik noch nicht sein volles Potenzial, um die SDGs zu erreichen. Das liegt vor allem an der mangelnden Interoperabilität der Daten, damit wichtige Informationen über eine breite Palette von Anwendungen und Software-Tools hinweg genutzt werden können.

Auf diese Herausforderung der Dateninteroperabilität sowie optimaler, standardisierter Prozesse für die Erstellung und Nutzung von Projektlebenszyklusinformationen hat bSI in den letzten 25 Jahren konzentriert. Dazu gehören die Entwicklung eines umfassenden semantischen Datenschemas (IFC) und der Prozess der Entwicklung des Datenaustauschs durch die weltweite Einbindung von Stakeholdern aus der Industrie, Diskussionen und Bemühungen zur Standardisierung von Geschäftsprozessen, Workflows, Informationsnutzungsfällen und anschließenden Datenaustauschanforderungen über IDM. Diese beiden gleichermaßen wichtigen Aspekte der Informationstechnologie – Produkt und Prozess – können auf die vielen Fachbereiche (z. B. Architekten, Ingenieure, Bauunternehmer, Produkthersteller/-lieferanten, Nachhaltigkeitsberater, Regulierungsbehörden usw.) angewendet werden, um die von den SDGs des UNDP geforderte Optimierung der Gebäudeleistung zu erreichen.

Um einen globalen Konsens in Bezug auf die Interoperabilität von BIM-BEM-Daten zu schaffen, einschließlich optimaler Prozesse und Anforderungen an den Datenaustausch, hat buildingSMART International (bSI) ein internationales Projekt gestartet – „Information Delivery Manual Development for Building Energy Modelling“ –, das darauf abzielt, dieses Thema in den Fokus der Öffentlichkeit zu bringen und Lösungen für die Interessengruppen bereitzustellen, die die SDGs der UNDP sowie lokale, regionale, nationale und/oder internationale Anforderungen erfüllen müssen. Das Projekt ist eine Roadmap der BIM-BEM-Prozesse und des Austauschs, um die weitere detaillierte Entwicklung spezifischer Arbeitsabläufe und des Datenaustauschs entlang des gesamten Lebenszyklus eines Gebäudes anzuleiten.

openBIM-basierte Nachhaltigkeitsprinzipien

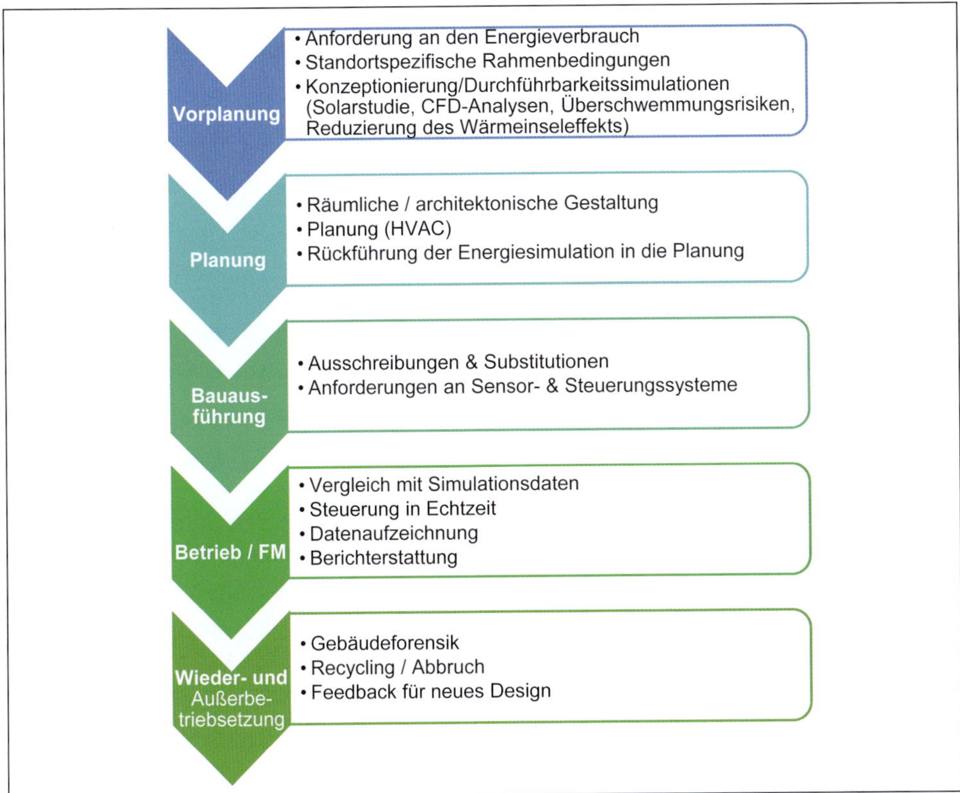

Abbildung 75: Allgemeine Projektphasen und BEM-Möglichkeiten

Das ursprüngliche bSI-Projekt, das in einem gleichnamigen Bericht gipfelte, umreißt mehrere Prinzipien und Ziele im Hinblick auf die Interoperabilität von BIM-BEM-Daten und harmonisierte Arbeitsabläufe. Diese beinhalten:

- Das Projekt, das unabhängig von Technologien und Projekttyp ist, wird am besten durch ein integriertes Projektlieferungsmodell (IPD) unterstützt, bei dem alle Beteiligten während des gesamten Prozesses zusammenarbeiten und Informationen, Risiken und
- Belohnungen teilen, um die beste Lösung mit einem geringeren Datenaufwand (Erstellung, Bearbeitung, Validierung, Austausch, Verwendung, Speicherung, Abruf usw.) über alle Bereiche hinweg zu liefern.
- Die verschiedenen Arten von Informationen, Daten und Werkzeugen werden für unterschiedliche Arten von Simulationen und Analysen über den gesamten Lebenszyklus eines Projekts benötigt, von der anfänglichen Planung bis hin zur Außerbetriebnahme (z. B. Tageslicht, Energiebedarf, Wärmeinseleffekt in städtischen Kontexten, Sonnenstudie/Beschattung, Innen- und Außenluftstrom usw.).

- Die Nachhaltigkeitsbewertung ist am effektivsten, wenn sie in frühen Planungs- und Entwurfsphasen beginnt und dann in den Phasen Vergabe, Ausführung, Inbetriebnahme und Betrieb angewendet wird. Auch das Massenmodell (Building Form) könnte wichtige Hinweise auf den zukünftigen Energieverbrauch liefern.

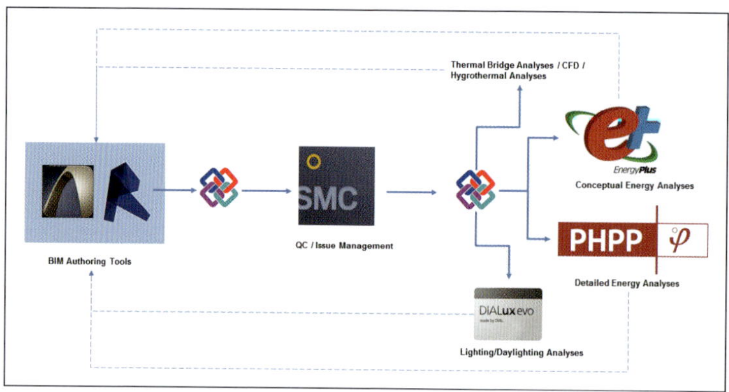

Abbildung 76: Beispiel für einen BIM-BEM-Workflow und Datenaustausch zwischen mehreren Softwareanwendungen

- Während IFC die grundlegende bSI-Standardtechnologie für den Datenaustausch ist, gibt es möglicherweise andere offene Standards für Anwendungen in bestimmten Kontexten, die in Betracht gezogen werden sollten (z. B. gbXML, EPW usw.).
- Es gibt viele verschiedene weltweit angewandte Nachhaltigkeitsstandards, -protokolle und -zertifizierungen (z. B. DGNB, Passivhaus, GBCI LEED, BREEAM, Minergie, Green-Globes, IEA 60 usw.). Der Datenaustausch muss flexibel genug sein, um die jeweiligen Anforderungen zu erfüllen.

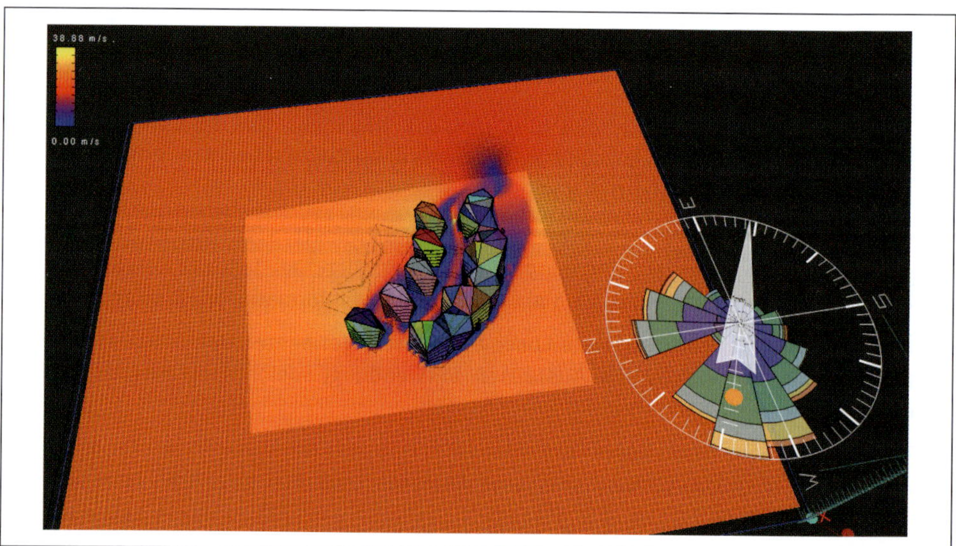

Abbildung 77: CFD (Computational Fluid Dynamics) Analyse des Sommerwindes basierend auf dem Massenmodell

- Es gibt zahlreiche Methoden, Algorithmen und Software-Plattformen für viele verschiedene BEM-Simulationen und -Analysen. Diese können sich in Bezug auf den Detaillierungsgrad der Geometrie und der Informationen sowie die Art der Analysen stark unterscheiden und sind möglicherweise darauf beschränkt, in welchen Phasen sie angewendet werden können. Einige können mit BIM-Tools und -Plattformen integriert sein. Der Datenaustausch von einer BIM-Plattform zu einer BEM-Plattform (und möglicherweise umgekehrt) muss jedoch agnostisch sein, damit jedes Werkzeug auf beiden Seiten die Daten erfolgreich verarbeiten kann.

Letztendlich erfordert die Realisierung von Projekten mit höherer Leistung – mit hocheffizientem Energieverbrauch, geringen CO_2-Kosten, niedrigen Produktausfallraten, geringeren Wartungskosten und erhöhter Widerstandsfähigkeit – eine umfassende, qualitativ hochwertige Technologieimplementierung, besseren Informationsaustausch und -nutzung sowie stärker integrierte Arbeitsabläufe bei der Projektabwicklung und beim Betrieb. Durch die vollständige Implementierung der bSI openBIM-Technologiestandards und -Methoden haben alle Projektbeteiligten die Möglichkeit, die Ergebnisse für sich selbst, die Öffentlichkeit und die Umwelt zu verbessern, um die UNEP-Ziele einer nachhaltigen wirtschaftlichen, ökologischen und sozialen Entwicklung der gebauten Umwelt zu erreichen.

§ **Recht:**

BIM und Nachhaltigkeit ist eine wesentliche Verquickung, um den Klimawandel realisieren zu können. Wichtige Voraussetzungen sind hierfür jedoch nicht vollständig erfüllt bzw. noch nicht ausreichend im Fokus der Beteiligten manifestiert.

Im Jahr 2021 wurde bereits die Offenlegungsverordnung und infolge wird noch die Taxonomie-Verordnung erlassen, nach der diverse Nachhaltigkeitsdaten über verbaute Bauprodukte und Systeme, insbesondere für institutionelle Anwender und öffentliche Auftraggeber offengelegt werden müssen. Künftig wird also die Baufinanzierung an der Frage der Datenmodelle hängen. Hier müssen sich Hersteller und Vorhabenträger darauf einrichten, die notwendigen Daten bereitzuhalten und zu beschaffen.

Die gesamte Lebenszykluskostenanalyse (LCA) ist ein breites Feld und bisher in den typischen Planerverträgen nicht verankert. Die typischen Planerverträge beziehen sich alle auf die Abnahme und damit auf eine mangelfreie und möglichst wirtschaftliche Errichtung eines Gebäudes. Die tatsächlichen Kosten des Betriebs mit Optimierungsvorschlägen findet weniger Eingang in die typischen Planerverträge. Insbesondere eine durchgehende Kosten-/Nutzenanalyse ist in der Regel eine besondere Leistung nach Anlage 10 zu § 34 HOAI oder Anlage 15 zu § 54 HOAI. Diese besondere Leistung wird nur selten beauftragt. Darüber fühlen sich auch Planer mit der Leistung nicht recht komfortabel; dies mag auch daran liegen, dass sie stets eine produktspezifische Betrachtung voraussetzt. Die herkömmlichen Vergabesysteme sind aber auf produktneutrale Ausschreibung ausgerichtet, was die typischen Nachtragsrisiken provoziert und eine Lebenskostenanalyse im Detail, zumindest vor Vergabe an die jeweils ausführenden Unternehmen, problematisch macht. Wird die Lebenskostenanalyse jedoch erst nach Zuschlag an die bauausführenden Unternehmen und bei Festlegung der Produkte erstellt, so führt dies automatisch zu Bauzeitverzögerungen und meist kostenintensiveren Nachträgen. Daher bedarf es einer umfänglichen Umstrukturierung der Beschaffungsstruktur, für die es schon vielversprechende Ansätze gibt.

Begleitend dazu ist es auch erforderlich, dass die Dateninfrastrukturen und Datenbereitstellungen der Hersteller derart strukturiert sind, dass die Aktualität der Produktdaten und auch die jeweiligen Attribuierungen tatsächlich vorhanden sind. Ein wichtiger Schritt hierfür ist selbstverständlich die Standardisierung, die durch Building-Smart hervorgerufen wird. Derzeit noch weitestgehend unbeachtet ist die rechtliche Fragestellung dazu geblieben, welche Leistungsversprechen tatsächlich mit Lebenszykluskostenanalysen verbunden sind. So ist bspw. denkbar, ausgehend vom werkvertraglichen funktionalen Mangelbegriff, dass durchaus bestimmte Gebäudeperformance als echte Leistungspflichten für die am Bau Beteiligten konstruiert werden. Interessant wird z. B. auch werden, wenn eine bestimmte Zertifizierung für eine Gebäudeperformance, sei sie nun energetischer oder sonst wirtschaftlicher Art, zum Gegenstand einer Zertifizierung bzw. Rezertifizierung gemacht würde. Würde nun ein Bauherr als Leistungserfolg definieren, dass auch nach fünf Jahren Gebäudebetrieb die Rezertifizierung in diesen Leistungskategorien zu erreichen wären, so würde sich die Gewährleistung auf diesen Zeitraum erstrecken. Es bleibt daher abzuwarten, inwieweit sich hier die rechtlichen Konstrukte positionieren. Dagegen völlig unstreitig dürfte sein, dass zur Realisierung des Klimawandels die Nachhaltigkeit auch in der Gebäudekonstruktion und im Gebäudebetrieb stark nach vorne gegeben werden muss.

5.13 BIM in der Photovoltaik-Planung

Vertiefend zum Thema der Nachhaltigkeit können Photovoltaik-Anlagen ebenfalls von BIM profitieren. Sämtliche Berechnungen und Planungen können am einfachsten über das Modell erfolgen und schnelle Ergebnisse zeitigen. Die maximale Effizienz wird bestimmt durch die Anzahl der Module sowie die beste Verortung am Gebäude – mithilfe der Kubatur des Modells können die Möglichkeiten schneller durchgespielt und berechnet werden.

Autorenbeitrag

Antonietta Russo

BIM – Planung von PV-Anlagen: Fallstudie

Solarius PV ist eine von ACCA entwickelte Software für die Planung und wirtschaftliche Simulation von Photovoltaikanlagen jeder Art und Größe mit dem Vorteil der 3D-Modellierung. Solarius PV schätzt die Solarproduktion ausgehend von offiziellen Datenbanken für die Solarstrahlung (Meteonorm-PVGIS) und berücksichtigt die Verschattung von nahen und fernen Hindernissen (Geländeerhöhungen, Gebäude, Bäume usw.) durch einfache fotografische Aufnahme. Bei der Planung der Photovoltaikanlage wird die BIM-Methodik verwendet, die grundlegend für die Koordination aller Team-Beteiligten ist.

Dank dieser Methodik werden alle Dokumente an einem „Ort" aufbewahrt sowie Änderungen in Echtzeit erfasst und kontrolliert. Das Grundprinzip besteht darin, dass die erhaltenen Modelle für Berechnungen, Simulationen, Analysen und Berichte verwendet werden können, wodurch die Überprüfung und laufende Optimierung garantiert werden.

Analysieren wir nun das Projekt unseres eigenen Firmengebäudes, ein Baukörper in Libellenform mit einer Grundfläche von ca. 8.000 m². Für die Planung der Photovoltaikanlage wurde das digitale Modell des Gebäudes im IFC-Format importiert, um die einzelnen Module zu dimensionieren. Mittels automatischer Erkennung der Flächen aus der IFC-Datei konnten die Bereiche identifiziert werden, auf denen die Photovoltaik-Module installiert werden sollten.

Abbildung 78: Planung der Photovoltaikanlage mittels „Assisted Design"

Dank eines speziellen Wizard war es möglich, die Module einfach zu entwerfen und die Anzahl dieser und der Wechselrichter so zu kombinieren und konfigurieren, dass das Auslegungskriterium, d. h. die maximale Effizienz der Anlage (erzeugte Energie und/oder Anlagenleistung), optimiert wurde. In unserem Fall haben wir die Fläche sowohl auf dem Dach als auch auf dem gesamten Parkplatz genutzt.

Alle für unser Projekt erforderlichen Elemente (Module, Wechselrichter, Zählerschrank und Speichersysteme) wurden dynamisch dimensioniert und miteinander verbunden, sodass z. B. bei der Auswahl eines Wechselrichters der mit ihm verbundene Anlagenteil angezeigt und damit eine einfachere visuelle Überprüfung der durchgeführten Auslegung erzielt wurde. Wenn keine IFC-Datei vorhanden ist, können die den Photovoltaikmodulen zuzuordnenden Oberflächen mit spezifischen BIM-Entitäten modelliert werden, und der Techniker kann diese frei zeichnen oder den Import von DXF-, DWG- oder RASTER-Dateien (images-pdf) nutzen, mit denen das Zeichnen der Photovoltaikoberflächen mittels Wizard beschleunigt werden kann.

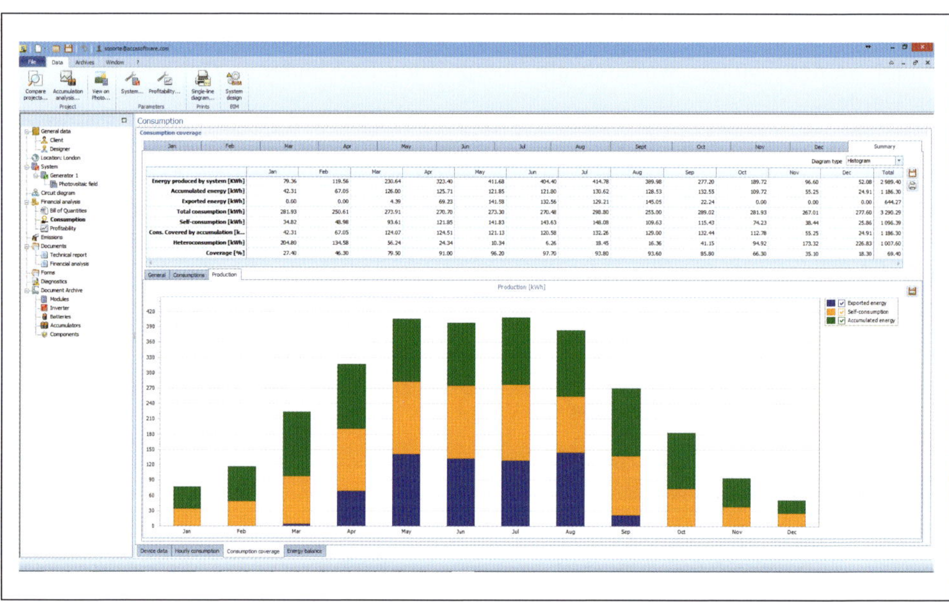

Abbildung 79: Grafische Darstellung von Energieerzeugung und -verbrauch

Die grafischen Projektunterlagen – alle Grundrisse, Schnitte, Ansichten und 3D-Ansichten, die mit den Funktionen des BIM-Tools erstellt wurden – sowie die technischen und wirtschaftlichen Berichte werden automatisch nach jeder Änderung am BIM-Modell aktualisiert. Das vollständige Modell der Photovoltaikanlage wurde in das IFC-Format exportiert, um den Produktionsfluss des digitalen Modells entsprechend dem BIM-Prozess fortzusetzen. Dank usBIM und der Open-BIM-Technologie kann das BIM-Modell auch ohne eine BIM-Authoring-Software verwaltet werden. Somit werden Instandhaltung und Wartung unserer Anlage Teil des BIM-Prozesses.

§ **Recht:**

Je genauer die Simulation/Berechnung, umso stärker wächst die Erwartungshaltung von Besteller und Nutzer, dass diese sich tatsächlich in der Nutzung realisiert, So ist darauf zu achten, ob die Simulation/Berechnung zur Beschaffenheitsvereinbarung der zu planenden und/oder auszuführenden Anlage wird, bei deren Nichterreichen ein Mangel vorliegt. Versprechungen zu Ertragswerten können schnell zu einer umfänglichen Einstandspflicht führen und Schadensersatzpflichten auslösen.

Will das anbietende Unternehmen dieser Gewährleistungspflicht entgehen, so ist eine genauere Belehrung des Bestellers und/oder Nutzers zur Verbindlichkeit der Simulation/Berechnung vorzunehmen.

5.14 Lean Construction Management

Sobald die Ausführung auf der Baustelle beginnt, steigert sich der Druck zur Koordinierung der unterschiedlichen Gewerke. Einige Gewerke bzw. deren Leistungen werden früher beauftragt, andere später. Die Terminplanung regelt den zeitlichen Ablauf über die gesamte Bauphase des Projekts.

Die Koordination der Gewerke auf der Baustelle sollte genauestens durchdacht und getaktet durchgeführt werden. Hierbei gilt die Terminplanung als Grundlage zur Erreichung der Meilensteine.

Die Leistungen der ausführenden Firmen werden täglich genau festgelegt. Sollten Gleichbereiche zuvor geplant worden sein, werden diese meist priorisiert betrachtet.

Ziel des Ganzen ist die Förderung der Kollaboration im Team und die Gewährleistung eines reibungslosen Ablaufs vor Ort.

Für das beste Ergebnis wird am Morgen eines jeden Tages der Baustellenfortschritt als Soll durchgesprochen und geprüft. Wenn Leistungen nicht erbracht wurden, können anhand der detaillierten LCM-Planung Konsequenz-Analysen aufgestellt werden und terminliche Auswirkungen oder Kollisionen mit anderen Firmen vor Ort erörtern werden.

Bei Verknüpfung mit dem BIM-Modell können die Leistungen direkt im Modell verortet und mit den Bauteilen verknüpft werden. Auch die Termine können mit dem BIM-Modell verlinkt werden. Dadurch können unterschiedliche Übersichten aus dem Modell generiert werden. In diesem Fall sind die Termine und Leistungen miteinander verknüpft.

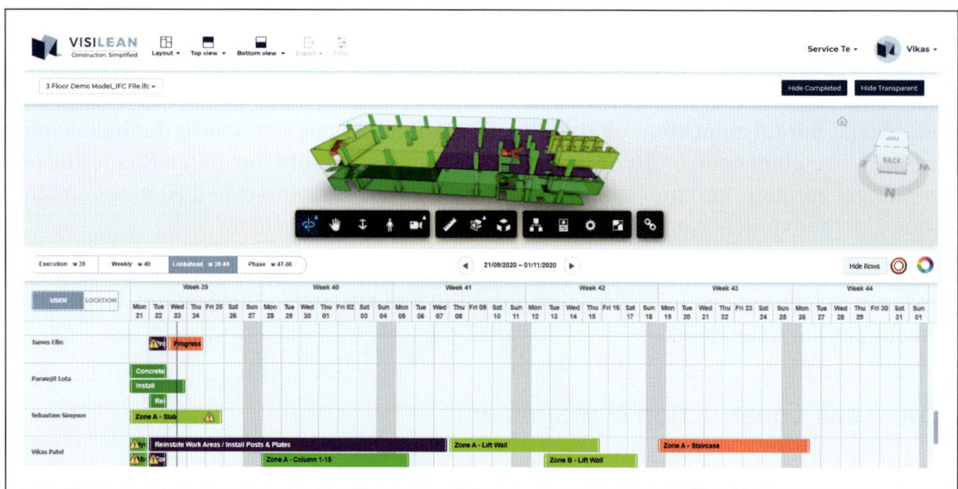

Abbildung 80: Modellbasiertes Lean Construction Management

Ein 4D-Modell kann demnach ebenfalls erzeugt werden. Das 4D-Modell bezieht sich auf die einzelnen Leistungen, die erbracht und geprüft wurden.

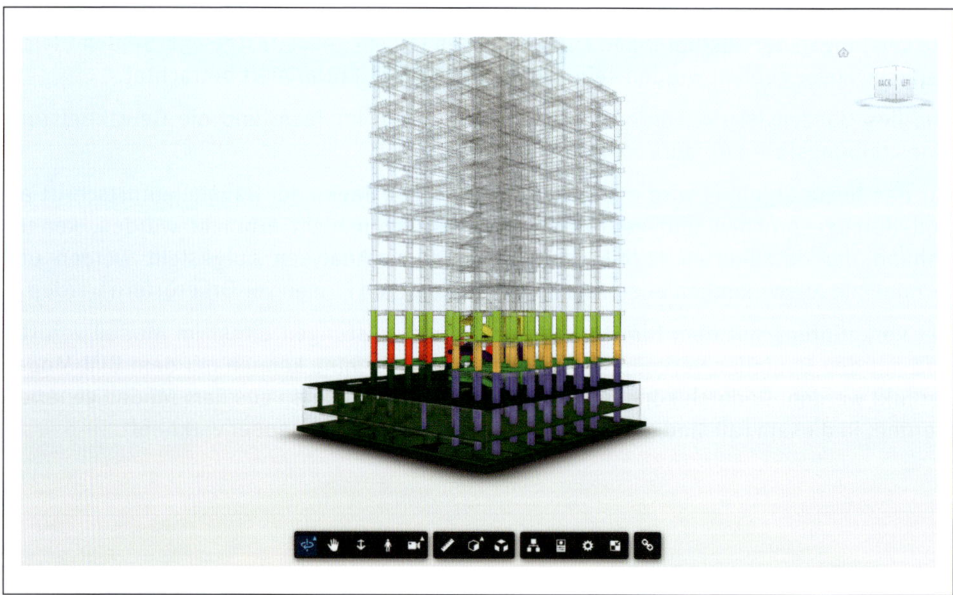

Abbildung 81: Verknüpfung LCM und BIM 4D

Autorenbeitrag

Jakob von Heyl

Dirk Holzmann

Jedes Projekt sollte zu Beginn sorgfältig strukturiert werden. Das trifft in besonderen Maßen auf BIM- und Lean-Construction-Management(LCM)-Projekte zu. In beiden Fällen ist eine objektorientierte Struktur anzustreben, d. h., ein fertigzustellendes Objekt, z. B. ein Gebäude, ist systematisch in kleinere Einheiten, wie Bauabschnitte, Funktionsräume oder Taktbereiche, zu gliedern. Auf Basis dieser Grundstruktur können weitere Detaillierungen erfolgen, z. B. die Modellierung von Modellobjekten und -daten oder die Definition von zeitlichen Abfolgen wie Prozesse und Arbeitsschritte. Auf dieser Basis können die Modellobjekte und Prozesse systematisch miteinander verknüpft werden, z. B. um über die Modellobjektmengen und in der Datenbank hinterlegte Aufwands- und Leistungswerte die erforderlichen Ressourcen (Personal und Equipment) bzw. Prozessdauern zu ermitteln. Geschieht das konsequent, können Detailinformationen durch Zonenobjekte oder Sammler jederzeit zusammengefasst und aggregiert dargestellt werden.

Digitale Datensätze mit klaren Strukturen und ein einfacher Wechsel zwischen verschiedenen Detaillierungsgraden ist ein wesentlicher Erfolgsfaktor der kollaborativen Planung und Abwicklung von Bauprojekten mit Lean Construction Management (LCM). Ein interdisziplinäres Projektteam analysiert auf Basis der definierten Baustruktur den Gesamtprozess, bestimmt wesentliche Meilensteine, durchdenkt Varianten und sorgt für eine passende Planung und Nivellierung der Ressourcen. Das Ergebnis ist ein von allen Beteiligten verstandener und akzeptierter Produktionsterminplan. Dieser Prozess wird mit webbasierten Termin- und Prozessmanagementplattformen, wie LCM Digital, ideal unterstützt, da diese eine digitale Zusammenarbeit in Echtzeit, die automatische Protokollierung von Veränderungen und eine einfache und zentrale Verwaltung der Termindaten ermöglichen.

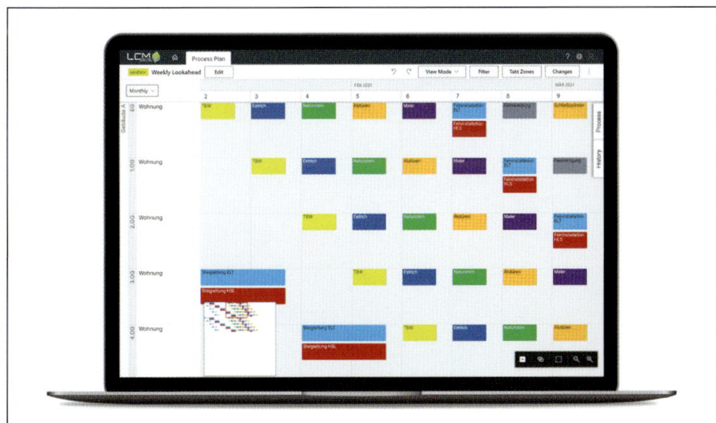

Abbildung 82: Kollaborative Termin- & Prozessplanung in Echtzeit mit LCM Digital Share & Plan

Ein wesentlicher Aspekt des Lean Managements ist die Fokussierung auf den Ort der Wertschöpfung. Dieser Ort wird oft mit dem japanischen Begriff „Gemba" bezeichnet, was so viel bedeutet wie „der eigentliche Ort". Kerngedanke ist, dass die besten, d. h. die effektivsten und effizientesten Optimierungsansätze direkt vor Ort identifiziert und umgesetzt werden können. Hierbei wird der Produktionsterminplan, d. h. die projektübergreifende Termin- und Prozessplanung, rollierend in sog. Wochenvorausschauplanungen an die aktuellen Projektbedingungen angepasst und in Form von tages- und gewerkebezogenen Arbeitspaketen konkretisiert und verbindlich mit allen Beteiligten vereinbart. Unterstützt wird diese durch tägliche Kurzbesprechungen vor Ort (i.d.R. morgendlich mit einer Dauer von 15 min), um eine direkte und effiziente Aussteuerung der Gewerke untereinander zu ermöglichen.

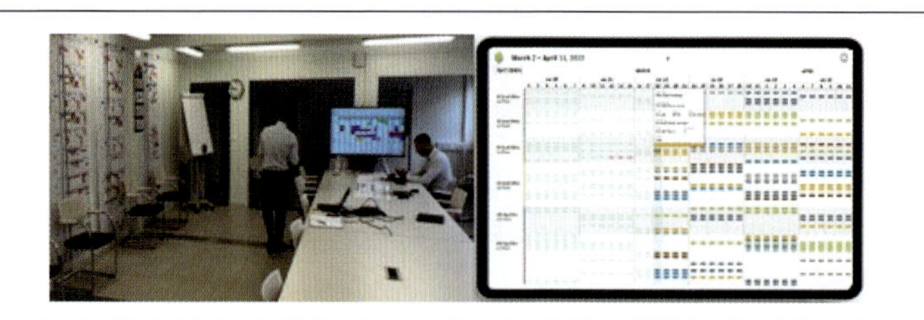

Abbildung 83: Digitale Wochenvorausschauplanung mit LCM Digital Execute

Entsprechende digitale Tools sind die Voraussetzung für die gezielte Verteilung einheitlicher Plan- und Steuerungsinformationen in elektronischer Form sowie einer umsetzungsbegleitenden Kommunikation und Abstimmung der Projektbeteiligten untereinander, z. B. über eine integrierte Chatfunktion oder ein digitales Planungsboard (siehe Abbildung 2). Außerdem kann der aktuelle Stand der Baustelle über Fertigstellungsmeldungen und Freigaben ohne Zeitverlust digital abgebildet werden, z. B. in Form von Soll-Ist-Vergleichen. Durch Zugriff auf diese aktuellen Daten (z. B. mittels eines Dashboards – siehe Abbildung 84) bleiben die Projektbeteiligten stets informiert und können selbstständig ihre Planungen überprüfen und ggf. anpassen, z. B. um Leistungswerte zu analysieren und den Ressourceneinsatz zu optimieren.

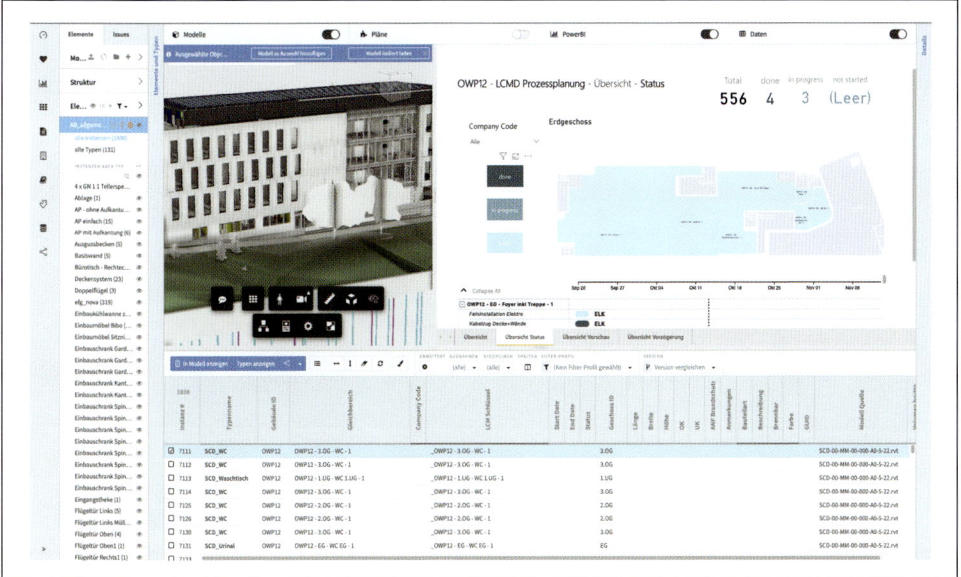

Abbildung 84: Kombination von Prozessdaten (LCM Digital) und BIM-Daten – Dashboard – Auswertung

Die Synergien der LCM- und BIM-Methodik liegen hierbei auf der Hand. Der konsequente Austausch von prozessbezogenen Parametern (z. B. Ressourceninformationen, Aufwands- und Leistungswerten) und objektbezogenen Parametern (z. B. Länge, Breite und Höhe eines Bauteilelements oder weitere Modellattribute) vereinfacht die vorgenannten Schritte enorm.

Spezielle BIM-Lösungen, wie z. B. die Softwarelösung BIG von Kaulquappe, ermöglichen es, automatisch Bauteilelemente den zugehörigen Taktbereichen (prozessbezogene Arbeitsbereiche) zuzuordnen. Ohne größeren Aufwand wird hierdurch eine modellbasierte Vier-bis-sechs-Wochen-Vorschau ermöglicht, d. h., der Status quo, anstehende Aufgaben oder Bereichs- und Gewerkeabhängigkeiten können präzise visualisiert werden, um vorab ein besseres Prozessverständnis zu schaffen.

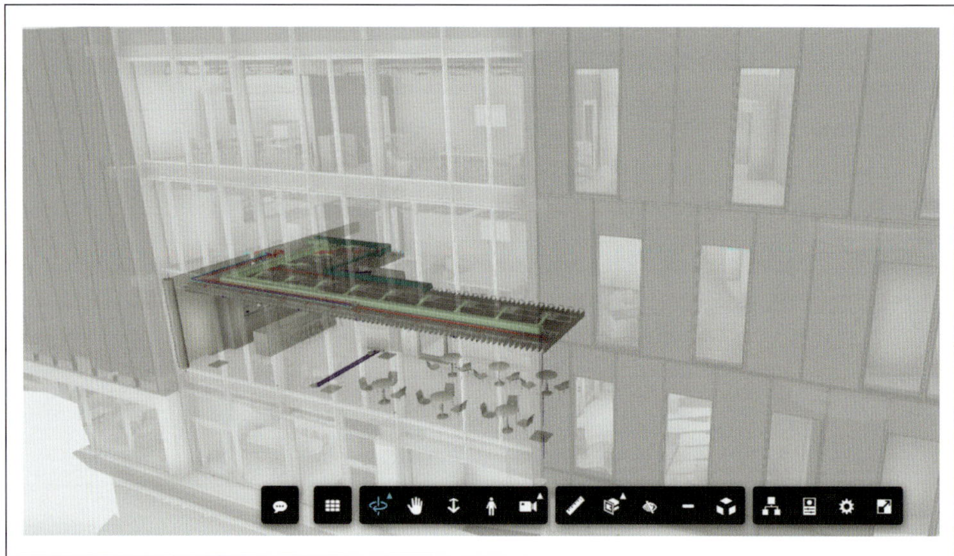

Abbildung 85: Visuelle Zuordnung von Bauteilelementen zu deren Taktbereich

Außerdem können zahlreiche weitere Vorteile erzielt werden, so z. B. der Einsatz von Mixed Reality auf der Baustelle, wobei eine Überblendung des virtuellen Gebäudemodells und die Ist-Situation auf der Baustelle erfolgt. Das heißt, nicht nur die Daten werden gesammelt und können visualisiert werden, sondern auch die Bauteilelemente selbst. Festgestellte Diskrepanzen, lassen sich mit Hilfe von Tools wie Dalux an ein Aufgabenmanagement übergeben und zusätzlich im Modell visualisieren. Fertigstellungsgrade lassen sich z. B. prozentual abbilden, die notwendige Information dafür erhält das Bauteilelement aus Tools wie LCM Digital.

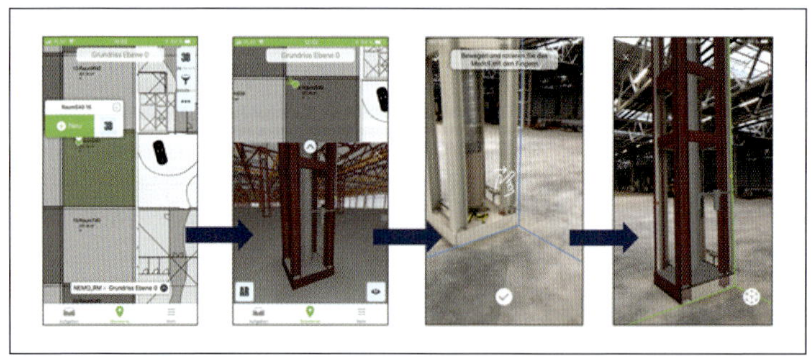

Abbildung 86: Mixed Reality mit Dalux

§ **Recht:**

Aus vielerlei Hinsicht bietet es sich an, BIM und Lean-Management zu verbinden. Auf regelungstechnischer Seite ist dies allein schon darin begründet, dass es sowohl bei BIM als auch beim Lean-Management darum geht, Methoden der Arbeitsweise in Werkverträge einzupflegen. Dies bedingt z. B. besondere Vertragsbedingungen zu definieren, die für alle am Bau Beteiligten verbindlich sind. Für Lean-Management bedeutet dies gleichzeitig auch, dass man Auftraggeber-Lean-Anforderungen mit den Auftraggeber-Informations-Anforderungen verbindet.

Offene Rechtsfragen begleiten die Einführung der Besprechungen und Besprechungsinhalte bei typischen Lean-Sitzungen. So stellt sich vielfach die Frage der Vereinbarung eines Terminplans oder auch, ob bspw. die üblicherweise verwendeten Zettelchen als Textform die verschiedenen Schriftformerfordernisse der VOB/B ergänzen bzw. ersetzen sollen. Die derzeit beste Option ist jedoch im Rahmen der Lean-Management-Sitzungen einvernehmlich zu vereinbaren, wann schriftliche Anordnungen, Behinderungs- und Bedenkenanzeigen auszugeben sind und welche Dokumente für die Lean-Besprechungen notwendig sind. Dies sollten jedoch die Parteien jeweils im Blick behalten, um Rechtsunsicherheiten zu vermeiden.

Schließlich stellt sich noch die Frage der rechtlichen Einordnung eines eventuell hinzugezogenen externen Lean-Managers. Voraussichtlich ist hier die Einstufung als Dienstvertrag, der jederzeit kündbar ist und lediglich nach Aufwand gerechnet wird, eine gute Lösung. Dies liegt auch darin begründet, dass der externe Lean-Manager in der Regel lediglich eine Begleitung des Arbeitsprozesses, nicht aber bspw. die Projektsteuerung selbst und die mangelfreie Errichtung schuldet. Jedoch besteht hier sicherlich noch Diskussionsbedarf innerhalb der Rechtslehre.

5.15 Papierlose Baustelle

Es ist immer wieder faszinierend zu sehen, an welchen Stellen BIM unterstützend genutzt wird und wie viele Anwendungsfälle sich hierüber abwickeln lassen. BIM kann außerdem zu mehr papierlosen Abwicklungen führen! Durch das Modell als solches kann ein räumliches Verständnis für jede Person entstehen.

Die BIM-Methode unterstützt die Bauausführung und begleitet alle Prozesse. Hierbei können die Modelle für die WMP-Koordination, der Um- und Einsatz von Maschinen bis hin zur Prüfung der einzelnen Bauleistungen genutzt werden. Die daraus resultierenden Anwendungsfälle, wie beispielsweise die 3D-Baggersteuerung oder die modellbasierte Prüfung von Schalungs- und Bewehrungsarbeiten, können für die weitere Planungsausführung veranschaulicht werden.

Ein weiterer Vorteil dieser Modelle ist, dass sie leicht in ihrer Handhabung sind und somit für jeden gut nutzbar sind. Das ist ein wichtiger Grund für die Änderung der traditionellen Methodik.

Autorenbeitrag

Stijepan Ljubicic

Die „papierlose“ (modellbasierte) Baustelle bildet das Fundament für die digitale Transformation und die optimale Grundlage für die BIM 5D®-Arbeitsweise der STRABAG. Mit dem „Digitalen Zwilling“ nehmen wir von Anfang an den gesamten Lebenszyklus eines Bauwerks in den Fokus, dabei schlägt „openBIM2Field“ die Brücke zwischen Planung, Ausführung und Betrieb – das trägt zu einer besseren Planungsqualität, ressourcenschonender und nachhaltiger Realisierung sowie einem effizienten Betrieb und Unterhalt bei. Das wiederum wirkt sich positiv auf Qualität, Termin- und Kostensicherheit aus.

Use Cases: Modellbasierte Baustelle (openBIM2Field)

Alle Anwendungsfälle erfordern im Vorfeld der Ausführung eine optimale Koordination, in der das Bauwerk und alle BIM-Anwendungsfälle einmal komplett durchgeplant werden, um die definitiven BIM2Field-Prozesse inkl. Modellanforderungen festzulegen. Sowohl in der Koordination als auch in der Ausführung wird mit offenen Datenformaten (BCF, ICF, LandXML) gearbeitet. Durch die Eliminierung von 2D-Papierplänen und die gemeinsame Datenumgebung (Common Data Environment) mit einer Cloud-Verbindung und mobilen Tablets ist der Datenaustausch schnell, durchgängig und transparent. Der Digitale Zwilling wird somit bei jedem Use Case zum ständigen Begleiter.

- **Modellbasierter Aushub – 3D-Baggersteuerung**

Das 3D-Oberflächenmodell vom Aushub wird in ein Maschinenformat umgewandelt und über die Cloud auf der Baustelle zur Verfügung gestellt. Der Maschinist kann sich das aktuelle Modell am Display herunterladen und modellbasiert ausheben. Durch die GPS-Verbindung kann er sich in Lage und Höhe verorten. Längs- und Querschnitt von der Schaufel sind auf dem Bildschirm ersichtlich, und der Mitarbeitende weiß, wo wie viel auszuheben ist. Komplexe Baugruben können präzise erstellt werden und Personaleinsparungen sind möglich. Die Echtzeit-Rückführung der Daten, kombiniert mit Drohnenaufnahmen, können für Baufortschrittskontrolle, Abrechnung oder das As-built-Modell verwendet werden.

Abbildung 87: KW Schils: 3D-Baggersteuerung

- **Modellbasierte Absteckung – Totalstation (Tachymeter)**

Das Absteckungsmodell wird für die jeweiligen Gewerke, Werkleitungen, Schalung und TGA gemäß Bauablauf erstellt. Das Baustellenteam kann sich das aktuelle Modell am Tablet herunterladen und mit der Totalstation modellbasiert abstecken: Durch Einmessen der Totalstation über das Baufixpunktenetz verorten wir uns in Lage und Höhe und können direkt über das 3D-Modell die notwendigen Punkte und Linien über Laser oder GPS-Stock abstecken. Das komplette Bauwerk kann schnell und präzise durch eine Person abgesteckt werden. Jederzeit können As-built Daten aufgenommen und zurück ins Modell gespielt werden, dies kann für die Baufortschrittskontrolle (Soll-Ist-Vergleich) und die Nachführung des As-built-Modells sowie die Abrechnung verwendet werden. Kombinationen mit weiteren innovativen Vermessungsmethoden sind zudem sehr gut möglich.

Abbildung 88: KW Schils: modellbasierte Absteckung

- **Modellbasierte Schalungsarbeiten**

Anhand des etappierten Rohbaumodells wird das Schalungskonzept geplant und daraufhin gemäß Bauablauf ein 3D-Schalungsmodell erstellt. Die komplette Materialliste für die Bestellung wird per Knopfdruck aus dem Modell exportiert. Auf der Baustelle wird das Schalungsmodell neben der Materialbestellung vor allem für die Arbeitsvorbereitung verwendet. Während der Ausführung steht eine 1:1-Anleitung zur Verfügung. Schnittstellen zu den anderen Gewerken wie z.B. der Bewehrung sind dank der Visualisierung deutlicher, dadurch entstehen weniger Fehler und ein flüssigerer Bauablauf. Weitere Vorteile sind Zeit- und Materialeinsparungen (bestellt wird nur, was nötig ist) sowie geringere Transportkosten.

Abbildung 89: KW Schils: Bauführer und Polier bei modellbasierten Schalungsarbeiten

- **Modellbasierte Bewehrungsarbeiten inklusive Abnahme**

Anhand des etappierten Rohbaumodells wird das 3D-Bewehrungsmodell geplant, jedes Eisen wird gemäß Bauablauf modelliert. Die dazugehörige Stückliste (Eisenliste) wird per Knopfdruck aus dem Modell generiert. Auf der Baustelle wird das Bewehrungsmodell anfangs für die Eisenbestellung und Arbeitsvorbereitung benutzt. Im Feld dient es für die eigentliche Ausführung, neben der Visualisierung können vor allem Infos wie z. B Positionsnummer, Durchmesser oder Abstand abgegriffen werden. Das Abnahmeprotokoll für die Bewehrungsabnahme steht ebenfalls digital über die Cloud zur Verfügung, Bauleitung und Polier*in können via Tablet die Qualitätssicherung vornehmen. Das Dokumenten- und Versionierungsmanagement wird vereinfacht, was verkürzte Freigabewege ermöglicht. Schnittstellen und komplexe Bauteile sind durch die 3D-Visualisierung besser verständlich (u. a. Bewehrungen, Einlageteile).

Abbildung 90: KW Schils: Anhand des Tablets werden die Bewehrungsarbeiten ausgeführt.

Zusammenfassung und Ausblick:

- Digitale Transformation bedeutet Kulturwandel.
- Neues Grundverständnis für die Projektabwicklung mit der BIM-Methode nötig.
- Neue Ausschreibungsmethoden, Zusammenarbeits- und Vertragsformen gefordert.
- Rollende Planung muss verhindert werden (Digitaler Zwilling).
- Effizientes Betriebs- und Unterhaltsmanagement benötigt digitale Datendurchgängigkeit.
- Modellbasierte Baustelle liefert Mehrwert für alle Projektbeteiligten (Bauherrschaft, Planer- und Ingenieurbüros, Unternehmer*innen, Lieferant*innen usw.), und sie bildet die Grundlage für die Zukunft weiterer Technologien wie z. B. Augmented und Virtual Reality (AR/VR), Big Data, IoT, Sensorik, Robotik, 3D-Druck, Artificial Intelligence (AI), Blockchain usw.
- Stärkung der Wettbewerbsfähigkeit der Baubranche.
- Förderung von ausgebildetem Nachwuchs nötig, um Fachkräftemangel vorzubeugen.

Bei aller Technologie darf aber eines nicht vergessen werden: Entscheidend ist, die Menschen mit auf den Weg zu nehmen. Der Faktor Mensch bleibt zentral.

§

Recht:

Mit der „Papierlosen Baustelle“ ist die Frage nach den Formerfordernissen für den baubezogenen Schriftverkehr gestellt. Die VOB/B kennt zahlreiche Schriftformerfordernisse (z. B. Mehrkosten-, Behinderungs-, Bedenken-, Mängelanzeige). Darüber finden sich meist in den Verträgen weitere Schriftformerfordernisse für Anordnungen, (Nachtrags-)Beauftragungen, Abrufe etc. Schriftform erfordert, nach § 126 BGB, dass die Urkunde/das Schriftstück von dem Aussteller eigenhändig durch Namensunterschrift oder mittels notariell beglaubigten Handzeichens unterzeichnet werden muss. In bestimmten Fällen kann die eigenhändige Unterschrift durch eine qualifizierte elektronische Signatur i. S. d. § 126b BGB ersetzt werden. Die häufigsten Kommunikationsformen am Bau sind jedoch E-Mails, welche aber als Textform i. S. d. § 126 BGB anzusehen ist. Auch die Kommunikation über eine CDE oder mittels BCF ist eine Kommunikation in Textform. Dies führt zu schwerwiegenden Rechtsproblemen: Wurde z. B. ein Nachtragauftrag/ eine Anordnung trotz Schriftformerfordernis in Textform getätigt, ist diese möglicherweise unwirksam. Sollen also Mängelrügen o. Ä. über die CDE übersendet werden, ist vertraglich zu regeln, ob es zusätzlich einer schriftlichen Mitteilung bedarf oder ob die Kommunikation gänzlich auf Textform umgestellt wird.

5.16 Absturzsicherheit

Die Sicherheit auf der Baustelle spielt eine sehr wichtige Rolle bei der Ausführung und muss ebenfalls koordiniert und berücksichtigt werden. Das Thema der Absturzsicherheit ist hierbei ein essenzieller Bestandteil und kann ebenfalls modellbasiert unterstützt werden. Erforderliche Abstandsregeln und Montage von Objekten zur Absturzsicherheit können über das BIM-Modell kontrolliert werden. Insbesondere für die Abstandskontrolle kann eine regelbasierte Überprüfung vorgenommen werden.

Autorenbeitrag

Markus Ringeisen

Die hohe Anzahl von Absturzunfällen auf Baustellen war für die Suva (Schweizerische Unfallversicherungsanstalt) Anlass, zusammen mit Bauen digital Schweiz/BuildingSmart Switzerland und einer breit abgestützten Arbeitsgruppe den Use Case „Absturzsicherheit“ zu erarbeiten.

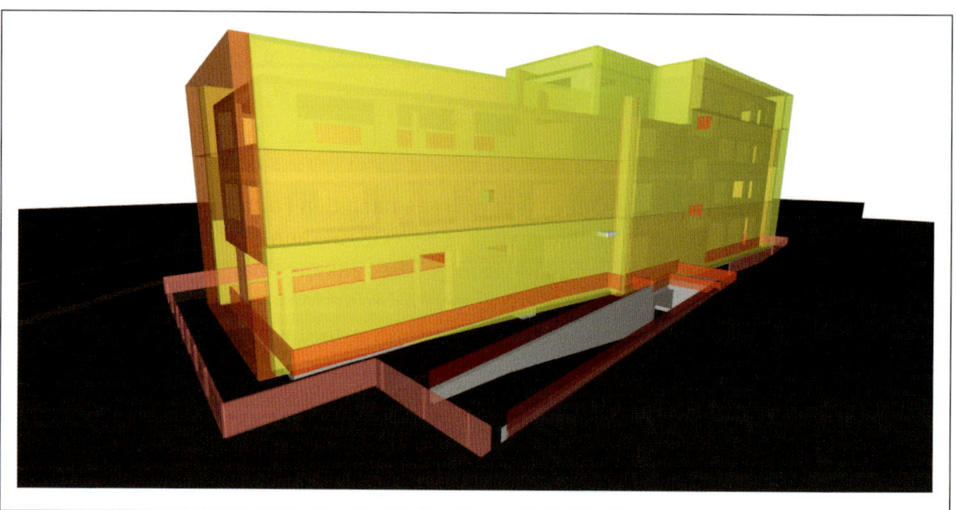

Abbildung 91: Fertig modelliertes Fachmodell „Absturzsicherheit“

Im Use Case wird aufgezeigt, wie Auftraggeber, Planer, Bauleiter und Ersteller (ausführende Unternehmer) die BIM-Methode anwenden können, um die Absturzsicherheit während des Bauprozesses zu gewährleisten. Dafür werden die Aufgaben pro Phase (Projektplanung, Ausführungsplanung, Erstellung) detailliert beschrieben und der Austausch der Informationen prozessual dargestellt. Als Kernelement des Use Cases entwickelte sich die Definition von 20 Absturzsicherungstypen. Die Absturzsicherungstypen basieren auf den Vorgaben der schweizerischen Bauarbeitenverordnung und den entsprechenden Normen. Sie dienen der Modellierung des Fachmodells „Absturzsicherheit“.

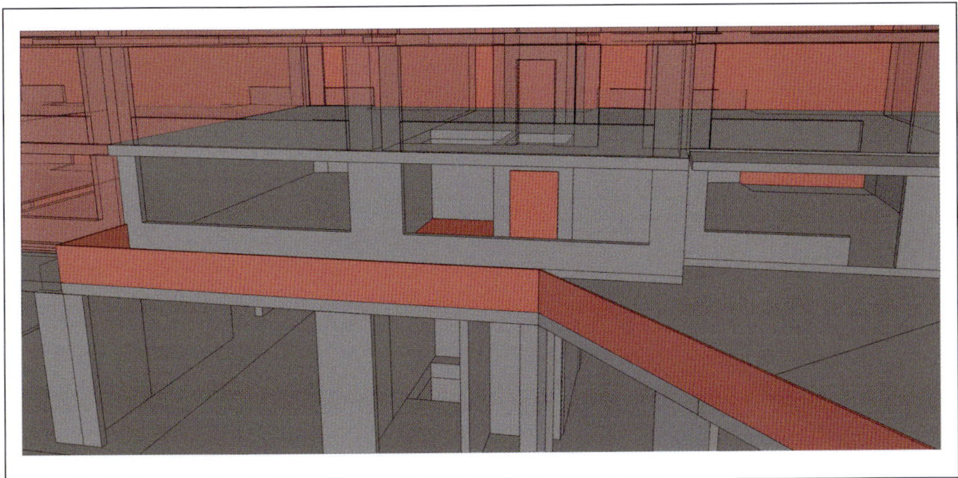

Abbildung 92: Seitenschutz in LOG100

Nach dem Abschluss der Grundlagenarbeiten für den Use Case „Absturzsicherheit" ging es darum, für die praktische Umsetzung des Use Cases Hilfsmittel zu erarbeiten. So steht für die „Bestellung" des Anwendungsfalls durch den Auftraggeber eine Vorlage der Auftraggeber-Informations-Anforderungen (AIA) zur Verfügung. Eine Planungshilfe unterstützt Planer bei der Modellierung und Ausschreibung der baustellenspezifischen Absturzsicherungsmaßnahmen.

Für die Modellierung des Fachmodells „Absturzsicherheit" gibt es die 20 Absturzsicherungstypen kostenlos als parametrische Bauteile im Detailierungsgrad LOG100 und teilweise LOG300 in sechs verschiedenen Software-Tools. Dafür wurden vorgängig Modellierungsrichtlinien erstellt und ein Attributen-Set definiert. Unterstützend dabei war der gleichzeitige Aufbau der Rolle Use Case „Absturzsicherheit" (UCA) in Solibri, mit der zum Beispiel Tragwerksmodelle auf Absturzrisiken und die Fachmodelle „Absturzsicherheit" auf die richtige Modellierung hin überprüft werden können.

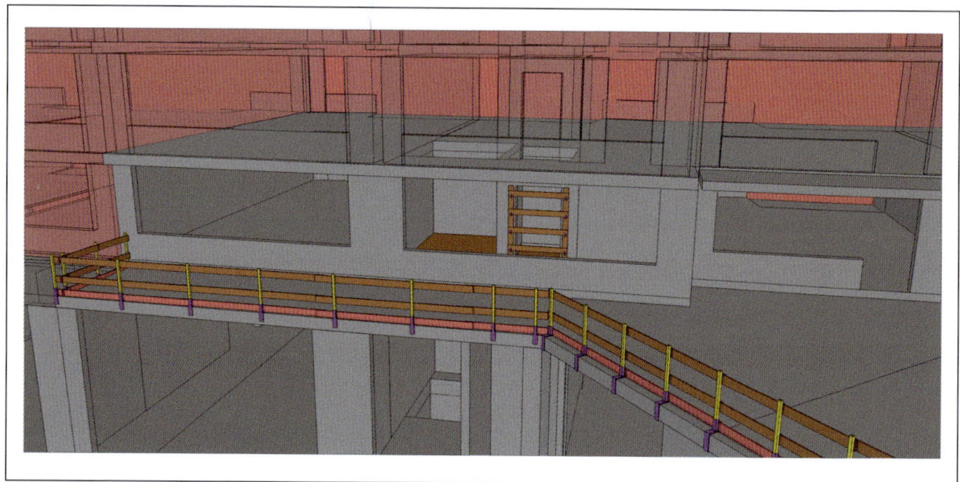

Abbildung 93: Seitenschutz in LOG300

Vertiefte Informationen und Links zu den Hilfsmitteln sind unter www.suva.ch/bim zu finden.

5.17 Modellbasierter Bohrprozess

Häufig wird eine Vielzahl an Bohrungen auf den Baustellen benötigt. Um diese so exakt wie möglich durchzuführen, können diese mit Unterstützung des BIM-Modells erzeugt werden.

Die Bohrlochplanung sollte vorher koordiniert und geprüft werden. Sperrbereiche sollten ebenfalls zuvor berücksichtigt werden, damit die Route der Bohrung genau definiert werden kann. Dieser Anwendungsfall zeigt auf, dass KI-Anwendungen selbst mit BIM stattfinden können.

Die Bohrlöcher können entweder als freie Löcher oder als 3D-Körper im Modell dargestellt werden. Anhand des Modells kann dann der Bohrroboter vor Ort platziert werden und innerhalb kurzer Zeit die benötigten Löcher selbstständig bohren. Wichtig hierbei sind die Koordinaten der Objekte, die mit IFC mitgeliefert werden.

Autorenbeitrag

Máté Petrich

Der Bereich BIM2Field entwickelt sich sehr schnell, zahlreiche Use Cases steigern die Effizienz und die Qualität auf der Baustelle. Beim Anwendungsfall „Automatisierter Bohrprozess“ ist es auch nicht anders. Dieser spannende Prozess stellt relativ gering zusätzlichen Informationsanforderungen zu den BIM-Projekten.

Wie funktioniert es?

Um an einer Baustelle effizienter und schneller arbeiten zu können, wird ein Bohrroboter die Bohrlöcher für die Deckenmontage vorbereiten. Die Bohrlöcher der Aufhängungen, der Befestigungen der Abhangdecken und Apparaten werden modelliert und ausgewertet.

Es werden grundsätzlich zwei Phasen unterschieden. In der Planungsphase werden die Bohrlöcher modellbasiert ausgewertet, geprüft und für die Bohrung vorbereitet. Zusätzliche Informationen wie z. B. Gewerk oder Durchmesser können mit den Koordinaten mitgeliefert werden. Es gibt verschiedene Methoden, um die Bohrpunktkoordinaten zu liefern, und die Auswertung muss autorensoftware- und projektspezifisch geplant werden. Ein wichtiger Schritt ist die Prüfung der Koordinaten, hier muss vor allem die Kollisionsprüfung mit Sperrzonen und die Zugänglichkeit der Bereichen geprüft werden. Lieferformat der Koordinaten: csv-Datei.

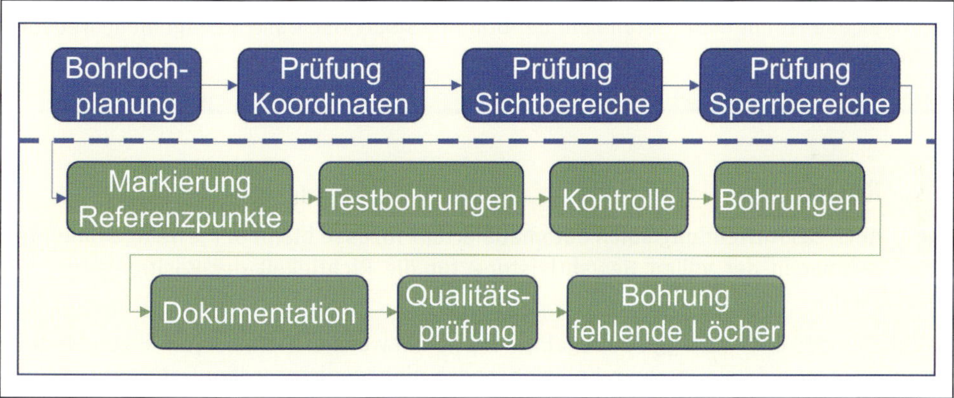

Abbildung 94: Automatisierter Bohrprozess

In der zweiten Phase wird der Roboter eingesetzt. Der Bohrroboter positioniert sich auf der Baustelle Anhand von Fixpunkten. Dank moderne Vermessungstechnologie wird die Position des Roboters immer bekannt sein, solange es Sichtkontakt mit den Baufixpunkten hat. Der Roboter navigiert sich automatisch zu den vom Modell abgeleiteten Bohrpunkten, führt die Bohrungen durch und markiert das Bohrloch mit einer Kombination von Farbe und Symbol. Die Markierungen vereinfachen die Zuordnung von Löchern zu Gewerken oder Montagetypen.

Der meiste Mehrwert wird erreicht, wenn die Bohrungen in der Nacht durchgeführt werden können. Die Lärmschutz-Gesetze müssen beachtet werden. In einer Nacht können mehrere hunderte Löcher automatisiert gebohrt werden.

Automatisierter Bohrprozess ohne Bohrroboter?

Ein spezieller Fall vom Use Case ist, wenn es kein Bohrroboter zur Verfügung steht. In diesem Fall können die Bohrpunkte mit einem Lasergerät auf die Oberflächen projiziert und manuell markiert und gebohrt werden. Somit wird die Zeit für Messungen gespart und eine gute Genauigkeit erreicht.

Zusammenfassung

Als Ergebnis kann sichergestellt werden, dass die koordinationsrelevanten Objekte mit präziser Position montiert werden. Es werden nicht nur weniger Überraschungen auf der Baustelle vorkommen, sondern der Aufwand der Revisionsplanung kann auch reduziert werden. Bei Sanierungs- und Umbauprojekten können die Bauphasen verkürzt und die Bewirtschaftungsperiode verlängert werden.

Abgrenzungen

Nicht definiert in diesem Use Case:

- das Input-Dateiformat, in dem die Bohrpunkte geliefert werden
- Bohrloch-Modellierung

Das Use Case ist mit mehr Details auf der BuildingSmart Use Case Management Webseite auffindbar.

§ Recht:

Auch bei Anwendung solch automatisierter Prozesse bleibt der jeweilige Bauunternehmer in der vollen Gewährleistung für die Richtigkeit der Positionierung der Bohrlöcher.

Im Rahmen des BAP wäre ggf. zu regeln, wer und mit welcher Tiefe die jeweiligen Modelle geprüft und ob/wie sie in einen Kollisionscheck einbezogen werden. Geht der jeweilige Auftrag an einen Planer, der nach HOAI 2021 vergütet wird, so ist die Prüfung wohl als besondere Leistung einzustufen (Anlage 10 zu § 34 HOAI 2021, Leistungsphase 5 Prüfen und Anerkennen von Plänen Dritter, nicht an der Planung fachlich Beteiligter auf Übereinstimmung mit den Ausführungsplänen (zum Beispiel Werkstattzeichnungen von Unternehmen, Aufstellungs- und Fundamentpläne nutzungsspezifischer oder betriebstechnischer Anlagen)).

5.18 Qualitätssicherung auf der Baustelle

Die gesamte Dokumentation und die Qualitätssicherung auf der Baustelle können und sollten idealerweise BIM-basiert geschehen. Zu viele Tools, welche ähnliche Leistungen anbieten, beherrschen zurzeit den Markt. Doch leider wurde nicht immer zu Ende gedacht, und oft sind die Tools komplex und sehr aufwendig. Für die Wahl des richtigen Tools ist eine konkrete Anforderung vom gesamten Bauablauf und der gesamten Dokumentation auf der Baustelle vonnöten.

Dies erfordert jahrelange Erfahrung, ist aber das Fundament für eine bessere Zukunft im Bereich der Baubranche.

Diese Erfahrungen sollen dazu beitragen möglichst frühzeitig den korrekten Aufbau umzusetzen. So kann die Baustelle auch sauber dokumentiert werden.

Ein großer Vorteil wäre es, vorab eine Dokumentation in 2D und 3D zu erstellen. In diesem Fall sind nach heutigem Stand die Pläne und Modelle gemeinsam zu behandeln; gemeinsam gelten diese als Grundlage der Dokumentation.

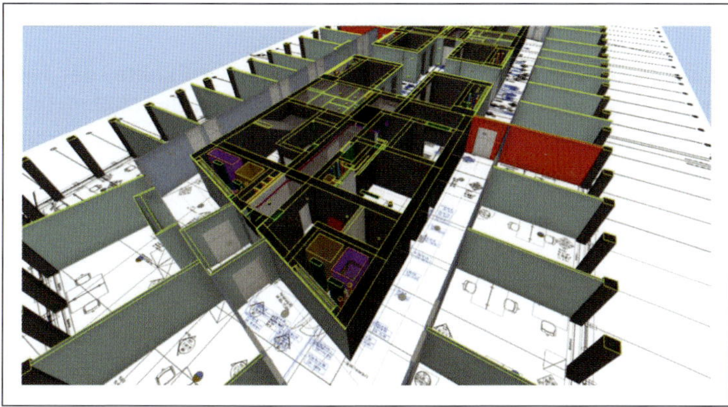

Abbildung 95: 2D/3D-Qualitätssicherung

Es sollte jederzeit möglich sein, die Pläne auszutauschen. Da alle Fachpläne in der Datenbank hinterlegt werden, ist dies möglich.

Die Dokumentation auf der Baustelle verläuft auf unterschiedliche Arten. In der Regel werden Aufgaben als Zustandsfeststellung, Restleistung, Mängel oder Gewährleistung in unterschiedlichen Phasen aufgenommen und dokumentiert. Dabei ist eine schnell durchzuführende Dokumentation auf der Baustelle äußerst wichtig und von Vorteil. Ein weiterer Grund für eine gute Vorbereitung der Grunddaten sowie Checklistenvorlagen, inklusive dem automatischen Ausfüllen von Formularfeldern, ist u. a, dass Sie wissen, auf welcher Etage die Dokumentation stattfindet und welche Person aus welchem Gewerk und welcher Firma genau was dokumentiert.

Aufgaben sollten sauber protokolliert und unterschiedliche Workflows nachvollziehbar und einfach festgelegt werden. Man kann sogar die Dokumentation so einrichten, dass die Checklisten vorbereitet im Grundriss zum Anklicken und Ausfüllen dargestellt werden.

Die Dokumentationen können beispielsweise Informationen von normalen Zustandsfeststellungen, SiGeKo-Aufgaben bis hin zur mechanischen Prüfung, Inbetriebnahme,

Inbetriebsetzung und Verschluss von Schächten beinhalten. Jede Art von Dokumentation kann so sauber, fehlerfrei und einfach dokumentiert werden.

Alle Aufgaben, die im BIM-Modell verortet sind, können auch jederzeit als BCF exportiert und bei Bedarf weiterverwendet werden.

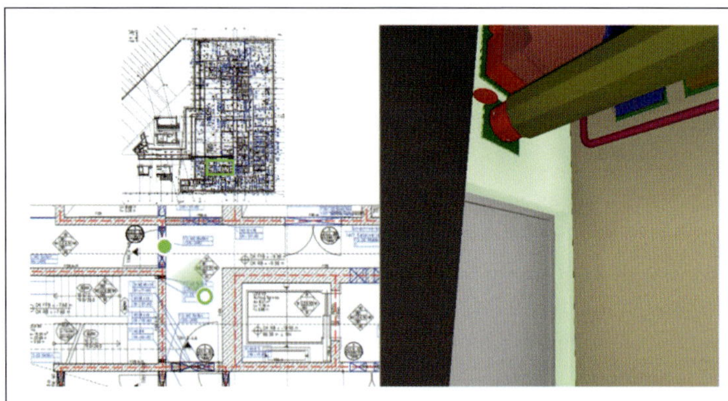

Abbildung 96: Verortung im Qualitätsbericht

Für eine Dokumentation der Baustelle sollen natürlich auch positive Punkte, der Fortschritt dokumentiert werden, wie z. B., dass die Decken geschlossen oder Meilensteine erreicht worden sind. Die Qualitätssicherung ist nicht allein für die Mängelaufnahme gedacht, sondern für die gesamte Dokumentation vom Bau.

Autorenbeitrag

Elisabeth Zachries

Während der Ausführungsphase ist laufend sicherzustellen, dass die Qualität der Leistungen eingehalten werden. Hierfür kommen bereits heute BIM-basierte Aufgabenmanagementsysteme mit unterschiedlichen Funktionen zum Einsatz, die das Baustellenpersonal in ihren Prozessen unterstützen. Im Zusammenhang mit derartigen digitalen Tools haben sich unter anderem die Begriffe *BIM2Field* und *Field2BIM* am Markt etabliert.

Die wohl am häufigsten genutzten Funktionen für die Qualitätssicherung sind **Checklisten** und **Aufgaben.** Während Checklisten für die Dokumentation von Zuständen, Ausführungen oder Vorgehen genutzt werden, sind Aufgaben workflowbasiert, die grob gesagt festlegen, wer wem welchen Aufgabentyp zuweisen kann/darf. Ein typisches Beispiel für einen Aufgabentyp ist ein Mangel. Eine Mangeldokumentation umfasst in der Regel eine Verortung, einen Titel, eine Verantwortlichkeit, eine Frist und möglichweise ein Foto und eine zusätzliche Beschreibung. Diese Dokumentation wird dann an die verantwortliche Person (Aufgabenempfänger) zugestellt, die sich dann um die Beseitigung des Mangels kümmern muss.

Was unterscheidet jetzt aber hierbei ein BIM-basiertes Vorgehen von dem herkömmlichen Verfahren ohne BIM?

Klares Verständnis und Direkte Verortung

Das BIM-Modell steht auch bei diesen Prozessen im Mittelpunkt und dient als Informationsquelle und für die Verortung von bspw. Aufgaben. Wie an dem Beispiel von Dalux zu sehen, können sich Anwender durch eine kombinierte 2D/3D-Ansicht einfach verorten, was eine bessere Orientierung und klares Verständnis von der Planung ermöglicht (siehe Abb. 97). Die Verortung kann hierbei manuell oder auch durch die Nutzung von QR-Codes (raum-, zonen- oder bauteilorientiert) erfolgen. Auch können die Bauteile direkt im BIM-Viewer selektiert und alle dem Bauteil beigefügten Informationen, wie Attribute, Dokumente oder bereits dem Objekt zugewiesene Aufgaben und Checklisten, angezeigt werden.

Darüber hinaus kann bei entsprechender Berechtigung dem Bauteil Informationen, beispielsweise ein Mangel, hinzugefügt werden. Hierbei werden automatisch die Informationen über die Verortung ausgelesen und dem Mangelbericht beigefügt. Auch können weitere relevante Eigenschaften, wie Brandschutzklassen oder auch die GUID aus dem Modell in die Berichte automatisch eingefügt werden.

Abbildung 97: Kombinierte 2D/3D-Ansicht in Dalux Field für eine einfachere Verortung

Ein weiterer Use Case für die BIM-basierte Qualitätssicherung ist die Anwendung von **Kontroll- und Prüfplänen,** diese mit Hilfe der Modellinformationen zu erstellen und automatisch verorten zu lassen. Derartige Pläne unterstützen das Baustellenpersonal in ihren Prüfungen und täglichen Eigenkontrollen, um die Ausführungsqualität sicherzustellen. Die einzelnen Prüf- und Kontrollpunkte eines Planes beschreiben unter anderem das jeweilige Prüfverfahren, den Zeitpunkt und den Umfang einer Prüfung. Wenn beispielsweise ein BIM Modell eine x-Anzahl Brandschutztüren beschreibt, und der Einbau muss mit Kontroll- und Prüfplänen dokumentiert werden, kann mit Dalux der Umfang der Brandschutztüren basierend auf den Modellinformationen errechnet und diese Prüfaufgaben verortet werden. Die für die Prüfung und Kontrollen verantwortlichen Anwender bekommen dann Ihre noch offenen Prüf- und Kontrollpunkte auf dem Plan angezeigt und können diese nach und nach abarbeiten und digital dokumentieren. Sie werden deutlich effizienter, da Sie immer den Überblick haben, wo sie noch welche Prüfungen zu tätigen haben und wie weit sie im gesamten Prozess sind.

§ **Recht:**

Die BIM-basierte Qualitätssicherung ist ein wichtiges Element für die Hebung der Optimierungspotenziale des Bauablaufs durch BIM. Zugleich ist diese Aufgabe rechtlich komplex.

Bei der Einordnung in die HOAI-Leistungskataloge ist zu beachten, dass z. B. das Prüfen und Anerkennen von Plänen Dritter, nicht an der Planung fachlich Beteiligter auf Übereinstimmung mit den Ausführungsplänen (zum Beispiel Werkstattzeichnungen von Unternehmen, Aufstellungs- und Fundamentpläne nutzungsspezifischer oder betriebstechnischer Anlagen) oder das Aufstellen, Überwachen und Fortschreiben von differenzierten Zeit-, Kosten- oder Kapazitätsplänen eine Besondere Leistung der Leistungsphase 5 nach Anlage 10 zu § 34 HOAI 2021 ist und somit gesondert zu beauftragen und ggf. zu vergüten ist.

Darüber hinaus ist es nach ständiger Rechtsprechung erforderlich, die Art und Weise der Objektüberwachung genau zu beschreiben, sofern hier detaillierte Anforderungen bestehen. Denn die einfache Übertagung der Grundleistungen der Leistungsphase 8 genügt nicht, um z. B. die Häufigkeit der Anwesenheit auf der Baustelle zu regeln. Hier könnte aber auch ein BIM-Ablaufplan helfen, der die Zeitpunkte zur Erhebung der notwendigen Daten auf der Baustelle regelt.

Eine fortlaufende Baufortschrittsdokumentation z. B. mit 3D-Scanning ist davon gesondert zu betrachten. Diese Leistung findet sich nicht in der HOAI und ist gesondert zu beschreiben und zu kalkulieren.

5.19 3D-Laserscanning

Für die erhöhte Qualitätssicherung auf der Baustelle kann u. a. eine Überprüfung der Bauausführung auch während des Baufortschritts durchgeführt werden. Damit ist gegeben, dass ein exakter Soll-Ist-Abgleich auf Qualitätsbasis vorgenommen werden kann und frühzeitige Abweichungen im Millimeterbereich erkannt werden. Diese Möglichkeit ist besonders geeignet für Bereiche, in denen bereits kleine Abweichungen einen größeren Schaden bzw. eine neue Planungskoordination hervorrufen können.

Dieser Abgleich wird besonders für die Überprüfung von Schlitz- und Durchbrüchen oder für relativ beengte Situationen wie in Schächten und Zwischendeckensituationen genutzt.

Der Abgleich wird i. d. R. mit Hilfe eines Laserscanners durchgeführt, der die ausgewerteten Scandaten als Punktwolkenmodell mit dem BIM-Modell zusammenführt und Abweichungen prüft. Das BIM-Modell würde in diesem Fall das Soll definieren, die Scandaten den Ist-Zustand auf der Baustelle.

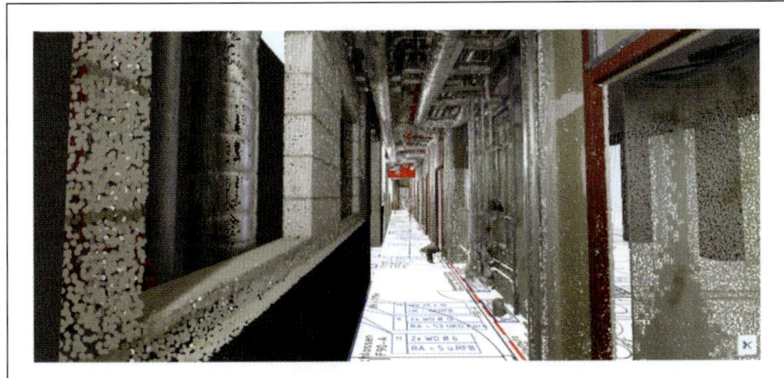

Abbildung 98: Punktwolkenmodell, BIM-Modell und Grundrissplan in einem Blick

Die Überlagerung der Scanaufnahme kann nicht nur über Punktwolken vorgenommen werden, sondern ebenso mit Panoramabildern.

Abbildung 99: Punktwolken im BIM-Modell

In der nachfolgenden Abbildung ist die Überlagerung eines BIM-Modells mit dem 3D-Punktwolkenmodell aus dem Scan zu sehen. Klar zu erkennen: Die TGA entspricht nicht den Planvorgaben und sollte überprüft werden.

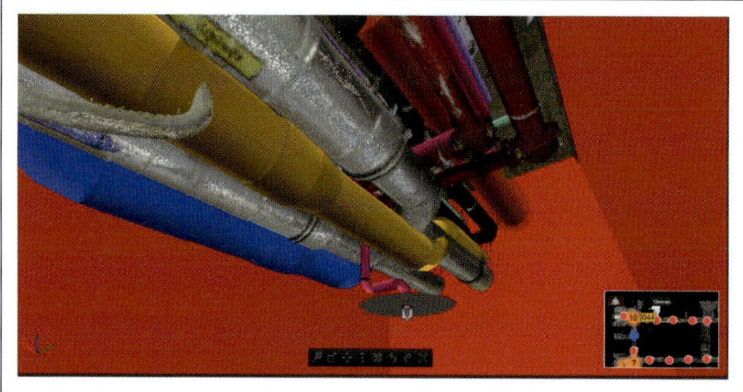

Abbildung 100: Soll/Ist-Abgleich der TGA mit dem Punktwolkenmodell

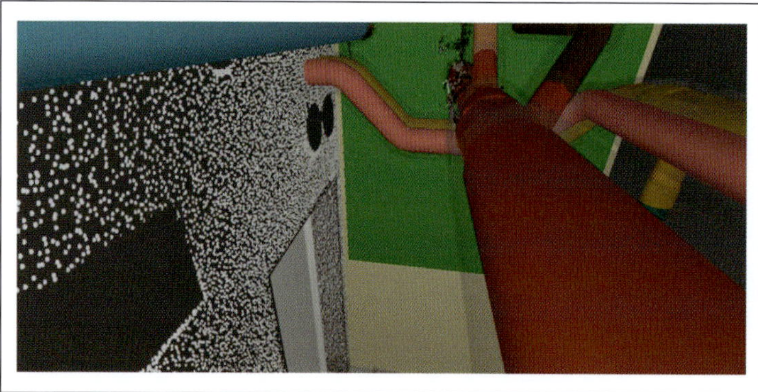

Abbildung 101: Soll/Ist-Abgleich der Durchbrüche mit dem Punktwolkenmodell

Autorenbeitrag

Kai Steuernagel

Modellbasierter Soll/Ist-Abgleich mittels Daten aus einem 3D-Laserscanning

Vorbereitung

Für einen modellbasierten Soll/Ist-Vergleich ist es zunächst notwendig, die Ist-Situation vor Ort zu erfassen. Dabei gibt es verschiedene Möglichkeiten, den Bestand zu messen. Das herkömmliche tachymetrische Aufmaß eignet sich nicht für eine vollständige Dokumentation des Rohbaus und der TGA, da nur Einzelpunkte gemessen werden können.

Eine wirtschaftliche und umfassende Lösung ist die Erfassung mittels 3D-Laserscanning.

Der Auftraggeber (AG) hat vor Beginn der Außendiensttätigkeit ein Lage- und Höhenfestpunktfeld sowie das Soll-Modell des Rohbaus und/oder der TGA im IFC- oder DWG-Format zu übergeben.

Des Weiteren gibt er den Toleranzbereich für die Darstellung der Abweichungen vor. Innerhalb des Toleranzbereiches liegende Abweichungen werden nicht dokumentiert.

Außendienst

Das vom AG übergebene örtliche Festpunktfeld dient als Grundlage für das 3D-Laserscanning. Die lage- und höhenmäßige Anschlussmessung an das vorhandene Festpunktfeld ist eine zwingende Voraussetzung, da die erzeugte Punktwolke und das bauseitig übergebene IFC-Soll-Modell der Planung im gleichen Koordinatensystem sein müssen.

Für einen Soll/Ist-Abgleich muss die Genauigkeit der Punktwolke +/– 1 cm betragen.

Um diese Genauigkeit garantieren zu können, wird der 3D-Laserscanner RTC 360 der Firma Leica Geosystems eingesetzt.

Auswertung

Die in der Örtlichkeit gemessenen Punktwolken werden im Innendienst durch die sogenannte Georeferenzierung der einzelnen Scanstandpunkte zu einer gesamten Punktwolke vereinigt und über das vorhandene Festpunktfeld eingepasst. Je spannungsfreier die Passpunkte sind, desto genauer können Abweichungen dokumentiert werden. Im Falle eines Hochhauses z. B. sollte sich die Genauigkeit im Millimeterbereich bewegen.

Da das IFC-Modell der Planung und die zusammengeführte Punktwolke nun in einem einheitlichen Koordinatensystem liegen, können beide Datengrundlagen in ein 3D-Grafikprogramm importiert werden.

Die übereinanderliegenden Daten werden nun durch geeignete Schnitte und sinnvoll gewählte Ansichten zunächst optisch miteinander verglichen. Daraufhin erfolgt die grafische sowie zahlentechnische Dokumentation der über die vorgegebenen Grenzwerte hinausgehenden Differenzen.

Ergebnis

Die Dokumentation der Ergebnisse aus dem Soll/Ist-Abgleich der Punktwolke mit dem IFC-Planungsmodell nach den jeweiligen Toleranzwerten des AG kann durch Screenshots oder ausgearbeitete CAD-Zeichnungen mit Angabe der Soll- und Ist-Dimension erfolgen (s. Abbildung 102 und 103).

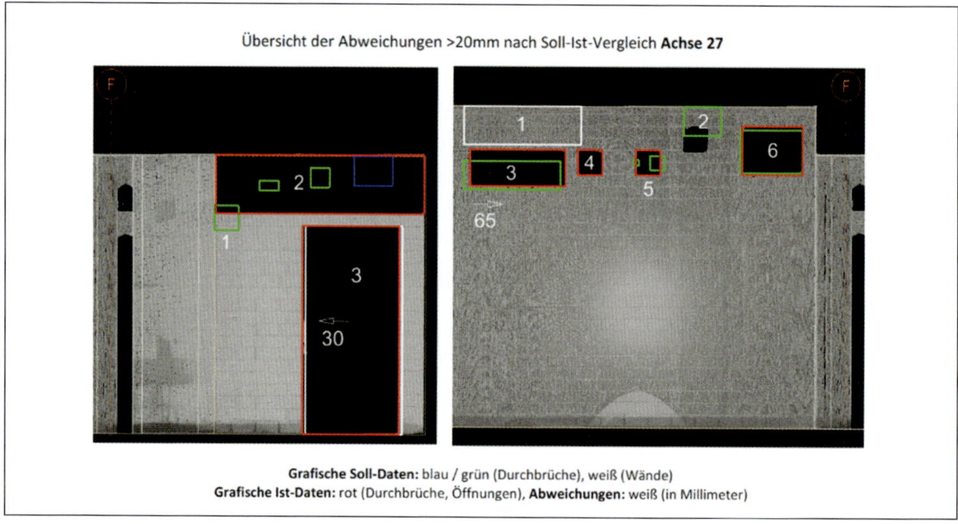

Abbildung 102: Soll/Ist-Abgleich der Durchbrüche nach 3D-Scan

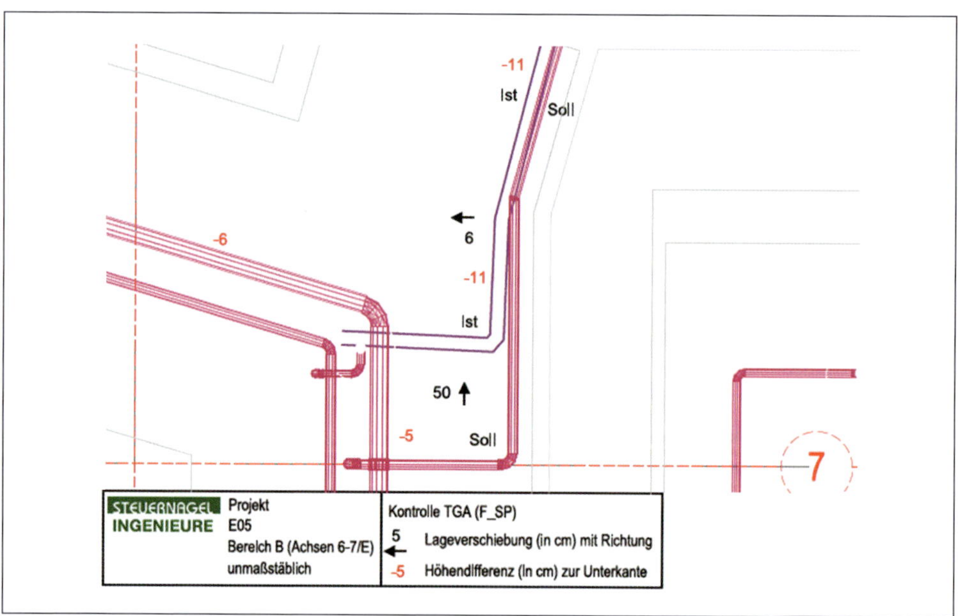

Abbildung 103: Soll/Ist-Abgleich der TGA nach 3D-Scan

Hierbei werden die Bauachsen zur Orientierung dargestellt.

Darüber hinaus ist ein Aufzeigen der Abweichungen auch tabellarisch in einer EXCEL-Liste je Bauteil oder Geschoss möglich.

Großflächige Soll/Ist-Vergleiche werden mit dem Programm 3D-Reshaper durchgeführt. (s. Abbildung 104). Abbildung 105 zeigt die Gesamtpunktewolke eines Geschosses.

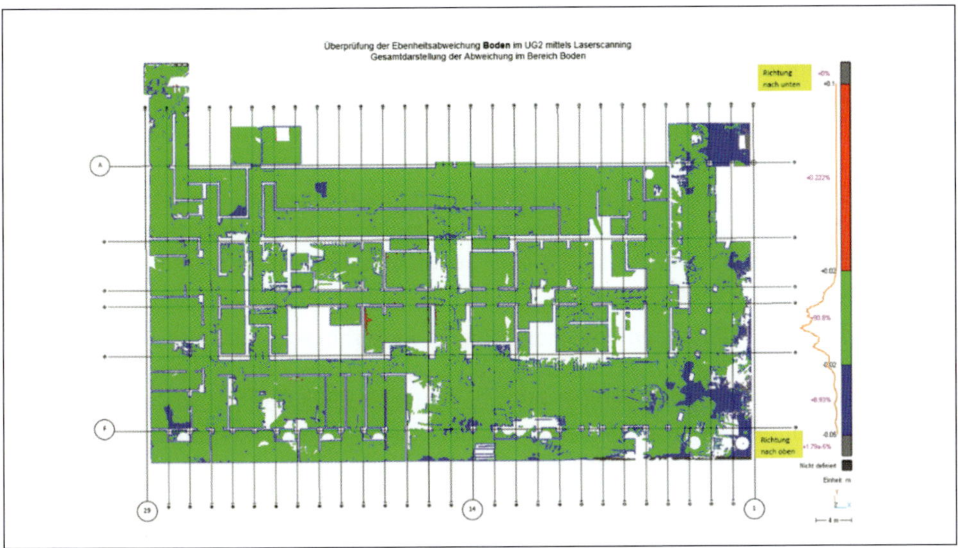

Abbildung 104: Abgleich der Abweichungen der Decke nach 3D-Scan

Abbildung 105: Beispiel Punktwolkenmodell

Aus den erzeugten Punktwolken lässt sich ebenfalls eine dreidimensionale Nachmodellierung für weitere Planungen oder Umplanungen durchführen.

§ **Recht:**

Der Soll/Ist-Abgleich mittels 3D-Laserscanning ist ein wichtiger Schritt hin zu einem As-built-Modell. Zugleich ist jedoch nicht eindeutig klar, wer diese Leistung tatsächlich zu erbringen hat. Eine typische Planerleistung ist dies nicht. Auch ist die Frage, ob das jeweils beauftragte Planungsbüro die notwendigen Mitarbeiter vorhält. Selbstverständlich könnte dies aber auch über Subunternehmerleistungen erledigt werden. Jedenfalls wäre das 3D-Laserscanning eine zusätzliche Leistung des entsprechend begleitenden Objektüberwachers oder man beauftragt direkt ein Unternehmen zur bauablaufbegleitenden Dokumentation.

Bei der bauablaufbegleitenden Dokumentation ist weiterhin zu berücksichtigen, dass entsprechende Vorkehrungen in den Vertragswerken geschaffen werden. Denn es wird nicht allein genügen, ein Unternehmen mit dieser Leistung zu beauftragen, vielmehr müssten auch die ausführenden Firmen mitwirken, dass zu gegebenen Zeitpunkten die Laserscannings ermöglicht werden, beispielsweise, bevor Leitungen unter Putz gelegt werden. Vor diesem Hintergrund macht es z. B. Sinn, solche Erfassungsthemen mit dem Angebot eines gemeinsamen Aufmaßes i. S. v. § 14 Abs. 2 VOB/B zu verbinden. In diesem Fall erhält dann die ausführende Firma eine Beweiserleichterung für die verbauten Mengen und Massen und auch – genauso wie der Auftraggeber – eine gewisse Kostensicherheit. Die begleitenden Architekten können dann in der Regel allerdings auch eine Besondere Leistung für diese Termine abrechnen, da ein gemeinsames Aufmaß eine Besondere Leistung nach Anlage 10 zu § 34 HOAI/Anlage 15 zu § 55 HOAI ist. Gerade in Anbetracht dessen aber, dass solche tiefergehenden Feststellungen über den tatsächlichen Baubestand wesentlich sind, auch für die Erstellung eines As-build-Modells, sollte diese Investition nicht gescheut werden. Schließlich wäre bei dieser Kalkulation auch mit einzurechnen, dass das Streitpotenzial minimiert wird.

5.20 Chancen durch Einsatz eines cloudbasierten Bauteilkatalogs

Die Bauteile, die in einem BIM-Modell dargestellt sind, ergeben sich vorab aus der Planung und beinhalten ebenfalls entsprechende Informationen. Sobald die Bauteile gemäß der Planung bestellt werden, können die entsprechenden Produktdaten im Modell ergänzt werden.

Diese Produktdaten werden erst mit den genauen Angaben des Bauteils durch die Ausschreibung und Vergabe festgelegt. Hierbei handelt es sich um geometrische und alphanumerische Informationen des Herstellers. Eine zentrale Datenbank kann unterstützend für die Verlinkung zum Modell in Anspruch genommen werden. Technisch gesehen können diese Informationen z. B. durch ein Plug-in mit dem CAD-Programm verknüpft werden.

Dadurch sind alle detaillierten Daten im Modell verfügbar, sobald die Bauteile final festgelegt wurden.

Autorenbeitrag

Gregor Müller

Ergebnisse der BIM-Studie 2019 zeigen, dass mehr als ein Viertel (28 Prozent) der befragten Firmen mit BIM arbeitet. Vor allem für die Ausführungsplanung (73 Prozent), die architektonische Entwurfsplanung (65 Prozent) und die gebäudetechnische Fachplanung (61 Prozent) wird die Planungsmethode BIM eingesetzt[18]. Dank BIM wird die 3D-Bauplanung des räumlichen Planens um vier Dimensionen erweitert. Mit dem Ablaufplan kommt die Zeit als vierte Dimension hinzu: Der Kostenplan liefert eine fünfte monetäre Dimension. Nachhaltigkeit ist die sechste Dimension. Die siebte und letzte Dimension bildet das Facility Management. Wenn BIM korrekt eingesetzt wird, ist das Datenmodell die exakte digitale Abbildung des realen Bauprojekts, der digitale Zwilling, der für zahlreiche Anwender neben dem Bauplaner von Interesse ist und deren Arbeitsgrundlage bildet.

BIMsystems versteht unter BIM geometrische und alphanumerische Informationen in einem zentralen Datenmodel. Dieses entsteht bereits ab Planungsbeginn und basiert idealerweise schon auf frühzeitig definierten anwendungsfallbezogenen Informationsanforderungen. Das Datenmodell wird von Beteiligten kontinuierlich im Laufe des Prozesses mit Daten angereichert. Das Datenmodell „lebt". Vor allem tut es das, da es sich an den Informationsanforderungen der Projektbeteiligten ausrichtet. Dies bedarf idealerweise einer frühzeitigen Kenntnis dieser und deren Anforderungen. Vergabeprozesse oder Projektkonstellationen sind nur zwei der Gründe, deretwegen dieses „Frontloading" in der Realität herausfordernd ist. Hier kommt der Standardisierung eine wichtige Rolle zu. Nicht zu vernachlässigen ist trotz aller Standardisierung der individuelle Informationsbedarf von Projektbeteiligten, bei denen Datenstände und Anforderungen in diversen Abteilungen und Systemen gewachsen sind. Häufig sind heterogene Daten das Resultat der Arbeit großer Organisationen, welche zu Mehraufwänden in den Prozessen führen oder gänzlich den Datenaustausch verhindern.

Nun gilt es aber, vermehrt vernetzt kollaborativ zusammenzuarbeiten. Dies gilt es zu strukturieren, organisieren und vernetzen. Das Stichwort ist Informationsmanagement. Dieses beginnt mit der Festlegung von Informationsanforderungen und Hinterlegung von Standards, idealerweise beginnend im eigenen Unternehmen und abteilungsübergreifend in einer Datenbank. Optimalerweise lassen sich bestehende Datenquellen nutzen, um Initialaufwände zu reduzieren oder gar gänzlich über eine Schnittstelle anzubinden. Das Ergebnis gilt es insbesondere mit strategischen Partnern über Schnittstellen auszutauschen, per einfachen Webzugriffen zu ermöglichen. Eine weitere Möglichkeit ist der Einsatz von zentral verwalteten cloudbasierten Bauteilbibliotheken bis hin zu abgestimmten intelligenten Produktkatalogen, bestehend aus definierten Zulieferern. Die dynamische Vernetzung und der Einsatz von Datenvalidierungen zu Qualitätssicherungen im Austausch zwischen der CAD-Welt und den zahlreich gewachsenen Systemen wie PLM-, ERP-, PIM-Systeme und bestehenden Konfiguratoren, Kalkulationstools bis hin zu Excel, um nur eine Auswahl zu geben, gilt es zu erfüllen.

18 Quelle: MAGAZIN BIM PLANUNG – https://www.planungsmethode-bim.com/2019/07/02/bim-2019-studie-zeigt-wie-es-aktuell-am-bau-um-bim-bestellt-ist/

Dies inspirierte zur Entwicklung des von BIM-Systems auf Basis der von BIMsystems als corma-Technology bezeichneten Informationsmanagement-Systems mit Tools zur Erstellung, Pflege und cloudbasierten Verwaltung dynamischer Bauteil-/Produkt-/Baustoffbibliotheken mit offener Schnittstellentechnologie für auswertbare und kontrollierbare Daten. Gemeinsam mit diversen Entwicklungspartnern (ATP architekten ingenieure, BAUWENS, ZECH Bau, Wolff & Müller, Geiger, Saint-Gobain, HÖRMANN Gruppe etc.) wurden Bedürfnisse, Anforderungen und Herausforderungen an ein zentrales dynamisches Informationsmanagement für Projektphasen, diverse Beteiligte, Prozesse und Systeme formuliert und analysiert; Ansätze wurden konzipiert und eine Lösung umgesetzt.

Informationsmanagement und das BIM-System sind nicht nur langfristig und strategisch zu betrachten. Es gilt das ausgewogene Verhältnis zwischen „low hanging fruits“ und strategischen Ausrichtungen zu ermöglichen. low hanging fruits bestehen mit Blick auf Unternehmen schon darin, dass aktuell häufig noch Excellisten definiert und via E-Mail zwischen Prozessbeteiligten getauscht werden. Da nicht alle direkt im CAD-System arbeiten, jedoch Daten benötigen oder bereitstellen setzen sie sich täglich mit unzureichenden Schnittstellen, fehlenden, falschen oder inkonsistenten Daten in unklaren Versionierungen auseinander.

Einige Unternehmen stellen Vorgaben über Bauhandbücher oder Excel-Listen bereit, in denen Vorgaben zur Produktauswahl oder Auftraggeber-Informations-Anforderungen definiert sind. Diese Vorgaben gilt es frühestmöglich zu teilen oder mit sich ergebenden Datenanforderungen und Planungsständen zu vernetzen. Das Bedürfnis für ein zentrales Informationsmanagement besteht schon heute und kann mit dem BIM-System von BIMsystems im Sinne eines cloudbasierten Bauteilkatalogs im Sinne open-BIM bedient werden.

Der cloudbasierte Bauteilkatalog bietet eine Vielzahl an Vorteilen für die aktuellen und künftigen Bauprojekte. Um diese Potenziale von morgen zu nutzen, müssen die Chancen heute ergriffen werden. Mit dem smarten Informationsmanagement des BIM-Systems gelingt es Bauakteuren der Branche an einem digitalen Strang zu ziehen.

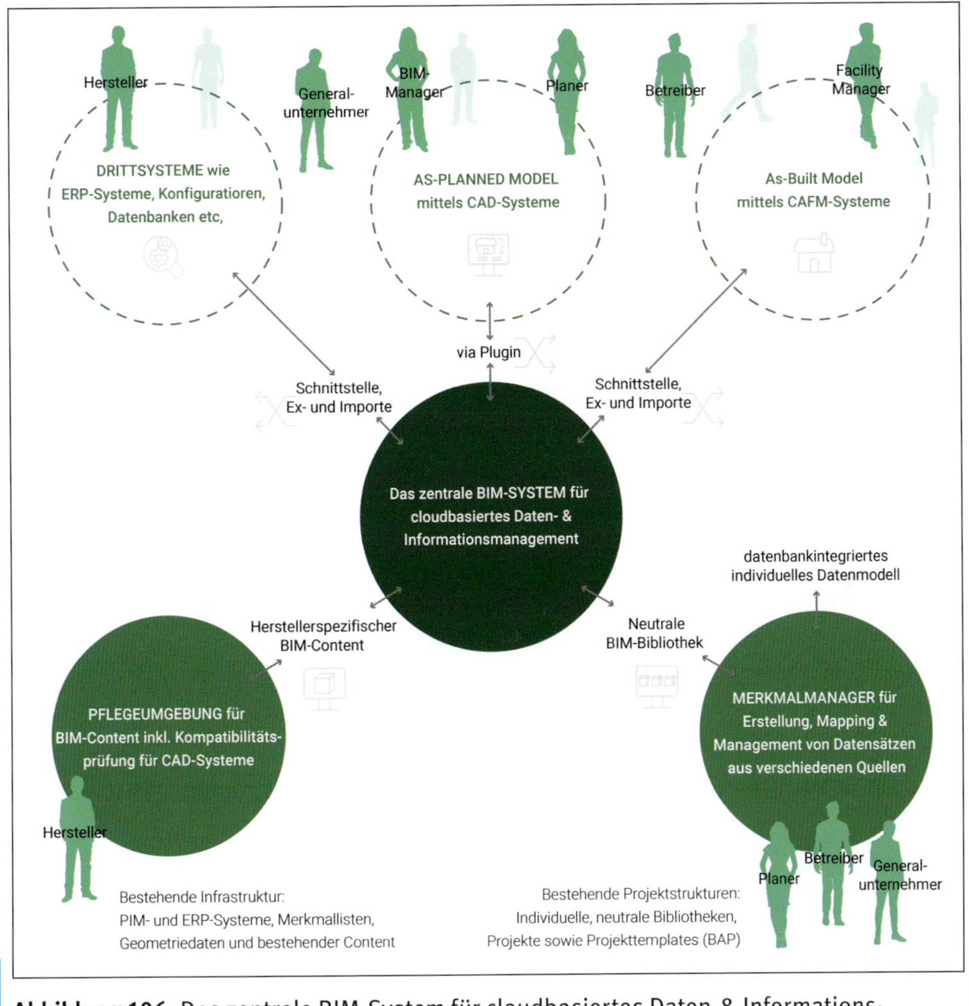

Abbildung 106: Das zentrale BIM-System für cloudbasiertes Daten-& Informationsmanagement

§ Recht:

Mit der Frage der Bauteilkataloge geht die Frage der Daten-Nutzungsrechte einher. Wie 2017 im einen von der Justizministerkonferenz im Auftrag gegebenen Gutachten zu dem Thema „Digitaler Neustart“ festgestellt wurde, ist zu konstatieren, dass es im deutschen Rechtsraum kein Daten-Eigentumsrecht gibt. Das Recht an den Daten folgt in der Regel dem Recht an der Sache. Daraus folgt die Datenhoheit der Bauprodukthersteller bis zum Verkauf an das Handwerk oder den Eigentumsübergang des Produktes durch Einbau im Gebäude. Daneben gibt es die Daten-Nutzungsrechte, welche vertraglich übertragen werden können, was vielfach im Rahmen von BIM-Prozessen geschieht.

Liegt keine vertragliche Vereinbarung vor, kommt gar eine Strafbarkeit nach § 303a StGB in Betracht.

Mit der Datenhoheit geht auch die Datenverantwortung für die Richtigkeit, Aktualität etc. einher. Betreiber von Clouds oder digitalen Infrastrukturen trifft – sofern die Daten-Nutzungsrechte rechtmäßig übertragen wurde – quasi eine „digitale Betreiberpflicht".

Insbesondere Bauherren und Gebäudenutzer sollten sich über die richtige Vertragskette für die Datennutzungen im Klaren sein, da für den Gebäudebetrieb es künftig von großer Wichtigkeit ist, über die Nutzungsrechte zu verfügen und andererseits im Dialog mit den jeweiligen Herstellern bleiben zu können, um z. B. auch über das Auslaufen von verbauten Produktserien oder Rückrufen informiert werden zu können.

5.21 Supply Chain Management

Mit dem Supply Chain Management wird die Koordination der Lieferkette thematisiert. Es kann ebenfalls modellbasiert ablaufen und den gesamten Prozess von der Produktion der Bauprodukte bis hin zur Lieferung und den Einbau auf die Baustelle unterstützen. Die Verfolgung der Bauprodukte kann mit Hilfe von Barcodes, QR-Codes, Chips o. Ä., welche direkt im Bauprodukt eingebaut werden, stattfinden. So können frühzeitig terminliche Abschätzungen und der jeweilige Status des Produkts abgerufen werden.

Über die Ansicht der Bauteile, welche mit Sensoren oder mit Bluetooth Beacons gekennzeichnet sind, lässt sich deren aktueller Status automatisch ablesen. Hierbei müssen die Barcodes extra gescannt werden, sodass sich der Status anpasst.

Bevor beispielsweise eine Leitung in der Wand zu versagen droht, kann eine Meldung frühzeitig auf das Versagen des Bauteils inklusive seines Standortes automatisch im System hinweisen. Solche Systeme müssen gut überlegt im Projekt eingesetzt werden.

Ein weiterer Schritt wäre eine automatisierte Bauablaufsimulation mit dem aktuellen Status des Projekts in Echtzeit.

Ein Vorteil daraus wäre ein Soll/Ist-Abgleich der Kosten aus dem LV mit den gelieferten Materialien. Sobald die Bauteile eingebaut sind, sollten die Checklisten der Qualitätssicherung für die Bauleitung freigeschaltet und im Modell für die Begehung zur Verfügung gestellt werden.

Die BIM-Anwendungsfälle überschneiden sich oft und ergänzen sich zum Teil gegenseitig.

Autorenbeitrag

Andree Berg

Das GS1 Business Modell als Basis für die Digitalisierung in der Bauwirtschaft

Was im Baumarkt funktioniert sollte auch in der Bauwirtschaft funktionieren!

Wenn im Baumarkt an der Kasse ein Bauteil mit einem Barcode gescannt wird, ist im Idealfall ein elektronisch automatisierter Datenprozess vorläufig abgeschlossen. Vorläufig, weil durch den Verkaufsprozess bei Unterschreitung eines definierten Mindestbestands des Produktes ein automatisierter Bestellprozess ausgelöst werden kann.

Der dazugehörige Prozess, der bei der Listung des Bauteils/Produkt beim Händler anfängt, basiert auf validen Stammdaten. So kann das Produkt ge- und verkauft, die Logistik geplant, die Lagerhaltung optimiert und die Fakturierung durchgeführt werden.

Dieser Prozess kann aus GS1-Sicht auf die Bauwirtschaft etabliert werden, also in die Planungs-, Ausführungs- und Realbetreibungsphase einfließen. Dabei ist der Fokus in der Planungsphase auf den Aufbau von validen strukturierten Daten, die für alle Prozesse benötigt werden, zu setzen. In der Ausführungs- und Realbetreiber-Phase liegt der Schwerpunkt auf der Identifizierung von Bauteilen für scanbare Prozesse und dem gleichzeitigen Aufbau von Kommunikationsstandards für den elektronischen Datenaustausch.

Das GS1-Business-Modell – Identifizieren, Erfassen und Austauschen

Die Nummer unterhalb des Barcodes wird GTIN (Global Trade Item Number), ehemals EAN genannt. Die GTIN ist ein Fingerabdruck für Waren sowohl im stationären Handel als auch im World Wide Web und macht jedes Produkt unverwechselbar, was mit diesem globalen System seit nun fast 50 Jahren sichergestellt wird.

Jeder GS1-Kunde erhält hierfür eine eindeutige Basis-Nummer, was im Kontext zu BIM von Bedeutung ist, womit nicht nur Produkte wie oben beschrieben eindeutig identifiziert werden, sondern sich auch andere Standards zur Identifizierung von u. a. Transporteinheiten, Anlagengüter und Dokumente, deren Nummernkreise weltweit mit der Basisnummer eindeutig adressierbar sind, generieren lassen.

Für BIM-Prozesse unterstützt die GTIN die Übergabe der elektronischen Daten für unterschiedliche Produktdatenaustauschformate, u. a. PRICAT, JSON, GS1 XML, BMEcat, VDI 3805.

Wird der GTIN eine bis zu 25 Felder lange Global Model Number (GMN) angehängt, können auch produktbeschreibende Attribute verknüpft werden. Die als neuer Standard eingeführte (GMN) ist der GS1-Identifikationsschlüssel, der das Modell eines Produktes identifiziert, worunter auch die Produktdaten von Klassifizierungssysteme wie ETIM, eCl@ss, IFC abgebildet werden können.

Mit der GMN können auch Kundenanfragen und Angebote der Hersteller schon in der Planungsphase mit weltweit eindeutigen Nummernkreisen verknüpft werden, welche im AVA-Prozess bei Produktvergleichen und Bemusterungen Modellwechsel quasi in Echtzeit ermöglicht.

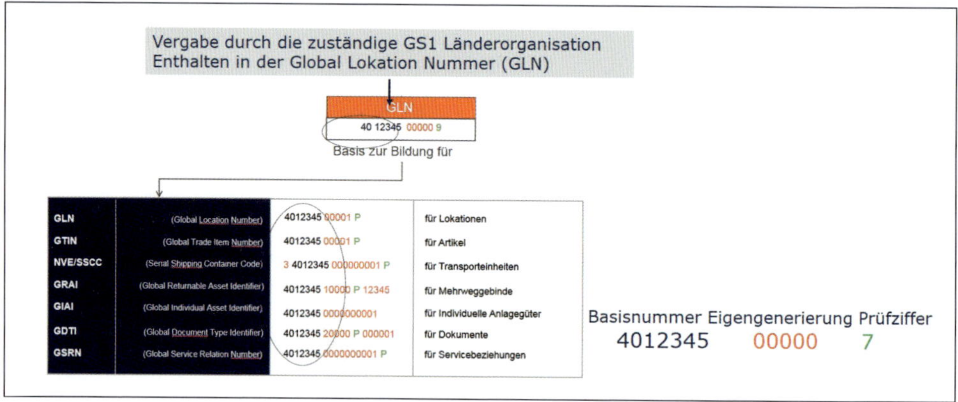

Abbildung 107: Das GS1-Business-Modell

Alle GS1-Kunden erhalten durch ihre zuständige Länderorganisation eine eindeutige Basisnummer. Diese ist enthalten in der Global Location Number (GLN). Gleichzeitig können aus der GLN Artikel oder Transporteinheiten bis hin zu Zertifikaten gebildet und eingesetzt werden.

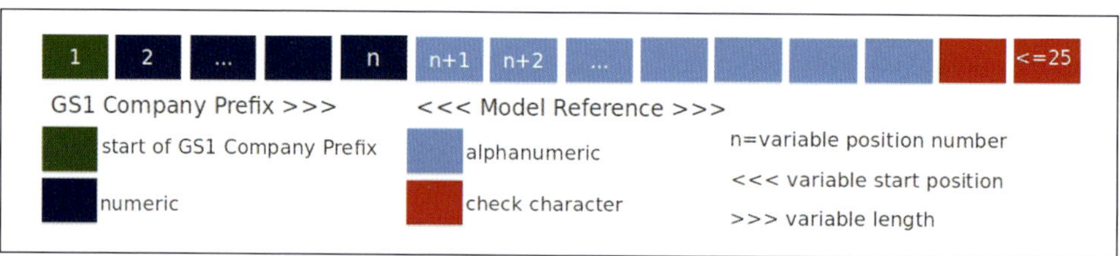

Abbildung 108: Die neue Global Model Number (GMN)

Das Zusammenspiel Indentify, Caputre & Share basiert auf den offenen globalen eindeutigen GS1-Standards.

- **Indentify**

Der Prozess startet mit der eindeutigen Identifizierung (Identify) von u. a. Unternehmen, Produkten oder logistischen Einheiten, welche dann u. a. in Barcodes verschlüsselt werden, die eine präzise Datenerfassung möglich machen (Capture) und mittels Kommunikationsstandards elektronischen ausgetauscht werden (Share).

- **Caputre**

Ein Barcode für alle Fälle. Selbst im Tante-Emma-Laden wird heute der Preis nicht mehr per Hand in die Kasse eingetippt: Barcodes von GS1 steuern Prozesse vor und hinter der Theke. Gescannt wird überall, wo es darauf ankommt, Zeit zu sparen und Daten präzise zu erfassen.

Effizient kann der Prozess nur sein, solange ein Barcode vom Hersteller bis in den Handel von jedem Beteiligten gelesen werden kann. Der Standard kommt von GS1. Die Ausprägung der Barcodes ist verschieden. Der EAN-13-Barcode auf Artikeln hat längst

„Geschwister". Ob der GS1-128 als Schlüssel zur Sendungsverfolgung, der GS1 DataBar für Waren mit variablem Gewicht wie Schrauben oder der GS1 DataMatrix, GS1-Barcodes gibt es heute für alle Anwendungsfelder. Sie dienen nicht nur dem schnellen Kassiervorgang.

Noch schneller mit dem Standard EPC/RFID. Um Zeit und damit Geld zu sparen, zählt jeder Handgriff, der vermieden werden kann. Gerade deshalb hat der Barcode Verstärkung bekommen. Die Radiofrequenz-Technologie (RFID) macht es möglich, ganze Paletten zu erfassen, ohne einen einzigen Karton anzufassen – selbst durch Wände hindurch. RFID meldet den aktuellen Bestand im Regal, ohne dass ein Mitarbeiter die Artikel zählen musste. Damit RFID vom Hersteller bis zum Handel genutzt werden kann, braucht es auch hier wie bei Barcodes einen GS1-Standard: Dieser heißt EPC – Elektronischer Produktcode.

- **Share**

Die GS1-Standards für den Informationsaustausch umfassen Datenstandards für Stammdaten, Geschäftstransaktionsdaten und physische Ereignisdaten sowie Kommunikationsstandards für den Austausch dieser Daten zwischen Anwendungen und Handelspartnern.

Zu den weiteren Standards für den Informationsaustausch gehören Erkennungsstandards, die dabei helfen, zu lokalisieren, wo sich relevante Daten innerhalb einer Lieferkette befinden, und Vertrauensstandards, die dabei helfen, die Bedingungen für den Austausch von Daten mit angemessener Sicherheit zu schaffen.

Datenaustauschstandards von GS1 sorgen dafür, dass Unternehmen nicht mit jedem Geschäftspartner die Datenprofile individuell vereinbaren müssen. Die Übersetzung (Konvertierung) der Informationen aus dem eigenen Warenwirtschaftssystem in das Standardformat muss nur einmal programmiert werden. Das spart viel Zeit und Geld.

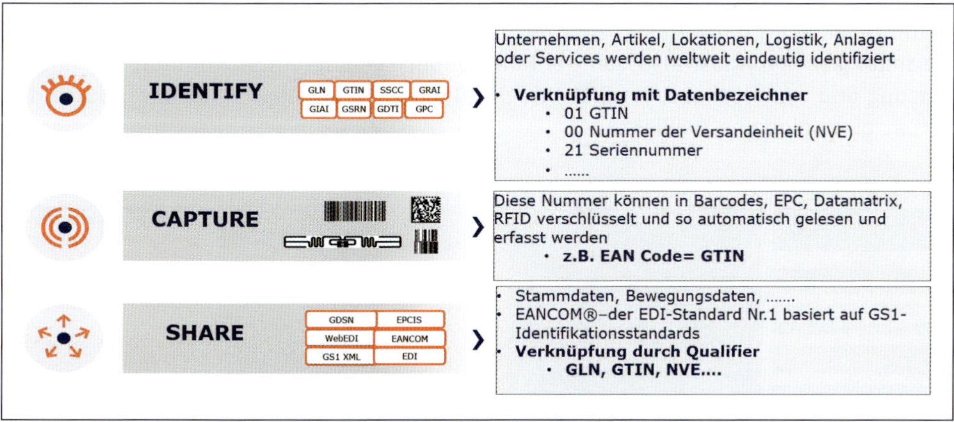

Abbildung 109: Logische Verknüpfung der offenen globalen GS1-Standards

Die Basis für alle Prozesse sind valide Stammdaten

Valide Stammdaten sind die Grundlage aller Transaktionen, unabhängig davon,ob diese auf elektronischem oder einem anderen Wege abgewickelt werden. Die Stammdaten umfassen Informationen über Artikel, Lieferanten und Materialien, die über einen gewissen Zeitraum stabil bleiben.

Fehler bei den Stammdaten können sehr schnell zu Problemen in all diesen Bereichen der Supply Chain (Wertschöpfungskette) führen. Ohne gepflegte Stammdaten ist ein effizientes unternehmerisches Handeln nicht möglich. Insbesondere beim elektronischen Datenaustausch ist die Korrektheit der Stammdaten essenziell, da keine manuellen Eingriffe vorgesehen sind. Die Effizienz der logistischen Prozesse wird neben dem Austausch der prozessbezogenen Bewegungsdaten auch durch den Austausch bzw. den zentralen Zugriff auf die Lokations- und Artikelstammdaten bestimmt.

Aufbau strukturierter Datenmodelle

Mittels GS1-Standards kann ein „Single Point of Truth“ als Inhouse Daten Box mit allen Informationen für die o. g. Prozesse aufgebaut werden. Da oftmals die Informationen in unterschiedlichen Datenquellen hinterlegt sind, ist es im ersten Schritt am einfachsten ein Datenmodell im Excel-Format analog dem im Baustoff-Fachhandel entwickelten Basis Stammdatenmodell aufzubauen, siehe hierzu www.Branchenstandard.com.

Die Datenstrukturen in diesem Datenmodell entsprechen den globalen GS1-Datenmodellen, woraus EDI (Electronic Data Interchange) Prozesse und/oder der Austausch von Stammdaten mittels Kommunikationsstandards abgeleitet werden. Ziel ist es, analoge Prozesse durch digitale Medienbruchreife Prozesse zu ersetzen.

Es beginnt beim Hersteller/Produzent eines Bauteils, der über alle benötigten Informationen verfügt bzw. verfügen sollte, sowohl die Stammdaten als auch die Produktbeschreibenden Daten eines Bauteils, mit Fokus auf die Integration und Vernetzung relevanter Daten eines Bauwerks in ein bzw. mit einem Bauwerks-Datenmodell während des gesamten Lebenszyklus, also von der Konzeption, Planung und Ausführung bis hin zur Nutzung und zum Rückbau, im BIM Umfeld (Building Information Modeling), durch den Aufbau eines digitalen Zwillings.

Abbildung 110: „Aufbau Inhouse Daten Box“

Praxisbeispiel Zusammenspiel Indentify, Capture & Share

Ein Praxisbeispiel aus der Logistik zeigt das Zusammenspiel zwischen dem standardisierten NVE/SSCC-Etikett (Nummer der Versandeinheit/Serial Shipping Container Code), der Erfassung im logistischen Prozess und den elektronischen Datenaustausch mittels der DESADV (Despatch Advise- Elektronischer Lieferschein). Also der Versandprozess vom Hersteller/Lieferant des Bauteils bis zur Baustelle.

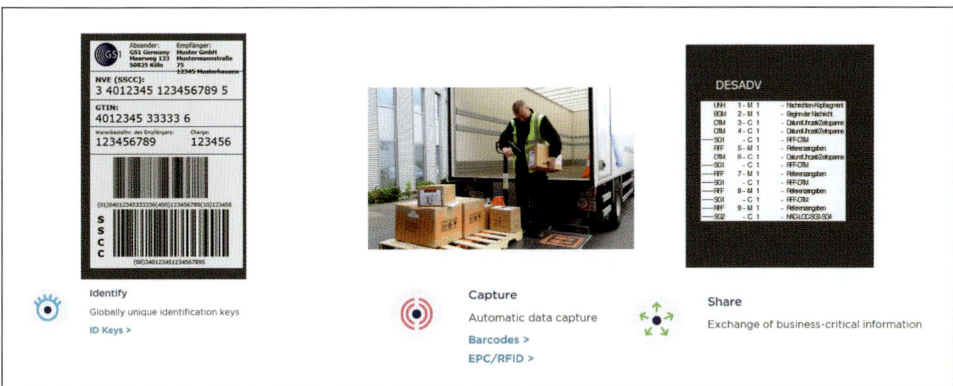

Abbildung 111: Praxisbeispiel Logistik – Daten-Link zwischen physischen und Informationsfluss

Weiterentwicklung des Prozesses über die Baustelle bis zum Einbau des Bauteils

Dieser Prozess soll logisch weiterentwickelt werden von der Baustelle bis zum Einbau, wozu GS1 Germany sich gerade für ein Förderprojekt in Zusammenarbeit mit der Uni Wuppertal bewirbt.

Ziel ist es u.a., das am Beispiel des Abrisses und Neubau eines Teilgebäudes des GS1-Bestandsgebäudes in Köln, Projektstart 2022, zu dokumentieren und u. a. digitale Zwillinge in Zusammenarbeit mit Herstellern zu erstellen.

Weiterhin soll aufgezeigt werden wie Datenträger und mobile Endgeräte für einen optimalen Datenfluss sorgen und digitale Sensoren analog dem Forschungsprojekt SaSCh eine Kommunikation zwischen Bauteilen und IT-Systemen auf ihrem Weg von der Herstellung bis zum Einbau, oder nur beim Einbau ermöglichen, z. B. automatische Meldung von Wasserschäden.

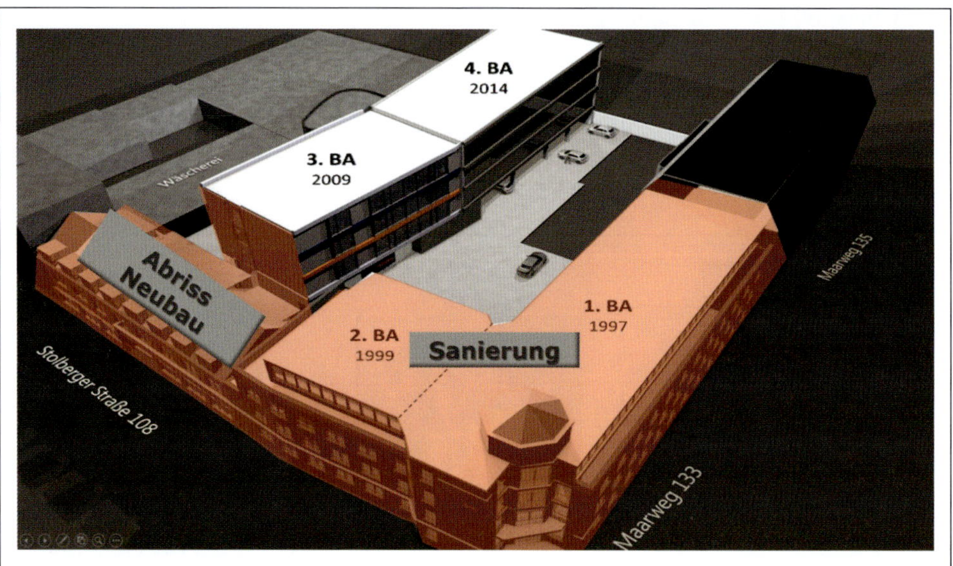

Abbildung 112: Projektskizze Abriss/Neubau Teilgebäude des GS1-Bestandsgebäudes Projektstart 2022

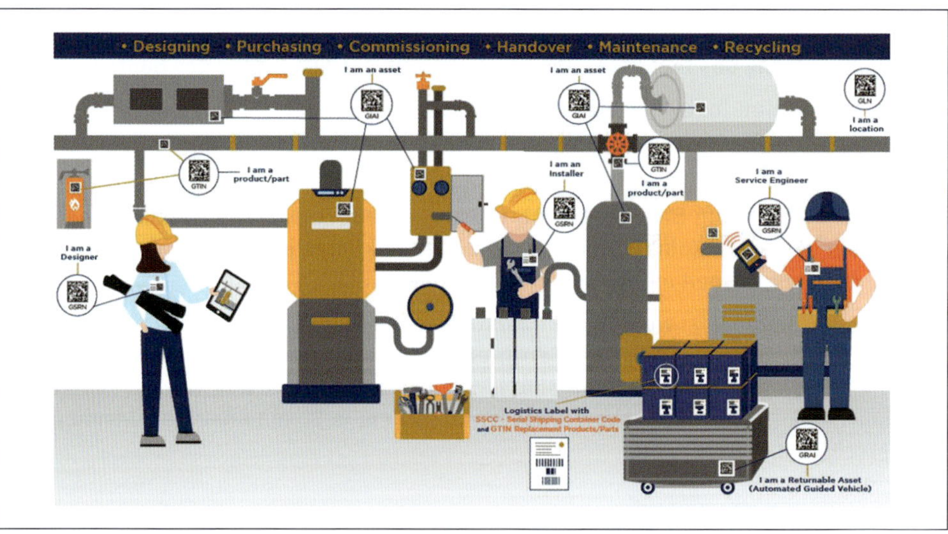

Abbildung 113: Zielszenario GS1 Identifikation in der Bauwirtschaft

§ Recht:

Das GS1-Modell ist ein wichtiger Baustein für das Tracking von Bauelementen zur Baustelle und auf der Baustelle und damit ein wichtiger Bestandteil des gesamten Lean-Management-Prozesses. Vielfach wird moniert, dass insbesondere bei C-Teilen Chargen verbaut werden, die das Handwerk möglicherweise vor Ort hatte und günstiger sind als die tatsächlich gewollten Bauteile. Insbesondere für die Prüfung der tatsächlich verwendeten Bausubstanz, aber auch für die Steuerung der Termine, Kosten und damit der Abrechnungsfähigkeit von Leistungen kommt es daher entscheidend darauf an, mittels Barcode gekennzeichnete Bauprodukte und Teile den genauen Bauablauf nachvollziehen zu können. Sofern auch künftig verstärkt Anwendungen für den elektronischen halbautomatisierten Zahlungslauf zur Anwendung kommen, schließt sich hier der Kreis und auch der Vorteil für zuliefernde Betriebe, Ausführende und das Handwerk.

Hierbei sei aber auch nochmals darauf hingewiesen, dass eine mittels Barcode gesteuerte vertiefte Baulogistik jedenfalls in den Bereich der Besonderen Leistungen fällt. Denn damit geht einher, beispielsweise eine detaillierte Kosten- und Terminplanung sowie eine detaillierte Baustelleneinrichtungsplanung und Steuerung vorzunehmen. Dies sind keine Leistungen, die üblicherweise in der Leistungsphase 8 vorgenommen werden. Gegenstand der Objektüberwachung ist tatsächlich die Überwachung der Ausführung hin zu einem mangelfreien Gewerk, nicht aber hin zu einem kostenoptimierten Bauablauf. Mit einem solchen Barcode-System liegt es, wie bereits kurz angerissen, auf der Hand, dass es einen erheblichen Vorteil geben wird, um die Prüffähigkeit sowohl bei Abschlagsrechnungen als auch bei Schlussrechnungen zu vereinfachen und damit Zahlungsläufe zu beschleunigen. Dies bedeutet eine erhebliche Erleichterung für die prüfenden Ingenieure, aber auch für die zwischenfinanzierenden Handwerksunternehmen. Damit kann eine wesentliche Beschleunigung des Zahlungsverkehrs und eine reibungslose Abwicklung von Bauprojekten bewirkt werden.

Ergänzend ist darauf hinzuweisen, dass nach Anlage 15 zur HOAI 55 auch das Erstellen von Rechnungsbelegen anstelle der ausführenden Firmen z. B. eine Besondere Leistung ist, sodass hier möglicherweise ein weiteres Betätigungs- und Abrechnungsfeld für Planer entsteht.

5.22 Fertigbau

Die Anfertigung von einigen Bauteilen kann heutzutage über Fertigbauteile (Precast) schnell und unkompliziert erfolgen. Hierzu werden alle benötigten Angaben aus den Plänen herangezogen und für die Fertigung vorbereitet.

Anstelle der manuellen Eingabe aller Eigenschaften des Bauteils wie Höhen, Breiten und Längen können diese Informationen direkt aus dem BIM-Modell gezogen werden. Dazu werden die jeweiligen Bauteile im BIM-Modell elementiert und vorbereitet. Mithilfe von QR-Codes, Chips oder Barcodes, die in den Bauteilen eingelassen sind, kann jedes Bauteil geortet und der Status abgerufen werden. Aufgrund der Anfertigung der Bauteile und deren korrekten Elementierung über das final koordinierte Modell und der Beschriftung der Bauteile mit Barcodes wird der reibungslose Ablauf auf der Baustelle und die Lokalisierung zur Unterstützung des Supply Chain Management gewährleistet.

Autorenbeitrag

Mag. Peter Kafka

Modellbasierter Fertigbau

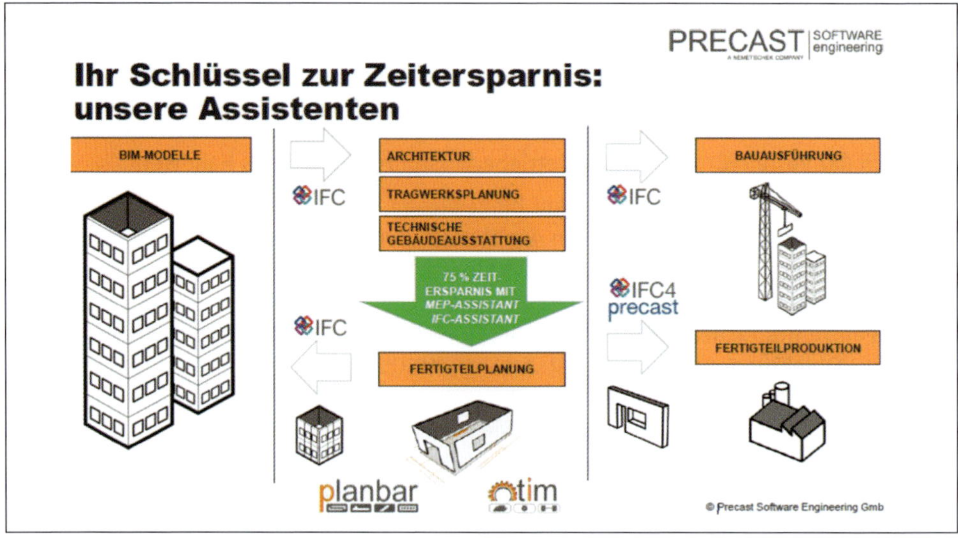

Abbildung 114: BIM-basierte Fertigbauplanung

Ausgangspunkt des nachfolgenden exemplarischen Fertigteil-Planungs-Prozesses ist der BIM-Projektraum, etwa Bimplus von ALLPLAN. Darin sind BIM-Modelle und sämtliche projektrelevanten Informationen vorhanden. Die Modelle im BIM-Raum bilden in unserem Beispiel die Aspekte Architektur, Tragwerksplanung und technische Gebäudeausstattung ab und sind die Planungsgrundlage für das Fertigteil-Projekt.

Der Import der Informationen aus dem BIM-Projektraum in die Fertigteil-CAD-Software erfolgt über die Schnittstelle IFC. Bei der Qualität der zu importierenden Modelle gibt es häufig große Unterschiede. Um die Qualität der Daten auf das für Fertigteilplanung nötige Level zu heben, unterstützen idealerweise Software-Automatismen, etwa der IFC-Assistant und der MEP-Assistant von ALLPLAN PLANBAR. Zu den Optimierungen gehören Verbesserungen der geometrischen Information und das Ergänzen von Attributen, die nötig sind, um Fertigteile zu planen, etwa Materialien, Vorgaben für die Bewehrung oder für Einbauteile.

Nun wird das importierte und bereits optimierte Architekturmodell zu einem Fertigmodell verfeinert – hier beginnt die eigentliche Fertigteil-CAD-Planung. Konkret umfasst diese die Fertigteil-Elementierung sowie die Planung der Einbauteile und der Bewehrung. Moderne Fertigteil-CAD-Software wie ALLPLAN PLANBAR erleichtert und beschleunigt die Fertigteilplanung durch zahlreiche Automatismen. Beispiele dafür sind die automatische Erzeugung der Bewehrung oder die automatische Erstellung sämtlicher Elementpläne.

Abbildung 115: Bewehrung in der Fertigbauplanung

Im Anschluss erfolgt die Übergabe der Daten an die Arbeitsvorbereitungs-Software, etwa ALLPLAN TIM, wo unter anderem regelbasierte Qualitätsprüfungen sowie die Montage-, Transport- und Produktionsplanung erfolgen. Danach kann die Erzeugung der Daten für nachgelagerte Systeme wie ERP, MES, BIM-Projekträume oder Kontrollwerkzeuge wie Solibri erfolgen. Konkret exportiert TIM Reports, Elementpläne, Übersichtspläne, 3D-Modelle und kaufmännische Informationen.

Feedback zwischen den verschiedenen Systemen kann über das BCF-Format ausgetauscht werden. Wenn beispielsweise bei der Qualitätsprüfung analysiert wird, dass eine Öffnung zu nahe am Rand eines Fertigteils platziert ist, kann das System den Fertigteil-Planer informieren und die relevante Stelle exakt im 3D-Modell des Fertigteilplaners hervorheben. Zeitaufwendige und teure Fehler werden so vermieden. Die Kommunikation mit dem Auftraggeber, beispielsweise Freigaben betreffend, kann ebenfalls unter Nutzung des IFC-Modells via BCF erfolgen. Wesentliche Vorteile dieses Ansatzes sind eindeutige und effiziente Abstimmungsprozesse.

Auch für die Produktion der Fertigteile ist das IFCFormat prädestiniert – hier wurde speziell für Betonfertigteil-Projekte das IFC4precast-Format entwickelt. Eine einheitliche Nutzung des IFC-Formats für Fertigteile stellt eine Durchgängigkeit der Daten sicher und ist somit ein wichtiger Qualitätsfaktor.

Nach der Produktion der Fertigteile erfolgen der Transport zur Baustelle und die Bauausführung. Mobile Applikationen wie mTIM vereinfachen und beschleunigen die Abläufe vor Ort auf der Baustelle. Der Monteur hat stets das Modell zur Hand und weiß sofort und eindeutig, welches Teil wo platziert werden muss. Etwaige Mängel werden mobil über die App an die Zentrale gesendet, die sich gegebenenfalls umgehend um die Nachproduktion kümmert. Nach erfolgreicher Montage wird das Fertigteil gescannt, um das Büro über den neuen Status zu informieren und somit das Startsignal für die Abrechnung zu geben.

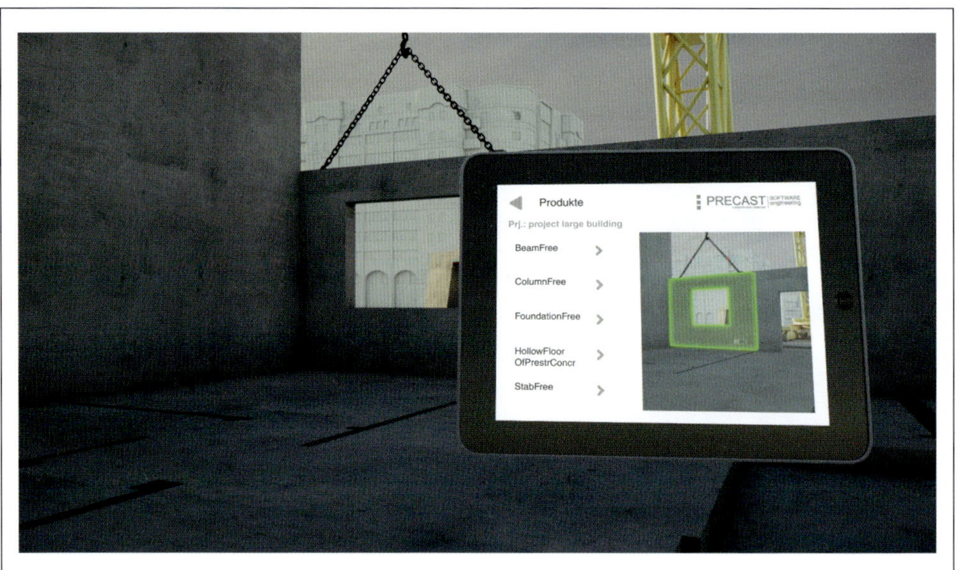

Abbildung 116: Lieferung der Fertigbauteile auf der Baustelle

Zusammenfassend lässt sich festhalten: Speziell für Fertigteilprojekte entwickelte Software trägt massiv zur Produktivität von Planungs- und Arbeitsvorbereitungsprozessen bei. Viele vormals manuelle Schritte sind heute automatisiert. Weiterhin hilft Fertigteil-Software, Fehler zu vermeiden und die Zusammenarbeit aller Projekt-Beteiligten zu vereinfachen.

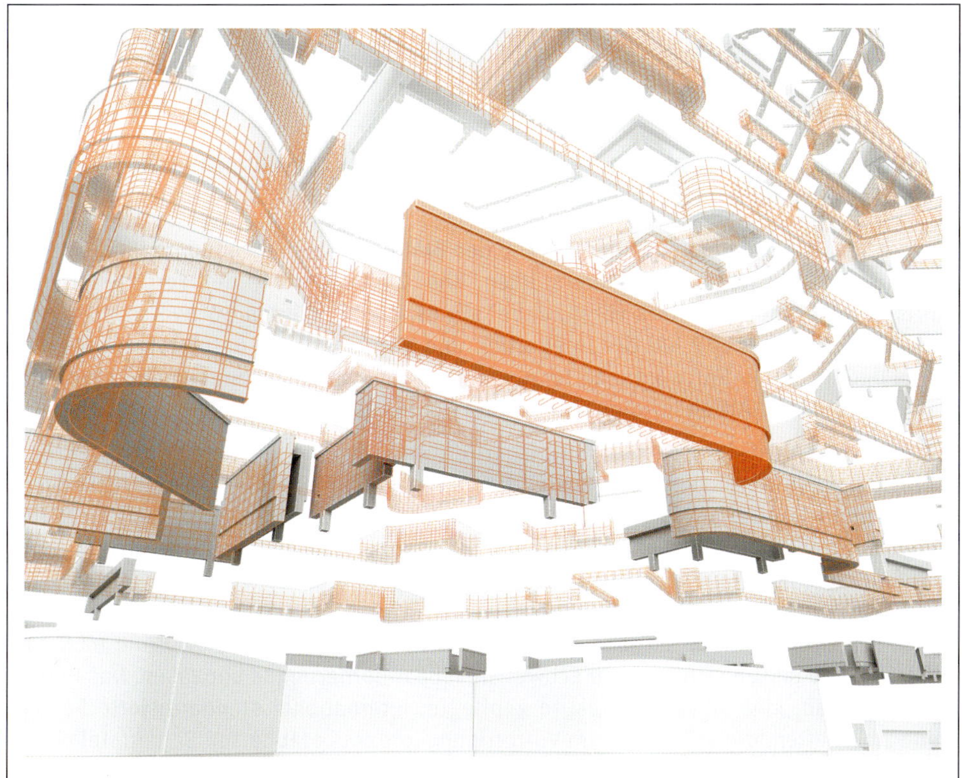

Abbildung 117: Kosmos der Fertigbauteile

Für die Planung der Fertigteile bietet buildingSMART eine weitere Modellansicht als IFC4Precast für die Planung und Ausführung an. Das IFC4Precast basiert auf langzeitiger Erfahrung, professionellem Austausch und Entwicklung im Rahmen der buildingSMART International. Wie genau das BIM-Modell mit dieser Modellansicht, seiner Geometrie und seinen Informationen zum Fertigbauprozess beitragen kann, wird im nächsten Autorenbeitrag erläutert.

Autorenbeitrag

Stefan Maier

IFC4precast – ein komplett neues Konzept für den Datenaustausch in der Fertigteilindustrie

IFC4precast ist ein völlig neues Konzept um den BIM-Prozess, insbesondere für die Fertigteilindustrie, bestmöglich zu unterstützen. Die Digitalisierung der Fertigteilbranche schreitet mit großen Schritten voran, dabei gilt es, die beteiligten Softwaresysteme wie CAD, MES, PPS und ERP bei der Integration und Vernetzung zu unterstützen. Mehrere starke und bekannte Softwareanbieter dieser Branche kamen zusammen und gründeten die buildingSMART-Arbeitsgruppe IFC4precast (initiiert durch Kunden).

Die aktuelle Entwicklung von BIM konzentriert sich auf die Dokumentation des Bauprozesses durch Anreicherung und Standardisierung architektonischer und technischer Gebäudemodelle. Der Vorfertigungsprozess ist in dieser Entwicklung derzeit nicht tiefgreifend verankert. IFC wird bereits als Standardaustauschformat zwischen Architektursoftwaresystemen verwendet, die enthaltenen Informationen gehen jedoch beim anschließenden Datenaustausch zu spezialisierten Fertigteil-Softwaresystemen (CAD, MES, PPS, ERP) verloren. Aktuelle Schnittstellen zwischen Fertigteil-CAD und MES sind unflexibel und lassen sich nur sehr schwer an neue Anforderungen anpassen. Das Projekt zielt darauf ab, eine von der Industrie gepflegte, international standardisierte Schnittstelle zu schaffen, die auf bereits im Vorfertigungsprozess etablierten Schnittstellen wie AIA, Unitechnik Version 1.0 bis 6.1, UXML, PXML und BVBS basiert. Da vorgefertigte Produkte immer komplizierter werden, steigt die Nachfrage nach einer leistungsfähigeren Modellaustauschschnittstelle.

Betrachtet man die unterschiedlichen Austauschszenarien im Fertigteilumfeld, erkennt man, dass es für jedes Szenario unterschiedliche Anforderungen bezüglich des Informationsgehaltes gibt.

Insbesondere der Austausch zwischen CAD und MES (Leitsystem, Produktion) stellt die komplexeste Variante dar (siehe Abbildung 118) und hat sehr hohe Anforderungen an Geometrie, Projekt- und Elementstruktur sowie die semantischen Daten. Dieses Austauschszenario (Exchange Requirement) zwischen CAD und MES ist auch der zentrale Teil in der ersten Phase der IFC4precast-Initiative.

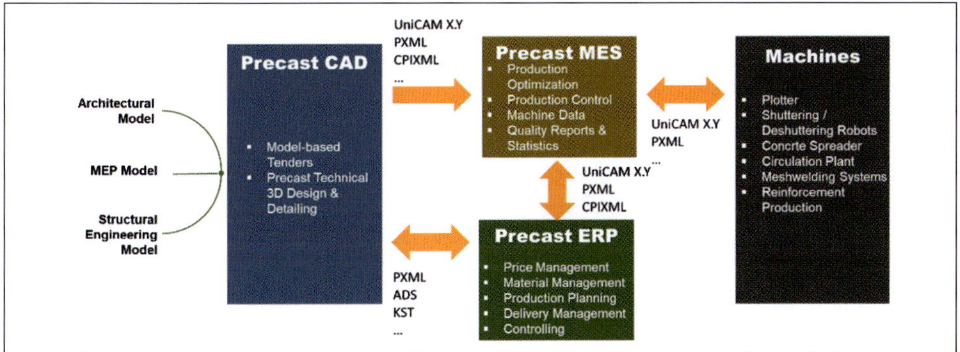

Abbildung 118: Typische Softwareumgebung im Fertigteilwerk

Die in Abbildung 118 aufgezeigten Schnittstellen (orange Pfeile) zwischen den Systemen sollen langfristig alle dem IFC4precast-Format weichen.

Anwendungsfall und Mehrwert

Das Beispiel in Abbildung 119 zeigt eine Wand mit Innenisolierung – man erkennt die mögliche Aufteilung in unterschiedliche Teile (Parts), Lagen (Layern), Oberflächen und Materialien.

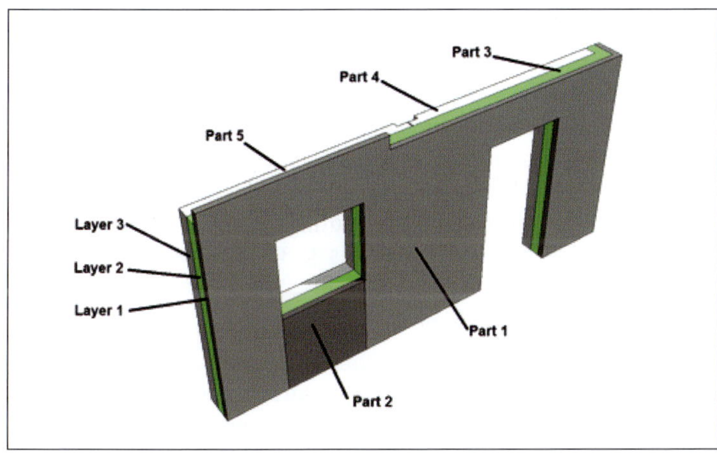

Abbildung 119: Beispiel Wand

Mit dem Use Case der Übergabe dieser Wand aus dem Fertigteil CAD an ein Fertigteil MES-System mit IFC4precast erkennt man, wie groß der Mehrwert für den Anwender ist, auch gegeben durch die Veränderung der Prozesse und Arbeitsweisen. Obwohl die volle Tragweite für den Anwender heute noch nicht abschätzbar ist, kann man folgende Mehrwerte heute schon prognostizieren bzw. real sehen:

- Modellbasierte Kommunikation und Visualisierung verhindert Missverständnisse und Fehler in Produktion
- verlustfreie Übertragung von Informationen zwischen CAD, MES (und ERP)

- Darstellung und Analyse in 3D unter Verwendung von Viewern
- weniger unterschiedliche Interpretationsmöglichkeiten durch Klarheit der 3D-Daten gegenüber 2D-Plänen
- technische Verbesserung (GUID, Bewehrung in 3D, Schaler-Interpretationen, ...)
- werksunabhängige Planung der Produktion
- Smart Factory mittels 3D-Daten, dadurch auch mehr Möglichkeiten direkt in der Anlage
- Technologien wie VR (virtual reality) oder AR (augmented reality) erfordern 3D-Objekte
- Schalungserkennung, durch Analyse der 3D-Element-Geometrie

Standardisierung

Gemäß den Vorgaben von buildingSMART gibt es unterschiedliche Prozessschritte, die durchlaufen werden müssen, um am Ende einen international anerkannten Standard definieren zu können.

IFC4precast ist bereits im Schritt „Candidate Standard“, und es läuft aktuell der Software-Validierungsprozess, der letzte Schritt zum „Final Standard“.

§ Recht[19]:

Die Vorfertigung ist ein zunehmend wichtiger Ansatz, da er nicht nur die Termin- und Kostensicherheit befördert, sondern auch im Innenstadtbereich das Problem der fehlenden Baustelleneinrichtungsflächen mindert. In rechtlicher Hinsicht stellen sich jedoch zahlreiche Fragen. So ist fraglich, ob sich im Falle des „Direkteinkaufs“ von Fertigteilen mit (untergeordneter) Montageleistung vor Ort das Bauvertragsrecht stärker zum Werklieferungsvertragsrecht (§ 650 BGB) wandelt (vgl. OLG Brandenburg, Urt. v. 22.2. 2012 – 4 U 69/11). Dies hätte zur Konsequenz, dass auf die Fertigteil-Lieferungen Kaufrecht und damit auch möglicherweise die Prüfpflicht des § 377 HGB anzuwenden ist. Dadurch würde eine Verkürzung des Gewährleistungsrechtes zugunsten des Bauherrn drohen. Die Diskussion ist jedoch hier erst am Anfang.

Um die kombinierten BIM- und Lean-Services zu verbessern, wird es künftig darauf ankommen, ein Baulogisitik-Modell zu erzeugen, aus dem heraus Bestellungen abgerufen, in Produktion geschickt und just in time/just in place angeliefert werden. Dabei wird es darauf ankommen, die Zuständigkeit für den „Abruf“ genau zu klären. Denn würde ein „Abruf“ zu früh erfolgen, entstünden ggf. Zwischenlagerungskosten. Die Verteilung dieser Kosten könnten nach den Grundsätzen des „vorauseilenden Gewerks“ dem Auftragnehmer oder nach den Grundsätzen des Annahmeverzugs dem Auftraggeber und seinen Erfüllungsgehilfen zugeordnet werden. Diese Frage entscheidet sich nach der Übertragung der Zuständigkeiten.

19 gemeinsam mit IFC4precast

5.23 Vorfertigung von Rohrleitungen

Die Fertigbauweise kann nicht nur für Bauteile, wie Wände oder Decken, eingesetzt werden, sondern ebenso für TGA-Elemente. Anhand des koordinierten BIM-Modells werden die Bauteile vorgefertigt und auf die Baustelle geliefert. Durch die vollständige Anfertigung dieser Elemente können WMP-Themen und mögliche Kollisionen frühzeitig erkannt werden. Dadurch werden die korrekten Abmessungen und Eigenschaften der Bauteile gewährleistet und Terminsicherheit durch vorherige Überprüfungen suggeriert. Voraussetzung ist hierbei eine saubere und detaillierte Koordination der TGA inklusive aller Schnittstellen zu weiteren Gewerken. Außerdem soll das Modell alle Grundlagen für die Ausführung auf der Baustelle liefern. Mit Hilfe der Informationen im Modell werden die genauen Mengen zur Montage generiert.

Autorenbeitrag

Stefan Wüst

Fabrikationsmodelle sind in den Gewerken Sanitär und Heizung bis heute unüblich. Was beispielsweise im Gewerk Lüftung mit Schnittstellen wie eKlimax oder winKlimax weit verbreitet ist, findet in anderen Disziplinen der Gebäudetechnik noch immer keine Anwendung. Der Grund dafür sind die eingebrannten Muster der Sanitär- und Heizungsbetriebe sowie die sehr einfachen Rohrverbindungstechniken. Letztere haben die Branche dazu verleitet, wenig Arbeitsvorbereitung zu betreiben und sich die Vorteile der Vorfertigung nur selten zunutze zu machen. Dabei bieten die digitalen Planungsmethoden heute hervorragende Möglichkeiten, im Bereich Effizienzführerschaft einen großen Schritt in die richtige Richtung zu machen.

Alles beginnt mit einem Fabrikationsmodell, welches ein exaktes Abbild der späteren Installation darstellt. Der Modellautor modelliert die Sanitär- und Heizungsinstallationen genau so, wie ein Installateur es später auf der Baustelle installieren soll. Eine besondere Rolle spielt dabei die Planung der Aufhängungen, die ein zentrales Element im Fabrikationsmodell sind. Das Fabrikationsmodell wird weiter mit allen relevanten Daten angereichert und bietet später die Basis für die nachfolgenden Prozesse.

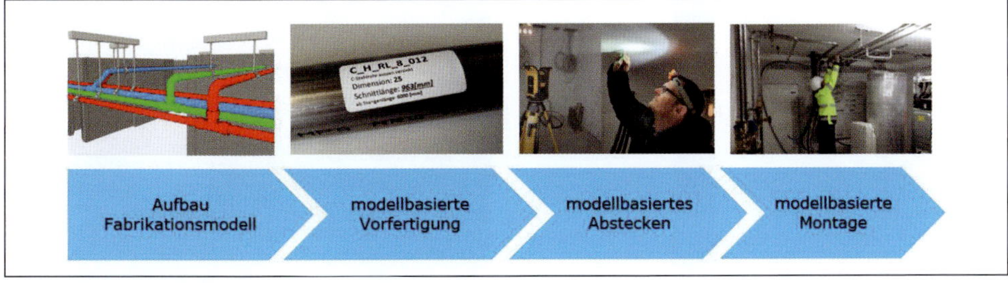

Abbildung 120: Prozess der Vorfertigung von Rohrleitungen

Das Fabrikationsmodell wird zuallererst für die modellbasierte Vorfertigung genutzt. Dabei werden die Daten aus dem Modell so strukturiert, dass die effektiven Längen der Rohre und Aufhängungsschienen in der Werkstatt oder im Vorfertigungsbetrieb passgenau geschnitten werden können. Alle übrigen Komponenten werden in der gewünschten Stückzahl beim Lieferanten taktiert bestellt.

Auf der Baustelle angekommen, steckt der Installateur zuerst mittels Tachymeter(-logik) Bohrlochpunkte ab. Durch das Anzeichnen der Bohrpunkte lassen sich einerseits Fehler vermeiden, andererseits geben ebendiese zusammen mit den vorgefertigten Aufhängungen die spätere Rohrführung vor.

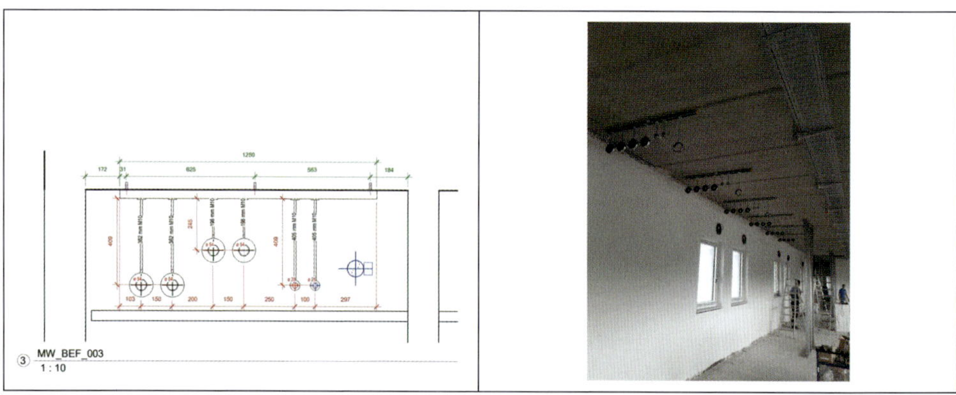

Abbildung 121: Vorfertigungskoordination

Die modellbasierte Montage wird unterstützt durch ein Tablet, auf dem ein BIM-Viewer das Fabrikationsmodell darstellt. Böse Überraschungen im Montageprozess lassen sich so auf ein Minimum reduzieren, da alle großen und kleinen Herausforderungen bereits im Rahmen des Modellierungsprozesses verbindlich gelöst werden können.

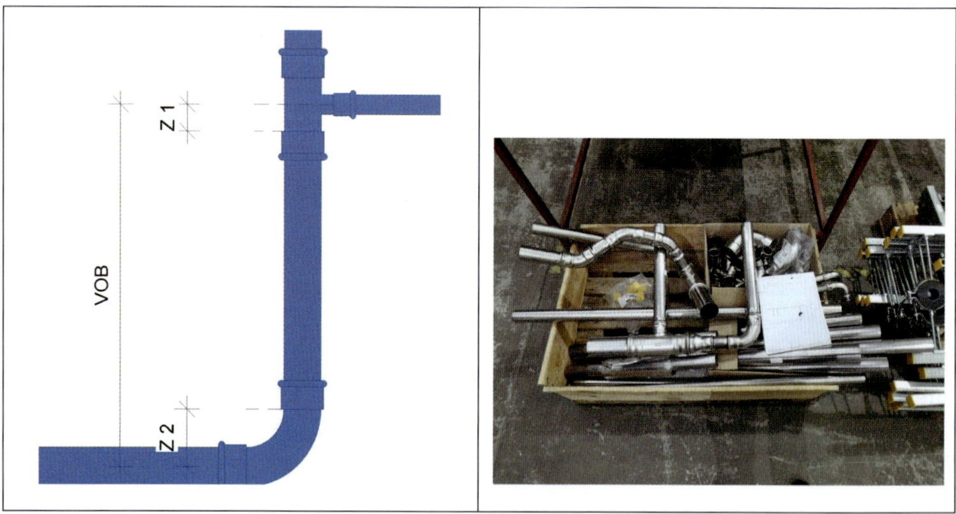

Abbildung 122: Modellbasierte Vorfertigung der Rohre

Unsere Kundenprojekte zeigen die Perspektiven und das Potenzial des modellbasierten Arbeitens deutlich auf. Primär müssen die Entscheider der Branche die Möglichkeiten einer digitalen Planung erkennen und die Vorteile daraus nutzen. Für innovative Unternehmer wird sich das Vertrauen in das modellbasierte Arbeiten auszahlen, denn sie werden durch geringere Montagezeiten und einen gezielteren Materialeinsatz mit mehr Projektertrag belohnt. Der Use Case von buildingSMART International hilft bei den ersten Gehversuchen. https://ucm.buildingsmart.org/

§ **Recht:**

Das modellbasierte Arbeiten ist keineswegs Standard. Folglich bedarf es einer gesonderten Vereinbarung. Insbesondere bedarf es einer solchen, wenn der Auftraggeber die Fabrikationsmodelle „übertragen" bekommen möchte, um sie zu prüfen und ggf. in ein As-built-Modell zu überprüfen. Ohne vertragliche Vereinbarung (z. B. auch über AIA oder BAP) hat er keinen Anspruch drauf.

Sofern Fachplaner bzw. Fachkoordinatoren die Fabrikationsmodelle prüfen sollen, ist dies ebenfalls eine Besondere Leistung i. S. d. HOAI und bedarf der gesonderten Beauftragung. Dabei stellt sich jedoch die Frage, wie tief die Prüfpflicht reicht. Die ist keineswegs gesichert. Die Prüfpflicht könnte sich nur auf „offensichtliche" Fehler oder solche, die in einer Kollisionsprüfung anerkannt werden können, beschränken.

5.24 Integration Maschinen und BIM

Einige Arbeiten auf der Baustelle müssen von Menschen in Verbindung mit Maschinen, wie Kränen oder Baggern, erledigt werden. Dadurch kann die Arbeit vor Ort schneller und effizienter erledigt werden. BIM ermöglich nicht nur die Optimierung der Abläufe von Bauprozessen oder Bauteilanfertigungen, sondern auch die Optimierung im Hinblick auf den Einsatz dieser Maschinen.

Durch den gleichzeitigen Einsatz mehrerer Maschinen auf dem Grundstück besteht grundsätzlich immer die Gefahr, dass die eingesetzten Maschinen aufeinandertreffen und es zu Unfällen kommt. Ein anderes Beispiel wäre eine logistische Organisation von Maschinen in engen Bereichen. Besonders ist dies bei größeren Bauvorhaben der Fall. Über das BIM-Modell könnten die Abstände dieser Maschinen frühzeitig kontrolliert und auf mögliche Kollisionen hin geprüft werden.

In großen Städten befinden sich die Baustellen meist auf einem beengten Raum, müssen stetig nach einem knappen Terminplan verlagert werden und können räumlich an ihre Grenzen stoßen. Mit BIM lassen sich mit Hilfe der dritten Dimension die möglichen Standpunkte ausfindig machen und eintakten.

Interessant wäre in diesem Fall, wenn das Modell ein aktuelles Echtzeit-Modell wäre und mit Hilfe von Supply Chain Management basierend auf LCM den aktuellen Stand und entstehende Kollisionen live abbilden würde.

Autorenbeitrag

Thomas Hauber

Im Jahr 2010 war bereits leistungsfähige Hardware und CAD-Software verfügbar; die ersten Prototypen und der erste Baumaschinenmodell-Katalog entstanden im Rahmen des Forschungsprojektes Mefisto für Simulationsuntersuchungen. Dieser erste BIM-Baumaschinenmodell-Katalog wurde konsequent weiter ausgebaut und wird auch aktuell weiter ergänzt. Die ersten BIM-Baumaschinenmodelle wurden in Eigenregie modelliert. Aktuell erhalten wir Baumaschinenmodelle von den Herstellern der Baumaschinen. Diese müssen dann geprüft, in die erforderlichen Datenformate konvertiert und um die erforderlichen BIM-Attribute ergänzt werden. Frei zugängliche CAD-Modellbibliotheken werden ebenfalls als Quellen herangezogen. Im Ergebnis soll das BIM-Baumaschinenmodell die Abmessungen, Bewegungsräume und alle spezifischen Aktionseigenschaften enthalten.

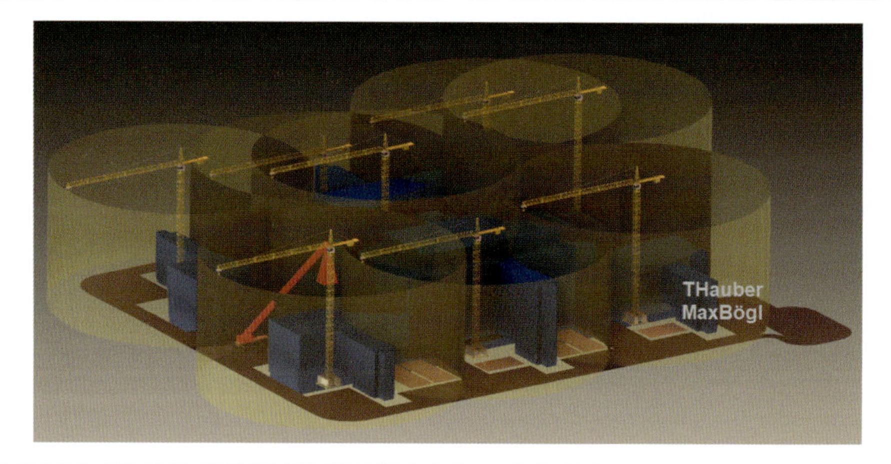

Abbildung 123: Kollisionsprüfung der Kräne auf einer Großbaustelle

Hauptanwendungsgebiet der BIM-Baumaschinemodelle sind Hochbaukräne, insbesondere die Kollisionsprüfung beim Einsatz mehrerer Hochbaukräne auf Großbaustellen (siehe Bild 123). Wenn erforderlich, kann die Transportkette vom LKW, über den Hochbaukran und zur Einbaustelle dargestellt und untersucht werden (siehe Bild 124). Aber auch die Mobilkräne mit Blick auf Teleskopierung und Ballastierung sind ein wichtiges Thema. Im Hochbau stellt die Faltung der Ausleger von Betonpumpen, die Reichweite und die Fördermenge eine Herausforderung dar, die mit BIM-Baumaschinenmodellen untersucht werden kann. In der Logistik werden Hallenkräne, LKW mit Auflieger, Betonmischfahrzeuge, Spezialanhänger, Lokomotiven, Waggons und Spezialwaggons, Gabelstapler und auch Schiffe mit BIM-Baumaschinenmodellen beschrieben. Auf diese Weise kann der Materialtransport über Hallenkran, Wendetraversen, Vakuumheber, LKW mit Spezialanhänger, Gabelstapler und Mobilkran abgebildet werden. Im Infrastrukturbereich kann eine komplette Einbausituation mit mobiler Bitumenmischanlage, LKW mit Thermomulde,

Deckenfertiger, Vibrationswalzen, Schneidemaschinen und Vermessungseinrichtungen erfasst werden. Der Tiefbau verlangt nach BIM-Baumaschinenmodellen von Bohrgeräten, Baggern, Radladern, Planierraupen, Vibrationsrammen, Brecheranlagen und Grabenfräsen. Bauen im Bestand wird mit BIM-Baumaschinenmodellen von Abbruchzangen, Mikropfahl-Bohrmaschinen, Verpressaggregaten und Seilsägen unterstützt. Im Tunnelbau sind Vortriebsmaschinen, Ankerbohrmaschinen, Sprenglochbohrwagen, Maschinen zum Auftrag von Spritzbeton, Tunneldumper, Mischmaschinen und Silos, Pumpen und Ventilatoren, Bodengefrieranlagen mit Kompressor, Kondensator und Gefrierlanzen Anwendungsgebiete für die BIM-Baumaschinenmodelle. Auf der Suche nach einer technischen Lösung werden gegebenenfalls Baumaschinen umgebaut. Die Planung von Umbau und Ausrüstung erfolgt am BIM-Baumaschinenmodell. Zahlreiche Probleme können im Vorfeld erkannt und ausgeräumt werden.

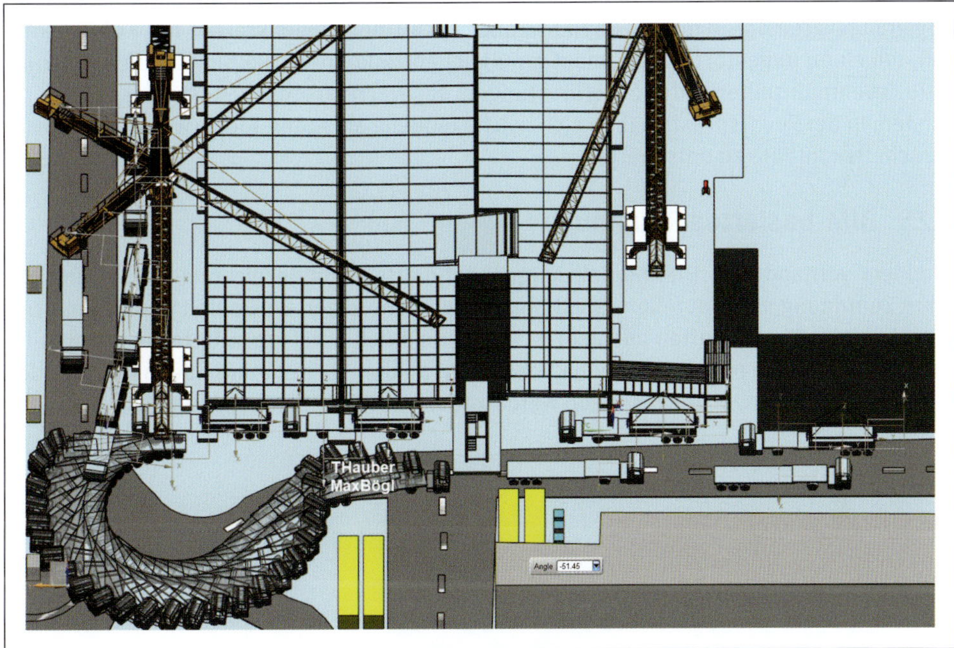

Abbildung 124: Modellbasierte Koordination der Maschinen auf der Baustelle

Wenn der erforderliche Aufwand gerechtfertigt werden kann, ist es technisch kein Problem, alle Szenarien im Bauwesen mit BIM-Baumaschinenmodellen darzustellen und zu untersuchen.

§ **Recht:**

Die Baumaschinen- und Gerätemodelle lassen sich in zweierlei Hinsicht hervorragend bedienen.

Zum einen können mit ihnen detailliertere Baulogistik- und Baueinrichtungsmodelle eingegeben werden. Selbstverständlich handelt es sich bei solchen Modellierungs- und Planungsarbeiten um Besondere Leistungen i. S. der HOAI. Nichtsdestotrotz sind insbesondere bei engen Innenbereichslagen mit engen Baustelleneinrichtungsflächen solche Modelle von großem Vorteil.

Zum anderen ergibt sich insbesondere im Innenstadtbereich das Erfordernis, die Baustelleneinrichtung mittels Baumaschinen- und Gerätemodellen genau zu planen, um beispielsweise auch die Einwendungen von Nachbarn zu antizipieren, ggf. transparent zu machen und so den Weg zu ebnen für nachbarschaftliche Vereinbarungen. So sind etwa Abgeltungsvereinbarungen für Baulärm, aber auch Überschwenkrechte mit Kränen sinnvoll, um einen ungestörten Bauablauf ermöglichen zu können. Die Simulation dient auch dazu, eventuell unberechtigte Befürchtungen der Nachbarschaft besser ausräumen zu können. In der Rechtspraxis haben sich solche Modelle als gutes Tool erwiesen, um Nachbarschaftskonflikte zu entschärfen.

5.25 BIM-basiertes Raumbuch

In einem vorhandenen BIM-Modell sorgen definierte Raumbezeichnungen für die korrekte Zuordnung von Bauteilen. Diese Räume werden immer als Bauteil erstellt und tragen ebenfalls Eigenschaften mit sich. Ist ein Raum durch bereits erzeugte Wände erstellt, kann sich der Raum mit nur wenigen Klicks direkt an den 3D-Kubaturen der begrenzenden Bauteile anpassen. Die Basismengen werden automatisch im Raum mit eingetragen.

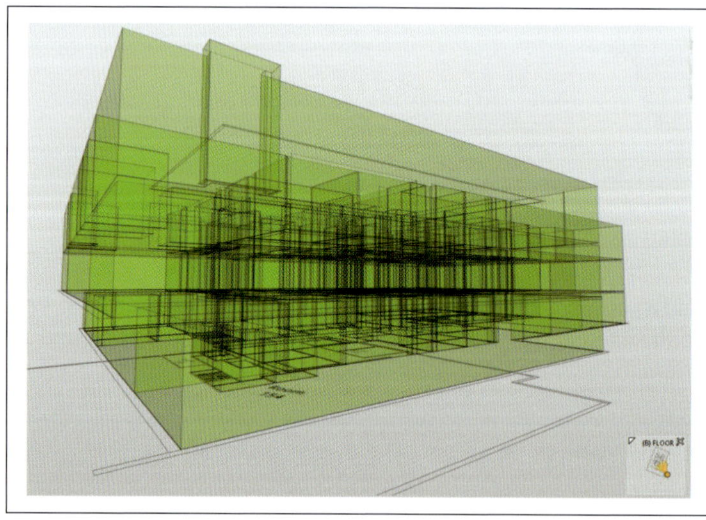

Abbildung 125: Beispiel Räume in einem BIM-Modell

Je nach Anwendungsfall werden die entsprechend relevanten Informationen zu dem Raum dargestellt. So sind im Anwendungsfall für die Heiz- und Kühllastberechnung andere Informationen aufgeführt, als für den Betrieb letztendlich benötigt werden. Dadurch können Protokolle in Form von Raumbüchern automatisch mit dem BIM-Modell generiert werden. Sollten Änderungen von Raumkubaturen etc. vorgenommen werden, würden diese direkt in den neu erzeugten Raumbüchern auftauchen.

Autorenbeitrag

Julian Alexander Amann

Es ist gar nicht so lange her, da waren Raumbücher tatsächliche Bücher, mit einer Seite pro Raum. Darin wurden die einzelnen Räume mit ihren allgemeinen Merkmalen, Abmessungen und vorgesehenen Nutzungen erfasst und stellten damit ein unerlässliches Hilfsmittel in der Bauwerksdokumentation dar.

Irgendwann in den 1970er Jahren fing man an, diese digital mit Hilfe von Datenbanken abzubilden. Für die Bewirtschaftung von Gebäuden entstanden so die ersten Computer-Aided-Facility-Management(CAFM)-Systeme. In der Planung von Gebäuden haben sich Ideen wie Computer-aided design (CAD) und Building Information Modeling (BIM) durchgesetzt.

Ein klarer Vorteil von digitalen Raumbüchern war vor allem die Möglichkeit, Komplexität zu verwalten. So war es zum ersten Mal möglich, Rauminformationen schnell und zuverlässig zu suchen oder räumlich, im Grundriss oder als dreidimensionale Körper darzustellen.

Um die Suche und Verwaltung von Informationen zu vereinfachen, werden diese üblicherweise nach Themen gruppiert. Die Grundlage bilden Angaben zur Identifikation (Raumname, Raumnummer), Lokalisierung des Raumes (Standort, Areal, Gebäude, Geschoss), die vorgesehene Nutzung, Abmessungen (Grundfläche, Umfang), Ausstattung (Anschlüsse, Einbauten, Geräte) und Angaben zu Gestaltungsmerkmalen (Materialien, Farben, Oberflächen). Für die Bewirtschaftungsphase kommen dann zusätzlich Informationen für Facility-Management-spezifische Prozesse dazu (Reinigung, Inspektion, Wartung).

Hier ist zu notieren, dass diese Anforderungen je nach Gebäudeart spezifisch sind. Je komplexer ein Gebäude, desto umfangreicher wird das Raumbuch sein. Der Unterschied zwischen Raumanforderungen im Wohnbau und Spital ist beispielsweise enorm.

Das Projekt-Informations-Modell (PIM)

Eine bestimmte Besonderheit von Raumbüchern als Planungsprozess ist, dass diese in der Regel als Grundlage für ein Projekt-Informations-Modell (PIM) genutzt werden. Das PIM ist eine Informationsdatenbank, die entsprechend den Raumstrukturen organisiert ist. Alle alphanumerischen Informationen der unterschiedlichen Disziplinen fließen hier zentral zusammen. Das Ziel ist dabei vor allem auch, Projektbeteiligte zu integrieren, die in der Regel nicht modellbasiert arbeiten wie Bauherren oder auch beratende Spezialisten wie Türplaner oder Sicherheitsexperten.

Ein BIM-basiertes Raumbuch

Hier ist festzuhalten, dass es prinzipiell keinen falschen Weg gibt, Rauminformationen zu verwalten. Viele Raumbücher werden nach wie vor aus CAD-Quellen abgeleitet oder komplett von Grund auf in Excel erstellt. In der Praxis hat sich jedoch gezeigt, dass diese Herangehensweisen oft mit hohem Aufwand verbunden sind. Somit sind sie nicht empfehlenswert.

Eine bewährte zeitgemäße Alternative ist es, Raumbücher BIM-basierend und planungsbegleitend zu erstellen. Beim Building Information Modeling (BIM) steht vor allem der Austausch von Informationen zwischen Fachplanern im Fokus. Wobei hier mit BIM weniger eine bestimmte Software oder ein bestimmtes Dateiformat gemeint ist, sondern vielmehr eine Planungsmethode, um Gebäudeinformationen möglichst regelmäßig und Zielgerichtet aufzubereiten.

Der große Vorteil von modellbasiertem Arbeiten liegt darin, dass alle Planungsinformationen bauteilorientiert und maschinenlesbar vorliegen, was den Austausch von Informationen erleichtert und beschleunigt. Das Ziel von modellbasierten Arbeiten ist es allerdings nicht, alle konventionellen Planungsdokumente wie Grundrisse und Tabellen zu ersetzen. Der Mehrwert besteht vielmehr darin, dass die benötigten Informationen aus einer konsistenten Quelle abgeleitet werden (single source of truth), sodass die Wahrscheinlichkeit für Fehler und Missverständnisse reduziert wird.

Umsetzung eines Raumbuchs

Der Rahmen und die Ziele von einem Raumbuch werden üblicherweise seitens des Bauherrn (oder des Bauherrnvertreters) bereits in der Projektdefinition festgelegt. Dies geschieht normalerweise in Form einer Raumliste, in der die Raumzuordnung, Beschreibung und allgemeinen Anforderungen enthalten sind. Zusätzlich wird hier festgelegt, welche Disziplin in welcher Phase Informationen im Raumbuch erfassen soll (wer, wann, was).

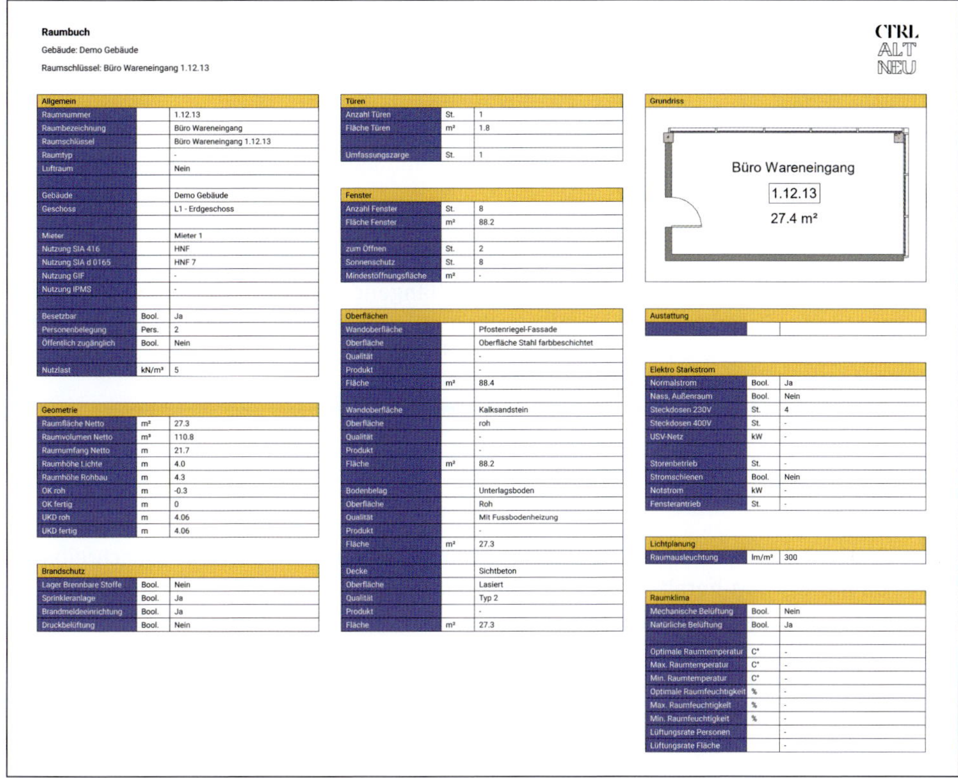

Raumbuch

Gebäude: Demo Gebäude

Raumschlüssel: Büro Wareneingang 1.12.13

CTRL ALT NEU

Allgemein		
Raumnummer		1.12.13
Raumbezeichnung		Büro Wareneingang
Raumschlüssel		Büro Wareneingang 1.12.13
Raumtyp		-
Luftraum		Nein
Gebäude		Demo Gebäude
Geschoss		L1 - Erdgeschoss
Mieter		Mieter 1
Nutzung SIA 416		HNF
Nutzung SIA d 0165		HNF 7
Nutzung GIF		-
Nutzung IPMS		-
Besetzbar	Bool.	Ja
Personenbelegung	Pers.	2
Öffentlich zugänglich	Bool.	Nein
Nutzlast	kN/m^3	5

Geometrie		
Raumfläche Netto	m^2	27.3
Raumvolumen Netto	m^3	110.8
Raumumfang Netto	m	21.7
Raumhöhe Lichte	m	4.0
Raumhöhe Rohbau	m	4.3
OK roh	m	-0.3
OK fertig	m	0
UKD roh	m	4.06
UKD fertig	m	4.06

Brandschutz		
Lager Brennbare Stoffe	Bool.	Nein
Sprinkleranlage	Bool.	Ja
Brandmeldeeinrichtung	Bool.	Ja
Druckbelüftung	Bool.	Nein

Türen		
Anzahl Türen	St.	1
Fläche Türen	m^2	1.8
Umfassungszarge	St.	1

Fenster		
Anzahl Fenster	St.	8
Fläche Fenster	m^2	88.2
zum Öffnen	St.	2
Sonnenschutz	St.	8
Mindestöffnungsfläche	m^2	-

Oberflächen		
Wandoberfläche		Pfostenriegel-Fassade
Oberfläche		Oberfläche Stahl farbbeschichtet
Qualität		-
Produkt		-
Fläche	m^2	88.4
Wandoberfläche		Kalksandstein
Oberfläche		roh
Qualität		-
Produkt		-
Fläche	m^2	88.2
Bodenbelag		Unterlagsboden
Oberfläche		Roh
Qualität		Mit Fussbodenheizung
Produkt		-
Fläche	m^2	27.3
Decke		Sichtbeton
Oberfläche		Lasiert
Qualität		Typ 2
Produkt		-
Fläche	m^2	27.3

Grundriss

Austattung		

Elektro Starkstrom		
Normalstrom	Bool.	Ja
Nass, Außenraum	Bool.	Nein
Steckdosen 230V	St.	4
Steckdosen 400V	St.	-
USV-Netz	kW	-
Storenbetrieb	St.	-
Stromschienen	Bool.	Nein
Notstrom	kW	-
Fensterantrieb	St.	-

Lichtplanung		
Raumausleuchtung	lm/m^2	300

Raumklima		
Mechanische Belüftung	Bool.	Nein
Natürliche Belüftung	Bool.	Ja
Optimale Raumtemperatur	C°	-
Max. Raumtemperatur	C°	-
Min. Raumtemperatur	C°	-
Optimale Raumfeuchtigkeit	%	-
Max. Raumfeuchtigkeit	%	-
Min. Raumfeuchtigkeit	%	-
Lüftungsrate Personen		-
Lüftungsrate Fläche		-

Abbildung 126: CTRL-Raumbuch

In der Praxis empfiehlt es sich, diese Informationen in einer Datenbank zu hinterlegen und möglichst regelmäßig mit Fachmodellen planungsbegleitend zu vergleichen. In diesem Sinne kann das digitale Raumbuch auch als eigenständiges Modell betrachtet werden, das aktiv seitens des Bauherrn gepflegt wird.

Phasenbedingte Ziele

Raumbücher lassen sich im Allgemeinen in drei Phasen, mit den jeweiligen Zielen, einteilen:

1. Das planungsbegleitende Raumbuch (Entwurf):

In der Entwurfsphase sind Raumbücher vor allem als Steuerungsinstrumente für Architekten und Bauherren von besonderem Interesse. Hierdurch lässt sich der Raumbedarf und Nutzungsaufteilung eines Gebäudes ermitteln. Darüber hinaus liefert ein Raumbuch Informationen für eine grobe Kostenschätzung.

2. Das baubegleitende Raumbuch (Ausführungsplanung):

In der Bauphase sind alle Details zur technischen Gebäudeausrüstung von großem Interesse. Mengen und Kosten liefern die Grundlage für Ausschreibungstexte und die Erstellung von Leistungsverzeichnissen. Zusätzlich unterstützt das baubegleitende Raumbuch die Organisation und Terminplanung der unterschiedlichen Gewerke. Es dient als Kontrollinstrument bei der Bauausführung und als Checkliste für Abnahmeprüfungen.

3. Das Nutzungs- oder Bestands-Raumbuch:

Das Bestands-Raumbuch liefert die Basis für den Aufbau eines Facility und Change Managements. Es dient somit vor allem als Grundlage für die Wartung, Pflege und Instandhaltung der Bausubstanz.

Qualitätssicherung

Da das Raumbuch oder das damit zusammenhängende PIM ein zentrales Planungsinstrument in der Projektarbeit darstellt, sollten höchste Anforderungen an Datenqualität gestellt werden.

§ **Recht:**

Raumbücher liefern die wichtige Grundlage für eine funktionale Ausschreibung. Da mittels BIM bereits in der Entwurfsphase relativ detaillierte Modelle und auch Raumbücher bereits in der Entwurfsplanung erstellt werden können, ist es zugleich möglich, mit diesem einen „Wettbewerb" bzgl. der Lösungskonzepte für die Räume insgesamt oder einzelne Gewerke zu inszenieren. Dies ermöglicht es, die anbietenden Firmen in einer frühen Phase in Projekte zu involvieren und ihr Know-how in die Ausführungsplanung einfließen zu lassen. Durch die Einbeziehung der zuliefernden oder ausführenden Unternehmen können Lebensyzkluskosten betrachtet und typische Nachtragsrisiken wie Planungslücken oder Widersprüchlichkeiten vermieden werden.

Im Betrieb können die Bestands-Raumbücher mit Indoor-Mapping-Modellen verknüpft werden, um Instandsetzungs- und Instandhaltungsmaßnamen zu steuern. Dabei wird die Frage wichtig werden, wie die Daten aktuell gehalten werden. Dies bedarf z. B. einer vertraglichen Aufgabenzuweisung an den Asset oder Facility Manager. Zugleich werden solche Bestands-Raumbücher von erheblicher Bedeutung für cradle to cradle sein.

5.26 Betrieb

Das BIM-Modell unterstützt nicht nur die Planung und die Ausführung, sondern auch den anschließenden Betrieb. Durch genaue Dokumentation der einzelnen Phasen wird der Datenverlust verringert, und das BIM-Modell kann genauso für den Betrieb eingesetzt werden.

Für den Betrieb sollte das Modell bestenfalls den aktuellsten Stand des Objekts zeigen können, um diesen weiterhin korrekt nutzbar zu machen. Im Betrieb werden die Informationen, die im Modell vorhanden sind, bzw. die Informationen und Daten, die mit dem Modell verknüpft sind, als Grundlage für das Facility Management und Property Management verwendet.

Die Daten müssen weiterhin im Betrieb gut gepflegt werden, damit sie auch in späteren Phasen bei der Sanierung, Umnutzung und sogar für den Abriss genutzt werden können.

Den schnellen Weg, um auf Informationen und Daten der Bauteile jederzeit strukturiert zugreifen zu können, bietet das BIM-Modell an. Deshalb definiert sich das BIM als Building Information Management, da es die Verwaltung von Informationen eines Gebäudes über unterschiedliche Phasen hinweg beinhaltet.

Autorenbeitrag

Maximilian Jöne

Unterstützung durch den „Digitalen Zwilling" in der Instandhaltung

Für viele Bauprojekte und -beteiligte ist es in Deutschland noch immer Zukunftsmusik, allerdings ist der Trend klar abzusehen. Im Jahr 2017 wurde jedes fünfte Bauprojekt mit der Hilfe einer gemeinsamen BIM-Plattform zur besseren Koordination der Gewerke genutzt. Lediglich zwei Jahre später waren es bereits 28 %, laut einer Studie des Düsseldorfers Marktforschungsinstituts BauInfoConsult. Dabei bietet die Nutzung eines digitalen Zwillings nicht nur in der Bauprojektphase massive Vorteile für alle Beteiligten, sondern gerade auch in der nachgelagerten Wartung und Instandhaltung der technischen Anlagen und der Immobilie. Immerhin fallen über den kompletten Lebenszyklus eines Gebäudes gut das 1,2-Fache der ursprünglichen Baukosten für die Instandhaltung an, wie das Beratungshaus Rotermund Ingenieure ermittelt hat.

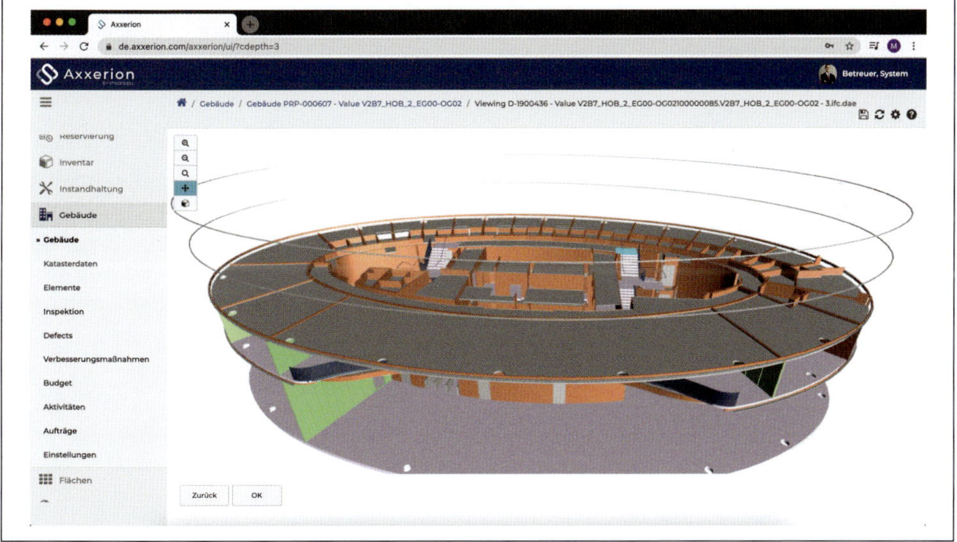

Abbildung 127: Axxerion BIM-Modell

Grund genug also, auch nach Übergabe der Immobilie an das FM und an die Dienstleister auf ein BIM-Modell zu bestehen, um die Kosten auf bis zu 15 % zu senken, Zeit zu sparen und über den kompletten Lebenszyklus fundierte Entscheidungen zu treffen. Moderne Computer-Aided-Facility-Management-Systeme, kurz CAFM, bieten die Möglichkeit, dass

BIM-Modelle umfangreich in die tägliche Arbeit des Facility Managers und der Dienstleister integriert werden können. BIM-Modelle bestehen nicht nur aus bunten Polygonen, sondern werden bestenfalls im Laufe der Bauprojektphase mit vielen wertvollen Daten gefüllt. So können bereits während der Konstruktion Angaben zu Eigenschaften, Mengen, Wartungszyklen und zur Lebensdauer der technischen Anlagen im digitalen Zwilling gemacht werden. Damit die Daten auch bei der späteren Betreuung der Wartung und Instandhaltung verwendet werden können, setzt dies voraus, dass das BIM-Modell von den Projektbeteiligten stetig aktualisiert wurde. Nur dann ist es sinnvoll, dass das BIM-Modell auch zur Verwaltung der technischen Anlagen im Facility Management herangezogen wird. Beim Import der BIM-Modelle ist es daher besonders wichtig, dass die für den Facility Manager richtigen Attribute in das CAFM übertragen werden. Ein wichtiges Merkmal könnte z. B. die Klassifizierung nach DIN 276:2018-12 sein. CAFM-Systeme, die eine Integration des Regelwerks-Informationssystems für das Facility Management, kurz REG-IS, von der Wirtschaftsprüfungsgesellschaft Rödl & Partner unterstützen, bieten mit der Angabe der Gebäudeart, dem geographischen Standort und der DIN 276 eine gute Basis, um die Pflichtenkataloge der Gesetze und Verordnungen, aber auch um umfangreiche Prüflisten (Checklisten) abzufragen und als digitalen Wartungsprozess im CAFM abzubilden.

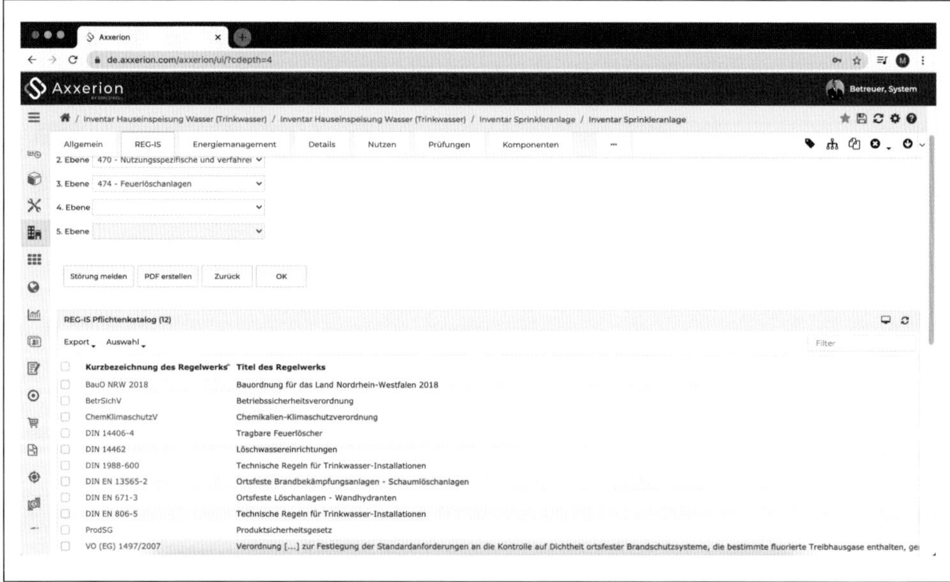

Abbildung 128: Axxerion REG-IS Sprinkleranlage

Den Facility Managern und Dienstleistern wird damit ein Tool an die Hand gegeben, das oft teure Regiestunden reduziert, indem der digitale Zwilling den Standort einer Anlage im BIM-Modell farblich markiert und hervorhebt. So kann mithilfe von cloudbasierten CAFM-Systemen und Tablets auf das vollständige BIM-Modell eines Gebäudes zurückgegriffen werden und Zeit bei der Verortung von Anlagen vermindert werden, aber auch um technische Spezifikationen und Dokumentation einzusehen. Neben den technischen Vorteilen ergibt sich auch aus kaufmännischer Sicht ein Vorteil für den Vermieter oder Immobilieninvestor, indem ein dokumentierter digitaler Zwilling den Marktwert um gut 2 % erhöht, so eine aktuelle Studie vom CAFM-Hersteller „Spacewell – a Nemetschek Company".

5.27 Digitalisierung Gebäude

Die Digitalisierung von Gebäuden wird in der heutigen Zeit immer attraktiver. Über das BIM-Modell kann die Digitalisierung für den Mieter oder Eigentümer frühzeitig vorbereitet werden. So können Raumbuchungen bzw. Voranmeldungen für Parkplätze Teil des Digitalisierungskonzeptes sein. Außerdem können weitere Gewerke sowie Lüftung, Heizung, Sanitär und Elektro ebenfalls digitalisiert umgesetzt werden.

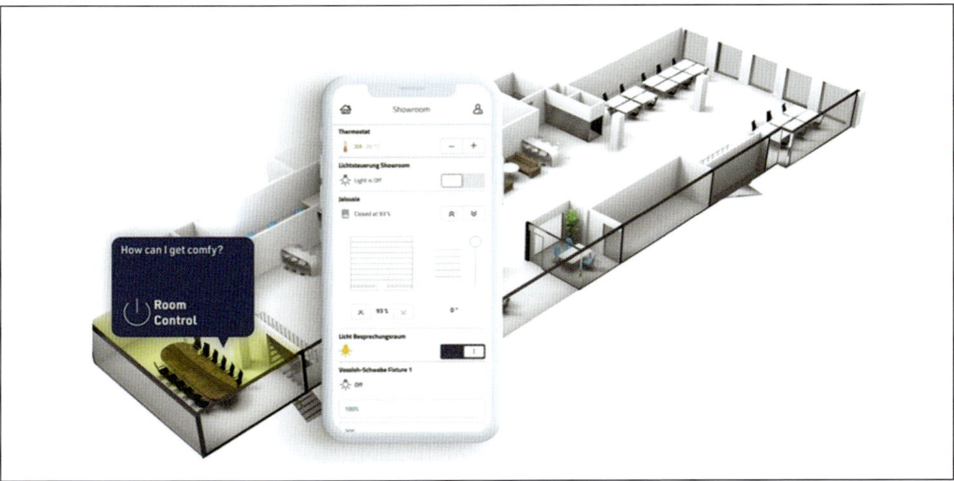

Abbildung 129: Digitalisierung der Temperatureinstellung

Mit Hilfe des Modells können Routen für die Mieter berechnet werden, um beispielsweise einen bestimmten Meetingraum zu finden. Ein Indoor Mapping kann hierfür den Mitarbeitern zur Verfügung gestellt werden.

Abbildung 130: Digitalisierung der Routenplanung

Darüber hinaus können noch weitere Anwendungsfälle für den Betrieb durch die Digitalisierung mit Hilfe des Modells erfolgen, um den Mietern ein einfacheres und komfortableres Arbeiten zu ermöglichen.

Autorenbeitrag

Dr. Marc Gille

Einsatz digitaler Gebäudeinformation im Immobilienbetrieb
Digitalisierung ohne BIM – geht nicht!

Effizienter und nachhaltiger Gebäudebetrieb geht nicht ohne Gebäudedigitalisierung – und Gebäudedigitalisierung geht nicht ohne BIM. Das soll an einigen Praxisbeispielen aus Sicht der verschiedenen Betreiberperspektiven verdeutlicht werden.

Corporate Real Estate Management

Der Corporate Real Estate Manager muss die Flächennutzung und damit die Mietkosten für das Unternehmen optimieren und entscheidende Beiträge zu Mitarbeitereffizienz, -komfort und -zufriedenheit leisten. Spätestens seit der Etablierung von Homeoffice werden Büros, Arbeitsplätze, Besprechungsräume und andere Ressourcen in Abhängigkeit von der Anwesenheit der Mitarbeiter und deren konkreten Bedarfen dynamisch zugewiesen. Damit können Mieteinsparungen von 20 bis 30 % erreicht werden.

Eine dynamische Zuweisung geht nur digital: mit Buchungssystemen auf Mobilgeräten zur Buchung von Arbeitsplätzen oder Parkplätzen. Klassische Unternehmens-Groupware wie Outlook kommt hier nur bedingt zum Einsatz. Diese wird zu wenig vom Mobilgerät genutzt, und die Bindung zur Gebäudestruktur und -geometrie fehlt. Es fehlt BIM.

Ein Mitarbeiter möchte wissen, wo der Arbeitsplatz oder Besprechungsraum ist, den er gebucht hat – und wie man da hinkommt. Und das unabhängig vom Unternehmensstandort, den er gerade besucht und wo er sich vielleicht gar nicht auskennt.

Auch der aktuelle Aufenthaltsort von Kollegen variiert mit Flex Desking stärker.

Zur Unterstützung der Indoor-Navigation hierzu werden BIM-Daten zur Gebäudegeometrie, Treppen, Rampen oder Aufzügen benötigt.

Ein Bereich, der ebenfalls ohne diese Informationen nicht auskommt, ist die Zugangskontrolle: Um festzulegen, durch welche Elemente derselben (Vereinzelungsanlagen, Aufzüge, Etagentüren, Parkschranken) der Nutzer Zutritt erlangt, muss diese gegen BIM-Daten katalogisiert werden.

Asset Management

Der Asset Manager muss nachhaltigen Gebäudebetrieb sicherstellen. Für Neuanlagen ist der Vermieter schon jetzt verpflichtet, Mietern häufig und transparent Verbrauchsdaten zur Verfügung zu stellen; ab 2027 gilt das auch für bereits verbaute Zähler.

Um die Energieeffizienz seiner Flächen zu vergleichen, hier ggf. Maßnahmen zur Effizienzsteigerung zu ergreifen, muss der Asset Manager Verbrauchswerte für Strom, Wasser und Gas erheben. Die Messwerte müssen dabei ihrem Messort und -zweck (Aufzugstrom, Mieterstrom, Flurlicht) zugeordnet werden können.

Ein standardisiertes Verorten und eine Verschlagwortung der Messquellen und -daten über ein IFC-Modell oder Brick-Schema[20] [21] ist die Basis für eine homogene Datenanalyse.

Facilities Management

Im Facilities Management ist zwar mittlerweile allgemein anerkannt, dass nutzungsbasierte Reinigung und präventive Wartung Kosten sparen, aber nicht ohne eine Anfangsinvestition in Sensorik und natürlich BIM. Letzteres ist teilweise zumindest in rudimentärer Form schon vorhanden und z. B. im CAFM-System bereits hinterlegt. Raumgeometrien und weitere Informationen können ggf. nachgepflegt werden.

Dienstleistung

Auch für den Dienstleister – den Caterer, den Handwerker oder sogar den Pflegedienst – ist das „Wo“ im Gebäude immer relevanter. Anders als der FM-Dienstleister wird jedoch ein Caterer hier keinesfalls investieren. Das obliegt dann doch wieder dem Asset Manager, der seine Immobilie attraktiv gestalten und daher dem Dienstleister nicht nur Transparenz über die Gebäudestruktur geben will, sondern ggf. sogar Zugangskontrollelemente temporär für eine Lieferung oder Reparatur freischalten kann – und das mit Zugang zur Gebäude-App auf der nicht nur die BIM-Informationen aufliegen, sondern auch elektronische Schlüssel für den Zugang und ggf. sogar die Arbeits- oder Lieferaufträge aufliegen können.

20 https://www.buildingsmart.org/standards/bsi-standards/industry-foundation-classes/

21 https://brickschema.org/

Fazit

Die Möglichkeiten zur Wertschöpfung von Investitionen in BIM für das Management und den Betrieb von Gebäuden durch die verschiedenen Beteiligten sind durch die Gebäudedigitalisierung wesentlich deutlicher geworden. Hier ist in den nächsten fünf Jahren mit signifikanter Durchdringung zu rechnen.

§ **Recht:**

Am Beispiel des Corporate Real Estate Managers wird deutlich, dass im Falle der Anwendung von BIM im Gebäudebetrieb ein Wechsel vom statischen Planungs-/Errichtungsmodell mit Massen, Mengen und Maßen hinzu ein einem Betriebsmodell mit dynamischen Daten der Nutzung und im Fall von Flex Desking oder diversen Proptech-Applikationen eine stärke Einbeziehung von personenbezogenen Daten einhergeht. Hier ist in verstärktem Maß auf die DSGVO-konforme Umsetzung zu achten. Diese Anforderungen ebenso wie die Anforderungen an die Data Security finden Ihren Ausdruck in den „digitalen Betreiberpflichten" der Corporate Real Estate, Facility oder Asset Manager und sollten vertraglich ausgestaltet werden.

Findet eine Übernahme von Steuerungspflichten hin zu einem energieeffizienten oder wirtschaftlicheren Gebäudebetrieb im Rahmen eines Werkvertrages z. B. im Facility Management statt, so findet möglicherweise eine Weiterung des Werkerfolgs statt. Mit Blick auf das Rechtskonstrukt des funktionalen Mangelbegriffs des BGH ist zu prüfen, ob ein Leistungsversprechen für eine unmittelbare oder mittelbare finanzielle Einsparung übernommen wurde.

5.28 Rückbau

Sollte ein ausgewählter Bereich des Gebäudes oder das gesamte Objekt nach umfangreicher Analyse nicht mehr erhaltenswürdig sein, ist ein Rückbau oder Abriss sinnvoll.

Alle Daten und Informationen zu den Bauteilen, die im gesamten Lebenszyklus im BIM-Modell eingepflegt wurden, können auch später für den Abriss verwendet werden. Die Daten dienen als Grundlage für die Rückbauplanung, der Bewertung der Bausubstanz und die begleitenden Maßnahmen.

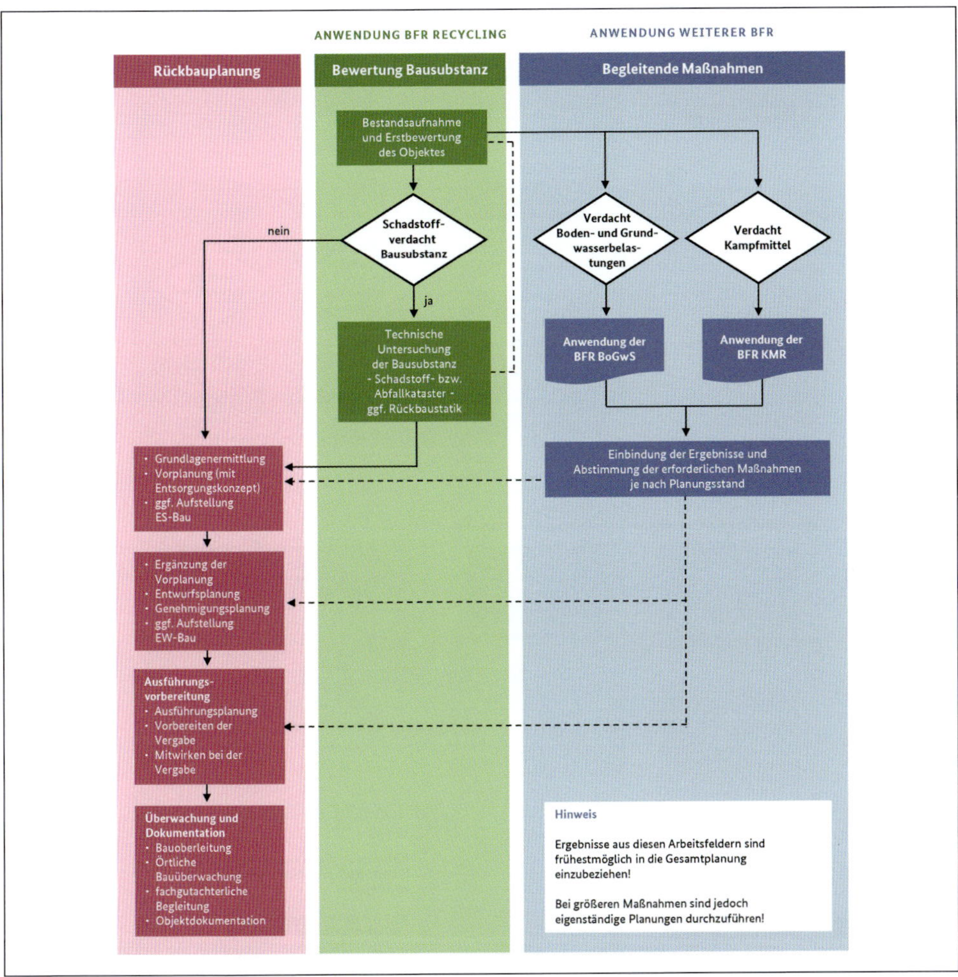

Abbildung 131: Regelablauf Komplettrückbau bzw. Baufeldfreimachung

In der obigen Abbildung ist der Prozess des vollständigen Abrisses aufgezeigt. In der unteren Abbildung ist der gezielte Rückbau durch Bestandsmaßnahmen dargestellt.

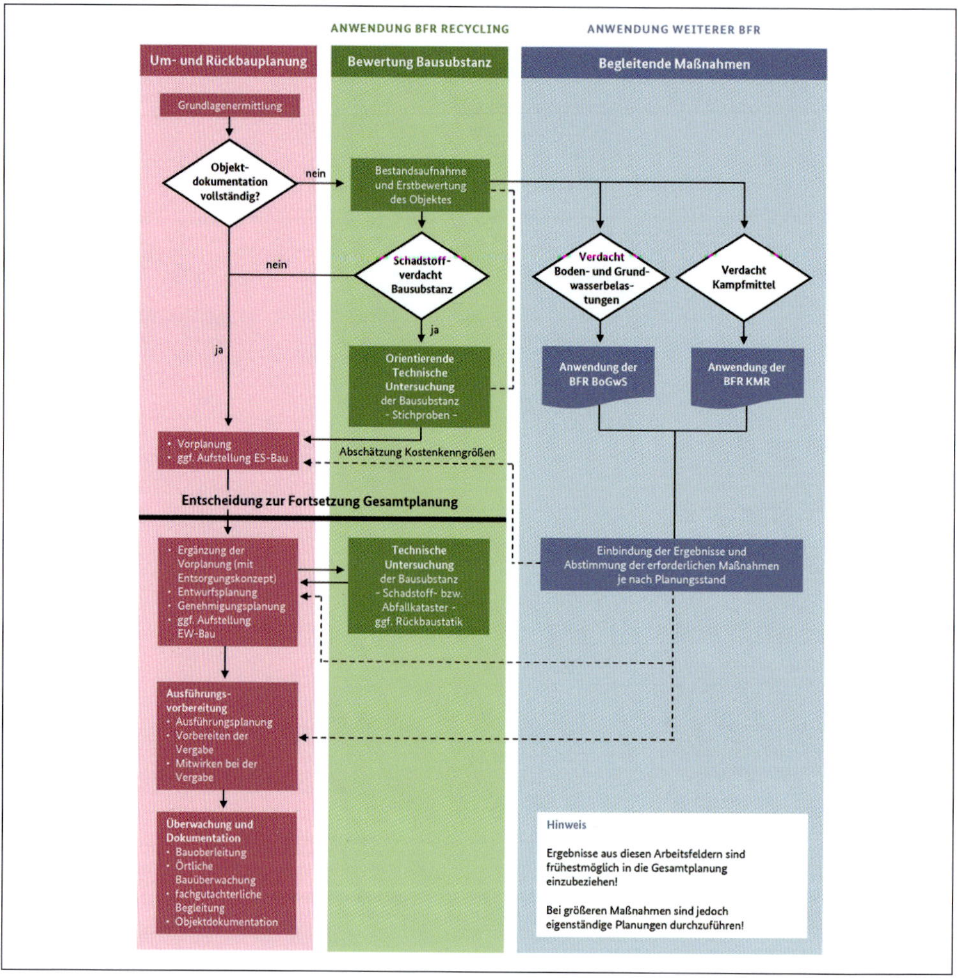

Abbildung 132: Regelablauf bei Baumaßnahmen im Bestand

Für eine Rückbauplanung unterstützt das As-built-Modell die Bewertung der Bausubstanz. Die real umgesetzten Daten und Fakten können einfach zusammengetragen oder gefiltert dargelegt werden. Hierbei können die Materialien aus dem Modell kategorisiert und die Schadstoffe klassifiziert werden. Dies dient fortan als Grundlage der technischen Untersuchung, beispielsweise, wenn der Verdacht auf vorhandene Asbestverarbeitung besteht.

Noch bevor die Abbrucharbeiten vorgenommen werden, muss eine Baugenehmigung zum Abbruch vorliegen. Zusätzlich ist die Erstellung eines Rückbau- und Entsorgungskonzeptes nötig. Dieses beinhaltet u. a. die Terminplanung sowie die Kostenschätzung und die Ausschreibung der Leistungen der geplanten Maßnahme, die wiederum BIM-basiert erfolgen können. Die Mengen können nach Materialien und Entsorgungspaketen klassifiziert werden. Unter anderem werden Entsorgungsklassifikationen ausgewertet, die den Bauteilen als Attribut im Vorfeld zugeordnet wurden.

Die Anwendungsfälle, die hierbei eingesetzt werden können, sind sehr ähnlich zu denen des Neubaus. Nur wird hierbei anstelle des Ziels der Errichtung das Ziel des Abbruchs verfolgt.

Auch bei einem Abbruch sollten finale Abnahmebescheinigungen erstellt werden, die letztendlich nur der Dokumentation dienen. Zu diesem Zeitpunkt wird kein BIM-Modell oder AIM mehr benötigt, da Bauteile entfernt wurden.

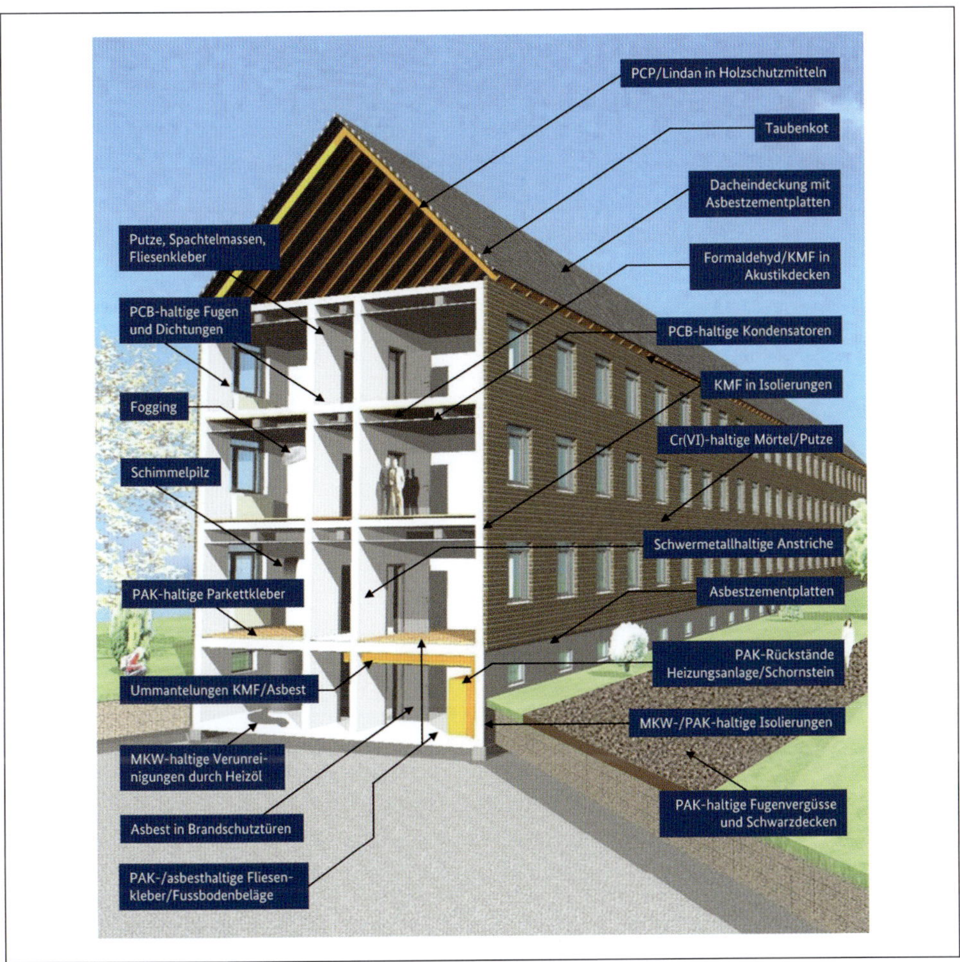

Abbildung 133: Mögliche Vorkommen von Schadstoffen in Bauteilen und Einbauten in Gebäuden

6 Schlusswort

„Phantasie ist alles. Es ist die Vorschau auf die kommenden Ereignisse des Lebens."

Albert Einstein

Wenn man sich überlegt, dass der erste Digitalrechner von 1941 eine Rechengeschwindigkeit von 15 bis 20 Operationen pro Sekunde hatte und eine Tonne wog, ist es umso erfreulicher, dass die Entwicklung so weit fortgeschritten ist, dass inzwischen komplexe Aufgaben mithilfe von Computerprogrammen realisiert werden können. Die ersten CAD-Programme haben ein neues Kapitel in den Bereichen Technik, Architektur, Bauingenieurwesen und Maschinenbau eröffnet. Die CAD-Programme verbessern die Qualität und vereinfachen die Abläufe und inzwischen können Modelle mithilfe von Computerprogrammen gezeichnet und zusätzlich mit Informationen versehen werden.

Für uns sind die Software-Tools Werkzeuge für unsere Arbeit. Die Tools können Menschen in der Zukunft nicht ersetzen, sie werden immer nur unterstützend angewendet. Zwei mögliche Gründe für Probleme mit Software-Tools sind entweder Anwendungsfehler oder eine unausgereifte, nicht praxistaugliche Software.

Die Technologie entwickelt sich nicht von selbst. Sie entwickelt sich erst dann in eine gute Richtung, wenn die Menschen ihren Visionen nachgehen. Wir können uns nicht von der Thematik BIM zurückziehen und hoffen, dass sich anderweitig die Branche weiterentwickeln könnte. Verbesserung kann erst entstehen, wenn Möglichkeiten identifiziert und getestet werden. Die Entwicklung hat uns längst überholt und so einfach können wir nicht mehr auf die Spur kommen, um alles nachvollziehen zu können.

Die Technologie entwickelt sich sehr schnell in unserer Welt. Jeden Tag und jede Stunde liegen neue Ideen auf dem Tisch und werden untersucht und analysiert. Das einfachste Beispiel ist das Handy, mit dem wir immer telefonieren. Circa alle sechs Monate bringt jeder einzelne Hersteller ein neues Modell mit neuen Features auf den Markt.

Wenn wir die Entwicklung der Methode BIM nicht intensiv begleiten, verlieren wir unter Umständen den Anschluss und erhalten nicht die Kenntnis, die zukünftig Voraussetzung für unsere Tätigkeit ist. Verpassen wir den Anschluss und die stetige Weiterentwicklung, müssen wir vielleicht eines Tages bei Null beginnen und es bedarf großer Anstrengungen das Verpasste nachzuholen um BIM komplett zu verstehen und anzuwenden. Verpassen wir den Anschluss, könnte uns dies in der Zukunft vielleicht viele Aufträge kosten, da die Umsetzung der Methodik ohne Erfahrung zeitaufwendig ist.

Mit Erfahrung und der entsprechenden Ausbildung lassen sich mit BIM Probleme und Schwierigkeiten in den Projekten beseitigen und die Qualität verbessern. Die Methodik BIM unterliegt stetigen Aktualisierungen und Verbesserungen. Diese Methodik werden wir zu unserer Lieblingsmethodik erklären, wenn wir diese wie unser eigenes Kind pflegen. Wir nutzen die Methodik BIM, um eine bessere Leistung zu erbringen und ein besseres Ergebnis zu erzielen.

Die BIM-Anwendungsfälle in diesem Buch und die Erfahrungen aus der Praxis sollen der Anleitung und Anregung zur Optimierung und Ergänzung für eigenen Anwendungsfälle und damit zusammenhängenden Arbeitsweisen. Dieses Buch soll den Leserinnen und Lesern einen Gedankenanstoß geben, das neue Verfahren unvoreingenommen in Projekte zu übernehmen und anzuwenden; jede noch so kleine Nutzung ist bereits ein Anwendungsfall.

Wir dürfen träumen und Fantasie haben, aber gleichzeitig müssen wir uns auch bemühen, die Träume wahr werden zu lassen.

Autorenporträts

Amir Abbaspour

BIM-Manager

Amir Abbaspour hat Geoinformation und Kommunaltechnik an der University of Applied Sciences in Frankfurt am Main studiert. Bereits während seines Studiums arbeitete er als Trainer für CAD-Schulungen und setzte sich intensiv mit dem BIM-Themenfeld auseinander. Als BIM-Berater in einem Frankfurter Unternehmen erwarb er viel Erfahrungen in diversen Projekten. Dabei standen die unterschiedlichen BIM-Rollen mit ihren verschiedenen Einsatzmöglichkeiten und Lösungsvarianten stets im Vordergrund.

Seit 2018 arbeitet er als BIM-Manager bei der omniCon-Gesellschaft für Innovatives Bauen mbH, definiert die Anforderungen sowie den BIM-Einsatz in verschiedenen Projekten. Er ist zuständig für die Optimierung interner und externer Prozesse. Identifizierung, Definierung, Entwicklung und Analysierung möglicher Use Cases und deren Zusammenhänge in den Projekten fallen weiterhin in seinen Verantwortungsbereich.

Seit vielen Jahren hält er außerdem Vorträge zum Thema BIM und engagiert sich in verschiedenen BIM-Fachgruppen auf internationaler Ebene. Herr Abbaspour ist Sprecher der buildingSMART Regionalgruppe Rhein-Main-Neckar.

Julian Alexander Amann (MSc ETH Arch) ist Geschäftsführer bei Singular AG. Nach seiner Ausbildung als Architekt an der Bauhausuniversität Weimar, Tongji University Shanghai und an der ETH Zürich, begann er seine Berufslaufbahn bei agps architecture in Zürich, wo er mehrere Jahre Erfahrung in der Planung und Ausführung sammeln konnte. 2014 beschäftigte er sich Hauptberuflich mit der Digitalisierung im Baugewerbe und war als BIM Manager für die strategische Planung und Implementierung bei vielen BIM-Großprojekten verantwortlich. Sein Schwerpunkt ist Informationsmanagement und Qualitätssicherung bei Hochschul-, Krankenhaus- und Spitalbauten. Er ist Mitgründer und Geschäftsführer des Softwareunternehmens Singular AG in Zürich und Gastreferent an verschiedenen Hochschulen im In- und Ausland.

Mirbek Bekboliev M.Sc. ist ein anerkannter Ingenieur für Bauphysik, der über mehr als 10 Jahre Berufserfahrung sowohl im Nachhaltigkeitsbereich als auch im Fertighausbau hat. Im Laufe seiner Karriere hat er sich mit nachhaltigem Gebäudedesign beschäftigt und dieses mit der BIM-Beratung kombiniert, mit Schwerpunkt auf LEED und Passivhaus, Gebäudeenergiemodellierung, Beleuchtungsdesign sowie Blower-Door-Prüfungen zusammen mit Thermografieaufnahmen. Seit 2017 ist er technischer Projektmanager bei buildingSMART Deutschland und seit 2019 Technical Lead des buildingSMART International (bSI) Building Room Steering Committee. Darüber hinaus ist er aktives Mitglied in diversen Normungsinstitutionen wie DIN, VDI und arbeitet kontinuierlich an der Entwicklung von openBIM-Standards innerhalb des bSI mit.

Er wurde mit mehreren Preisen bei internationalen Designwettbewerben ausgezeichnet, die sich mit den Themen BIM, Green Building und Lichtdesign befassten. Außerdem ist er aktives Jurymitglied bei bSI Awards und engagiert sich als freiwilliger Feuerwehrmann.

Als GS1 Germany Senior Manager ist **Andree Berg** verantwortlich für die Prozessoptimierung entlang der Supply Chain, mit Fokus auf Aufbau von strukturierten Stammdaten und Entwicklung von Datenmodellen. Er ist ebenso für verschiedene Logistik-Projekte verantwortlich. Als langjähriger internationaler Key Account Manager kennt er die Prozessanforderungen von Industrie- und Handelsseite und hat Erfahrungen aus verschiedenen Projekten, z. B. als SAP Key User.

Georg Dangl ist Bauingenieur, Unternehmer und BIM-Enthusiast. Seit 2010 beschäftigt er sich mit allen Themen rund um die Digitalisierung im Bauwesen.

Als Mitarbeiter am Institut für Angewandte Bauinformatik iabi begann er, die buildingSMART-Gruppen für BCF und CDE zu leiten. Inzwischen unterstützt er und das Team der DanglIT GmbH Kunden weltweit durch angepasste Softwarelösungen & individuelle Beratungen. Insbesondere die Themen AVA (Ausschreibung, Vergabe & Abrechnung), BIM & Cloudentwicklung werden abgedeckt.

Nebenbei betreibt er unter blog.dangl.me einen Blog rund um die Themen Cloud, Software & BIM und ist aktiv in mehreren Open-Source-Projekten.

Thorsten Dill, Dipl.-Ing. (49) ist Trainer für Bausoftware, Schulung und Consulting bei der ALLPLAN Handelsvertretung Olaf Nicke.

Nach dem Studium und der Einführung von Planungssoftware in einem Architekturbüro im ländlichen Raum ist er seit 1988 Trainer und Consultant für Allplan mit den Schwerpunkten Architektur, Ausschreibung und der Planungsmethode Design2cost.

Markus Giera ist Teil des Gründerteams der Kaulquappe AG. Mit Büros in Zürich, Berlin, Stuttgart und Johannesburg unterstützt die Kaulquappe AG Unternehmen der Immobilienwirtschaft in allen Belangen der Digitalisierung.

Markus hat an der Universtität Stuttgart und der ETH Zürich studiert und im Studio Basel bei Jacques Herzog und Pierre De Meuron im Jahr 2004 abgeschlossen. Bis 2009 war er als Architekt- und Projektleiter bei E2A in Zürich angestellt. Nach zwei Jahren als Research Fellow an der ETH Zürich am DFAB bei Prof. Gramazio und Prof. Kohler, gründete er mit Partnern die Kaulquappe.

Markus war sechs Jahre lang Mitglied der Zentralen Normenkommission und führte den Vorsitz der sektioriellen Normenkommision für Informatiknormen im SIA.

Dr. **Marc Gille** ist Gründer von THING TECHNOLOGIES, Serienunternehmer und Vater des Thing-it-Produkts.

Bis 2016 war er im SVP Product Management bei SunGard/FIS tätig, wo er für die Technologie und Strategie des Unternehmens für Integration und Geschäftsprozessmanagement verantwortlich war.

Marc Gille gründete das BPM-Unternehmen CARNOT im Jahr 2000, leitete es als CEO und verkaufte es 2006 an SunGard/FIS, wo die CARNOT Process Engine zur Infinity Process Platform wurde, die über SunGard/FIS-Produkte bei vielen Banken und anderen Finanzinstituten ausgeführt wird.

Über das Eclipse Stardust Project entwickelte er die Codebasis der CARNOT/Infinity Process Platform zu einem der größten Open Source BPMS auf dem Markt.

Thomas Glättli ist Maschinen-Ingenieur FH mit einem Executive MBA der Universität St. Gallen. Vor seiner Tätigkeit als Senior BIM Consultant war er in leitenden Product-Management-Funktionen von Gebäudetechnik-Unternehmen tätig. Neben der multinationalen Projektabwicklung und dem Data Lifecycle Management bildete die Digitalisierung immer einen Schwerpunkt in seinen Projekten. 2017 übernahm er als Co-Geschäftsführer bei Bauen digital Schweiz/ buildingSMART Switzerland die Verantwortung für das Project Management Office. Aufgrund seiner Initiative entstand das Use Case Management, ein Service von buildingSMART International. Diesen verantwortet er auf globaler Ebene. Die Wissensvermittlung und beratende Tätigkeiten sind ihm ein großes Anliegen. So engagiert er sich als Gastdozent in diversen Fachhochschulen und in EU-Forschungsprojekten sowie in der Schweiz lancierten Initiativen.

Dr.-Ing. **Gerald Grewolls** hat an der TU Chemnitz Maschinenbau studiert und dort auf dem Gebiet der Plastizitätstheorie promoviert. Er beschäftigt sich seit mehr als 30 Jahren mit numerischer Simulation und besitzt umfangreiches Grundlagen- und Spezialwissen in den verschiedenen Simulationsdisziplinen und -methoden. In seiner Berufslaufbahn hat er Simulationsprojekte in der Automobilindustrie, der Raumforschung, der elektronischen Konsumgüterindustrie sowie im Bauwesen verantwortlich umgesetzt. Seit 2012 ist er Geschäftsführer der SIMTEGO GmbH, die Simulationsdienstleistungen für Brand- und Evakuierungssimulation anbietet und Software-Lizenzen auf diesem Gebiet vertreibt.

Prof. Dr. **Kathrin Grewolls** hat Bauingenieurwesen sowie vorbeugenden Brandschutz studiert und über Sensitivitätsanalysen bei Brand- und Evakuierungssimulationen promoviert. Sie ist öffentlich bestellte und vereidigte Sachverständige für vorbeugenden Brandschutz (IHK Ulm). An der Ostbayerischen Technischen Hochschule Regensburg (OTH Regensburg) ist sie als Professorin für dieses Fachgebiet zuständig. Sie ist außerdem Vorstandsmitglied des Vereins zur Förderung der Ingenieurmethoden im Brandschutz (VIB e.V.), der den Leitfaden BIM im Brandschutz herausgegeben hat.

Andreas Haffa hat am Karlsruher Institut für Technologie (KIT) Bauingenieurwesen mit Schwerpunkt Baubetrieb studiert. Er verfügt über mehrjährige Erfahrung im Bereich GU-Kalkulation, AVA und Projektmanagement, und somit ist er mit vielen typischen Herausforderungen in der Realisierung von Bauprojekten vertraut.

Bei der SOFTTECH AG gestaltet er als Head of Development die Entwicklungsprozesse und gibt sein umfangreiches Wissen und seine Erfahrungen rund um den BIM-AVA-Prozess und das Kostenmanagement an Kolleg*innen weiter und lässt sein Wissen in die Softwareprodukte einfließen. Er ist Lehrbeauftragter rund um das Thema BIM an mehreren Hochschulen und leitet die buildingSMART Fachgruppe Mengen- und Kostenermittlung.

Thomas Hauber ist Unternehmensentwickler bei Max Bögl.

Seine Berufslaufbahn begann bei der Deutschen Bundesbahn, gefolgt vom Studium des Bauingenieurwesens in Stuttgart und fortgesetzt durch seine langjährige Tätigkeit für die Ed. Züblin AG, gefolgt von der Max Bögl Bauservice GmbH & Co. KG. Aktuelle Tätigkeitsschwerpunkte sind BIM 3D-CAD, die Simulation vom Bauablauf und die industrielle Fertigung sowie BIM-Baumaschinenmodelle, Tunnelbau, Brückenbau und Bodenmechanik mit digitalen Baugrundmodellen. Im Interesse der Entwicklung von BIM ist Thomas Hauber beteiligt an den Forschungsprojekten CONVR, Mefisto und Faust; er leitet BIM-Seminare an der Hochschule Würzburg und ist Mitglied der Fachgruppe Tragwerksplanung buildingSMART.

Dirk Holzmann ist seit 2017 bei Drees & Sommer SE tätig. Er ist Architekt, BIM-Manager und Kompetenzverantwortlicher des Standorts Stuttgart. Sein Schlüsselthema dabei ist die Schnittstelle von BIM und LEAN.

Besonders hervorzuheben ist dabei seine Erfahrung in diversen BIM-Software-Anwendungen und CAD-Programmen. Zudem ist er bei Drees & Sommer für die Aus- und Weiterbildung für den Bereich BIM verantwortlich. Er verfügt über 14 Jahre Berufserfahrung.

Maximilian Jöne ist Chief Operating Officer und Partner der InCaTec Solution GmbH.

Neben seiner Ausbildung zum Fachinformatiker für Systemintegration und seiner Tätigkeit im Technical Engineering bei der Tobit Software AG, hat Herr Jöne das berufsbegleitende Studium zum Betriebswirt mit Schwerpunkt Wirtschaftsinformatik abgeschlossen. Mit dem Wechsel zur „Spacewell – a Nemetschek Company" (früher Axxerion B.V.) in den Niederlanden im Jahr 2010 war Herr Jöne als Consultant für die erfolgreiche Implementierung des gleichnamigen CAFM-Systems international und national verantwortlich. Herr Jöne ist Gründungsmitglied der in Münster/Westfalen ansässigen InCaTec Solution GmbH und heute für das operative Geschäft und der Weiterentwicklung des landespezifischen Softwarestandards des CAFMs „Axxerion by Spacewell – a Nemetschek Company" für die D-A-CH-Region verantwortlich.

Mag. **Peter Kafka** ist studierter Mathematiker und treibt seit 36 Jahren die Entwicklung von Software für industrielles Bauen voran, insbesondere für die Fertigteilplanung. Bei seinem ersten Projekt galt es, eine Richt- und Schneidemaschine für Bewehrung mit Einlegeroboter mit zuverlässigen Produktionsdaten zu füttern. Diese damals entstandene Faszination, mehr Produktivität und Sicherheit in die Baubranche zu bringen, treibt ihn heute noch an. Seit 2015 beschäftigt sich Peter Kafka intensiv mit BIM im Fertigteilkontext. Im Rahmen der buildingSMART engagiert er sich für die Schaffung einheitlicher Schnittstellen in der Fertigteilbranche, um die Zusammenarbeit aller Beteiligten zur vereinfachen. Peter Kafka ist heute bei der ALLPLAN GmbH als BIM-Experte für Fertigteil-Projekte tätig.

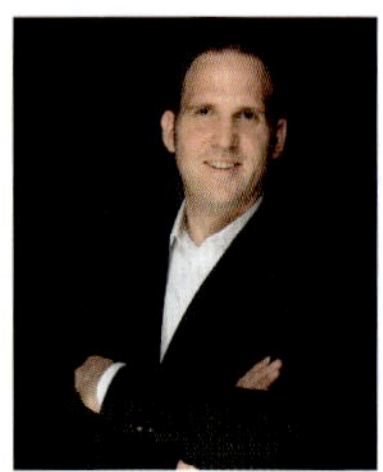

Daniel Kaiser begann seine berufliche Laufbahn bei einem mittelständischen Architekturbüro als Bautechniker (Hochbau).

Während seiner beruflichen Laufbahn leitete er als Bauleiter nach den Leistungsphasen 6 bis 9 der HOAI verschiedene Großprojekte und betreute als Projektleiter Brandschutzsanierungen von großen Bestandsgebäuden. Im weiteren Verlauf seiner beruflichen Tätigkeit absolvierte er die Fortbildung zum Sachverständigen für vorbeugenden Brandschutz und begleitete u. a. Neubauten von Kliniken bundesweit sowie Infrastrukturprojekte im Rhein-Maingebiet. 2016 wechselte Herr Kaiser auf die Bauherrenseite. Im Laufe seines beruflichen Werdegangs befasste sich Herr Kaiser zunehmend mit den BIM-Methoden im Zusammenhang mit Brandschutzfragen.

Dipl.-Ing. (FH) **Wilhelmina Katzschmann** ist Sprecherin des BIM-Clusters Rheinland-Pfalz und Vizepräsidentin der Ingenieurkammer Rheinland-Pfalz. Im Vorstand der Bundesingenieurkammer ist sie verantwortlich für Digitalisierung und seit mehr als 25 Jahren in der TGA-Planung.

Dr. **Till Kemper** ist Partner und Rechtsanwalt bei der HFK Rechtsanwalte PartGmbB in Frankfurt am Main und Stuttgart.

Er ist Fachanwalt für Bau- und Architektenrecht, Vergabe- sowie Verwaltungsrecht und Gesellschafter der bim2bim GmbH sowie Ausbilder für BIM-Zertifizierungen. Dr. Till Kemper kommentiert in diesem Buch die BIM-Anwendungsfalle aus juristischer Sicht inklusive der Vertragsthemen und BIMBVB fur die Praxis.

Dr.-Ing. **Kai-Uwe Krause** ist Leiter der Leitstelle XPlanung/XBau des Landesbetriebs Geoinformation und Vermessung Hamburg.

Als Fachbereichsleiter der „Urban Data Platform Planen und Bauen" und Leiter der „Leitstelle XPlanung/XBau" ist Dr. Krause zuständig für die Konzeption, den Betrieb von IT-Infrastrukturen und die Modellierung semantischer Datenmodelle im Planungs- und Baubereich als auch deren Integration in Prozessketten integrierter E-Government Vorhaben.

Holger Kreienbrink hat in Hannover und Madrid Architektur studiert. Seit 2001 ist er bei der Graphisoft Deutschland GmbH tätig und verantwortet als Director den Bereich Customer Success.

Zusammen mit Andreas Haffa leitet er die bei der buildingSMART eine Fachgruppe zur Kostenermittlung und modellbasierten Mengenermittlung.

Robert Landfried (46) ist seit über 30 Jahren in der TGA-Branche tätig und führt seit 23 Jahren ein eigenes Büro mit wechselnden Inhalten: Digitalisierung, Programmierung, Beratung, Projektierung, Koordination, Projektsteuerung, Organisation – vor allem für Großprojekte im Bauwesen.

Dr. **Thomas Liebich** erwarb das Diplom in Architektur und den Doktortitel für Bauinformatik an der Bauhaus-Universität Weimar. In den vergangenen 20 Jahren hat er aktiv die Entwicklung und Einführung digitaler Methoden in Design und Konstruktion mit Fokus auf Building Information Modeling, BIM betrieben.

Er ist geschäftsführender Gesellschafter der AEC3 Deutschland GmbH, einem Beratungsunternehmen, das Dienstleistungen zur Einführung und Anwendung digitaler Methoden mit einem Fokus auf BIM-Management für alle Beteiligten in Bauprojekten bereitstellt. Er berät Behörden, Eigentümer, Betreiber, Auftragnehmer und Generalplaner bei der Digitalisierung ihrer Geschäftsprozesse.

Ein Schwerpunkt seines Berufslebens ist die Standardisierung. Er leitete das Team von buildingSMART International für die Entwicklung der IFC (DIN EN ISO 16739) und entwickelte viele Dienste, um deren Implementierung zu erleichtern, u. a. das buildingSMART-Zertifizierungsprogramm. Er ist Leiter des DIN-Fachbereichs 005-13 BIM, Leiter der deutschen Delegation bei CEN/TC 442 BIM und Convener der WG 02 Informationsaustausch.

Stijepan Ljubicic ist BIM-Verantwortlicher der STRABAG AG Schweiz.

Stijepan Ljubicic absolvierte eine Berufslehre als Bauzeichner im Straßen- und Tiefbau und darauf folgend ein Studium zum staatlich anerkannten Bautechniker im Hoch- und Tiefbau. Bei der STRABAG AG Schweiz ist er seit Absolvierung der berufsbegleitenden internen BIM-Management-Ausbildung als BIM-Manager/-Koordinator für die Implementierung von BIM in der Schweiz verantwortlich. Weiterhin vertritt er die STRABAG AG Schweiz bei buildingSMART Switzerland und ist Co-Leiter der Construction Room CH.

Dipl.-Ing. (FH) **Stefan Maier** (39) absolvierte ein Studium der Elektronik- und Softwaresysteme an der Universität Technikum Wien. Seit 2004 ist er bei der Firma RIB SAA Software Engineering GmbH tätig.

Stefan Maier begann als Softwareentwickler für MES-Systeme und nach mehreren Stationen innerhalb des Unternehmens ist er seit 2018 Teil der Geschäftsführung.

Stefan Maier verfügt über 17 Jahre Erfahrung in der Fertigteilindustrie, insbesondere für den gesamten BIM-Prozess in Fertigteilanlagen. Weiterhin ist er Co-Initiator und Sprecher der buildingSMART-Projektgruppe IFC4precast.

Gregor Müller ist als CEO der BIMsystems GmbH im Bereich Lean Management Wissen für die unterschiedlichsten Branchen verantwortlich. Die breit gefächerten Aufgabenbereiche ermöglichen ihm tiefe Einblicke in Strategien zur Effizienzsteigerung und innovative technologische Lösungsansätze, die auf die Baubranche übertragbar sind.

2015 gründet Gregor Müller gemeinsam mit Branchen- und Technologieexperten die BIMsystems GmbH zur Entwicklung einer innovativen Software-Lösung auf Basis von Building Information Modeling (BIM). Dieser neue Ansatz liefert für alle Baubeteiligten einen deutlichen Mehrwert für deren Informationsmanagement entlang des Lebenszyklus einer Immobilie. Das neu entwickelte datenbankbasierte BIM-System auf Basis der corma Technologie ist weltweit einzigartig.

Jeffrey W. Ouellette hat mehr als 30 Jahre Erfahrung in den Bereichen CADD, Architektur, BIM, Softwareentwicklung und -vermarktung sowie Entwicklung und Implementierung von Datenstandards. Als unabhängiger Berater unterstützt er Unternehmen und Organisationen, die buildingSMART International (bSI) und ISO-Standards bei der Entwicklung neuer Best Practices für die Umsetzung und den Betrieb von Projekten nutzen möchten. Er ist an mehreren Standardisierungsprojekten beteiligt, in den USA als auch international, die sich mit der Interoperabilität für Bereiche wie Gebäudeenergiemodellierung, Facility Management und Verkehrsinfrastruktur befassen.

Máté Petrich schloss sein Elektroingenieur-Studium in Budapest (Ungarn) ab und begann seine Laufbahn als Elektroplaner. In der Schweiz bildete er sich imBereich BIM Planung und Modellierung weiter und ist seit 2019 als BIM Consultant bei Amstein + Walthert tätig. Aktuell befasst sich Máté Petrich mit Themen wie BIM-Koordination, Use Case Entwicklung Fokus BIM2Field & Field2BIM, BIM-Beratung des Bauherrn, teilautomatisierte Lösungen im Scan-2BIM. Er ist Mitglied vom Construction Room BuldingSmart Switzerland.

Markus Ringeisen studierte an der ETH in Zürich Bauingenieurwesen. Nach Tätigkeiten in Ingenieurbüros und in der Industrie setzte er seine Laufbahn als Sicherheitsingenieur bei der Suva (Schweizerische Unfallversicherungsanstalt) fort. Aktueller Tätigkeitsschwerpunkt ist die Integration der Belange der Arbeitssicherheit und des Gesundheitsschutzes in die BIM-Methode.

Antonietta Russo ist als gelernte Bauzeichnerin mit Fachrichtung Ingenieurbau EFZ seit 2018 bei der ACCA software S.p.A im International Departement (D-A-CH), Technischer Support und Schulung tätig.

Michael Splett ist geschäftsführender Gesellschafter der CPI Construction-Pilot Ingenieurgesellschaft mbH.

Nach seinem Studium des Bauingenieurwesens an der TU Berlin hat sich Michael Splett auf die Terminplanung komplexer Projekte spezialisiert und diese Kompetenz in zahlreichen Großprojekten bundesweit sowie in der Schweiz und den USA eingesetzt. Seit 2004 ist Michael Splett freiberuflich als Beratender Ingenieur tätig und hat 2016 die CPI Construction-Pilot Ingenieurgesellschaft mbH gegründet, die sich auf die 4D-Terminplanung und deren Einsatz in komplexen Bauprojekten spezialisiert hat.

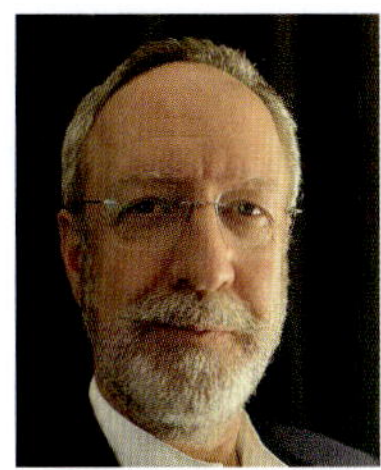

Prof. **Rasso Steinmann** ist Professor für Bauinformatik an der Hochschule München und Gründer und Leiter des iabi – Institut für angewandte Bauinformatik.

Er ist Vorstandsvorsitzender buildingSMART-Deutschland und Deputy Chairman von buildingSMART International.

Als Leiter des VDI BIM Koordinierungskreises ist er an der Entwicklung der BIM-Richtlinienreihe VDI 2552 beteiligt. Weiterhin ist er Mitglied im Vorstand der VDI-Gesellschaft Bauen und Gebäudetechnik und im DIN Fachbereich BIM des DIN-Normenausschuss Bauwesen (NABau).

Dipl.-Ing. **Kai Steuernagel**, 1962 geboren in Frankfurt am Main, war nach Abschluss zum Dipl.-Ing. an der Fachhochschule Frankfurt (1986) als Angestellter im Ing. Büro Boer tätig und gründete 1992 das Büro STEUERNAGEL INGENIEURE mit 35 Mitarbeitern in Frankfurt.

Schwerpunkte sind: Ingenieur-Vermessung, Geodatenmanagement, Tiefbauplanung, 3D-Laserscanning und UAV.

Kai Steuernagel ist Mitglied der Ingenieurkammer Hessen, Prüfsachverständiger für Vermessung HPPVO und Stadtplaner IngKH.

Prof. Dr.-Ing. **Jakob von Heyl** ist Geschäftsführer der LCM Digital GmbH sowie Professor für Internationales Projektmanagement an der Hochschule für Technik in Stuttgart.

Studienbegleitend hat er Lean Management kennengelernt und praktiziert es seitdem mit Überzeugung. Fasziniert von den kollaborativen Zusammenarbeitsmodellen und Themen der Digitalisierung begleitet Jakob von Heyl seither aktiv die Entwicklung und Verbreitung dieser Themen in der Baubranche. Jakob von Heyl leitet außerdem die Lean Construction Project Award Jury des German Lean Construction Instituts und vertritt als Vorstand die Stiftung Immobilie.

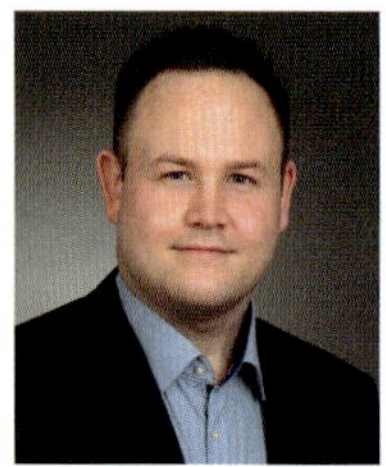

André Vonthron ist wissenschaftlicher Mitarbeiter an der Ruhr-Universität Bochum am Lehrstuhl für Informatik im Bauwesen. Zuvor hatte er ein Studium der Angewandten Informatik absolviert. Im Rahmen des Sonderforschungsbereichs SFB837 liegt ein Forschungsschwerpunkt und Thema seiner Doktorarbeit in der Informationsmodellierung und Visualisierung von Interaktionen im Bereich des maschinellen Tunnelbaus. Für den SFB837 ist er im buildingSmart International Projekt IFC-Tunnel aktiv tätig. Ein weiteres Forschungsthema ist die digitale und regelbasierte Abbildung und Prüfung von Vorschriften, deren Erforschung und Anwendung Gegenstand in Projekten zum BIM-basierten Bauantrag (2018 bis 2020) und zur Digitalisierung der Musterbauordnung (2021 bis 2022) sind.

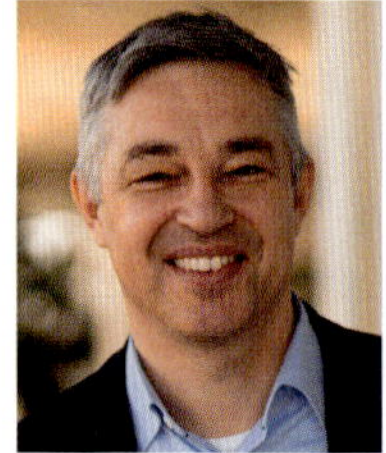

Günter Wenzel ist seit 2001 wissenschaftlicher Mitarbeiter am Fraunhofer IAO in Stuttgart und leitet dort das Team „Building Culture Innovation". Seit Abschluss des Architekturstudiums in Stuttgart beschäftigt er sich mit Informations- und Kommunikationstechnologien im Lebenszyklus unserer gebauten Umwelt. Aktuell arbeitet er unter anderem an folgenden Themen: „Virtuelle Techniken in der Bürgerbeteiligung", „Anbindung Immersiver Kommunikationstechniken an BIM-, GIS- und FM-Systemen" und „Transformation in der Wertschöpfungskette Bauwirtschaft". Er engagiert sich in verschiedenen Gremien, beispielsweise leitet er den Industriearbeitskreis „Virtuelle Techniken im Bauwesen" beim VDC Fellbach. Er ist Institutsvertreter bei buildingSMART Deutschland und Mitbegründer des BIM-Cluster Baden-Württemberg e.V. und dort Mitglied im Vorstand.

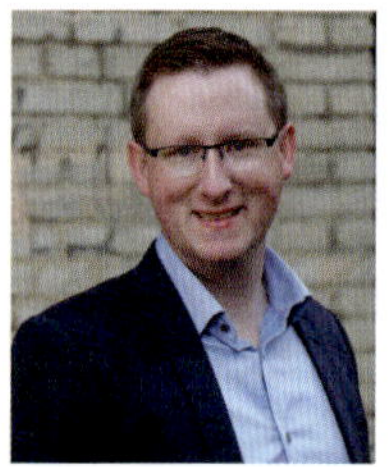

Stefan Wüst ist Geschäftsführer und BIM-to-Field-Experte der Müller Wüst AG., Schweiz.
Stefan Wüsts Gebäudetechnik-Karriere begann mit den Grundbildungen Sanitärmonteur und Gebäudetechnikplaner Sanitär. Nach seinem Studium zum Sanitärtechniker HF und Diplom-Betriebswirt absolvierte er an der Fachhochschule Brugg Windisch den CAS Digitales Bauen. Hauptberuflich ist Stefan Wüst Mitinhaber der Müller Wüst AG, Aarau, einem Beratungs- und Engineeringunternehmen für digitales Bauen. Zudem ist er Mitglied der Fachgruppe buildingSMART zum Thema BIM-to-Field. Beim Schweizer Berufsverband der Gebäudetechnik „suissetec" ist er seit 2021 im Zentralvorstand.

Elisabeth Zachries absolvierte ihr Masterstudium Architektur mit dem Schwerpunkt BIM an der TU München.

Sie arbeitet seit Mai 2019 beim dänischen Softwarehersteller DALUX als Customer Success Managerin und betreut Kunden aus der DACH-Region.

Quellenverzeichnis*

Abbildungen	Beitrag	Quelle
Abbildung 1	Amir Abbaspour	VDI 2552 Blatt 10:2021-02 Building Information Modeling – Auftraggeber-Informations-Anforderungen (AIA) und BIM-Abwicklungspläne (BAP)
Abbildungen 3–4	Amir Abbaspour	Signavio GmbH
Abbildung 6	Amir Abbaspour	APHS | APHS-001, Professor Robert Amor, University of Auckland, Open IFC Model Repository
Abbildung 7	Amir Abbaspour	AFRY Schweiz AG
Abbildung 8	Amir Abbaspour	Trapelo St Office , Professor Robert Amor, University of Auckland, Open IFC Model Repository
Abbildung 9	Amir Abbaspour	CA Immo Deutschland GmbH
Abbildungen 11–12	Amir Abbaspour	Dalux ApS Demoprojekt
Abbildungen 13–17	Thomas Liebich	AEC 3 Deutschland GmbH
Abbildung 18	Amir Abbaspour	DIN SPEC 91391-1:2019-04 Gemeinsame Datenumgebungen (CDE) für BIM-Projekte – Funktionen und offener Datenaustausch zwischen Plattformen unterschiedlicher Hersteller – Teil 1: Module und Funktionen einer Gemeinsamen Datenumgebung
Abbildungen 19–23	Markus Giera	Kaulquappe AG
Abbildung 24	Amir Abbaspour	buildingSMART International
Abbildung 25	Amir Abbaspour	Ernst Basler + Partner AG
Abbildung 26	Amir Abbaspour	ACCA Software S.p.A
Abbildungen 29–32	Amir Abbaspour	RSP Remmel + Sattler Ingenieurgesellschaft mbH
Abbildung 34	Amir Abbaspour	ALLPLAN Deutschland GmbH
Abbildung 35	Georg Dangl	buildingSMART International
Abbildungen 36–40	Georg Dangl	Dangl IT GmbH

* Quellenangaben bestehen für die Abbildungen, die nicht vom jeweiligen Autor stammen

Abbildungen	**Beitrag**	**Quelle**
Abbildungen 41–46	Amir Abbaspour	TestFit Inc., Alexine Gordon-Stewart
Abbildungen 47–48	Thorsten Dill	ALLPLAN Handelsvertretung, Olaf Nicke
Abbildung 49	Amir Abbaspour	Solibri Inc, SOLIBRI Office
Abbildung 51	Günter Wenzel	Fraunhofer IAO; Foto: Fraunhofer IAO
Abbildung 52	Amir Abbaspour	Solibri Inc, SOLIBRI Office, BIM-Modell: BIMcollab
Abbildungen 54–57	Gerald Grewolls Kathrin Grewolls	SIMTEGO GmbH
Abbildungen 58–59	Michael Splett	CPI Construction-Pilot Ingenieurgesellschaft mbH
Abbildung 60	Amir Abbaspour	Solibri Inc, SOLIBRI Office, BIM-Modell: ALLPLAN Handelsvertretung Olaf Nicke
Abbildung 61	Kai-Uwe Krause, André Vonthron	Landesbetrieb Geoinformation und Vermessung (LGV) Hamburg
Abbildung 62	Amir Abbaspour	pbb Planung + Projektsteuerung GmbH
Abbildungen 63–66	Robert Landfried	L2 GmbH
Abbildungen 67–70	Wilhelmina Katzschmann	Katzschmann Consulting
Abbildung 71	Amir Abbaspour	2021 World Economic Forum
Abbildung 72	Amir Abbaspour	DIN EN 15978:2012-10 Nachhaltigkeit von Bauwerken – Bewertung der umweltbezogenen Qualität von Gebäuden – Berechnungsmethode
Abbildungen 73–74	Amir Abbaspour	OneClickLCA, Demoprojekt
Abbildungen 78–79	Antonietta Russo	ACCA Software S.p.A
Abbildungen 80–81	Amir Abbaspour	VisiLean Ltd
Abbildungen 82–86	Jakob von Heyl, Dirk Holzmann	LCM Digital, Drees & Sommer
Abbildungen 87–90	Stijepan Ljubicic	STRABAG AG / Angel Sanchez, Altdorf/ Schweiz
Abbildungen 91–93	Markus Ringeisen	Suva (Schweizerische Unfallversicherungsanstalt)
Abbildung 94	Máté Petrich	Amstein + Walthert AG
Abbildungen 95–96	Amir Abbaspour	CA Immo Deutschland GmbH

Abbildungen	Beitrag	Quelle
Abbildung 97	Elisabeth Zachries	Dalux ApS Demoprojekt
Abbildungen 98–101	Amir Abbaspour	CA Immo Deutschland GmbH
Abbildungen 102–105	Kai Steuernagel	STEUERNAGEL INGENIEURE GmbH
Abbildung 106	Gregor Müller	BIM Systems GmbH
Abbildungen 107–113	Andree Berg	GS1 Germany GmbH
Abbildungen 114–117	Peter Kafka	Precast Software Engineering GmbH – now part of ALLPLAN
Abbildungen 118–119	Stefan Maier	RIB SAA Software Engineering GmbH
Abbildungen 120–122	Stefan Wüst	Müller Wüst AG., Schweiz
Abbildungen 123–124	Thomas Hauber	Firmengruppe Max Bögl
Abbildung 126	Julian A. Amann	Singular AG
Abbildungen 127–128	Maximilian Jöne	InCaTec Solution GmbH
Abbildungen 129–130	Amir Abbaspour	THING TECHNOLOGIES GmbH
Abbildungen 131–133	Amir Abbaspour	Bundesministerium des Innern, für Bau und Heimat (BMI) / Bundesministerium der Verteidigung (BMVg) (Hrsg.): Baufachliche Richtlinien Recycling, 2018